FERNANDO GOLDENSTEIN CARVALHAES
LEONARDO ALVES DE ANDRADE

INSTITUTO BRASIL A GOSTO apresenta

FERMENTAÇÃO À BRASILEÍRA

EXPLORE O UNIVERSO DOS FERMENTADOS
COM RECEITAS E INGREDIENTES NACIONAIS

EDIÇÃO BILÍNGUE
PORTUGUÊS - INGLÊS

≡ Editora Melhoramentos

Aos nossos pais, que sempre nos fizeram
acreditar que este projeto seria possível.

Aos mais de 3 mil alunos que passaram
pela Escola Fermentare e celebraram
conosco a arte da fermentação.

© 2020 Fernando Goldenstein Carvalhaes
e Leonardo Alves de Andrade

Direção de arte: Marcio Penna
Fotografia: Ding Musa
Produção de objetos e culinária: Estúdio Fuê – Janaína Resende
Curadoria de conteúdo: Instituto Brasil a Gosto – Ana Luiza Trajano, Bel Moherdaui, Leticia Rocha e Max Jaques
Teste, produção e revisão de receitas: Fernando Goldenstein Carvalhaes, Leonardo Alves de Andrade, Instituto Brasil a Gosto – Karina Carvalho e Max Jaques
Revisores técnicos: Ícaro Alves Cavalcante Leite de Oliveira, Paulo Sérgio Pedroso Costa Júnior e Pedro Queiroz Borges
Tradução: Julia Debasse

Direitos de publicação:
© 2020 Editora Melhoramentos Ltda.
Todos os direitos reservados.

1.ª edição, 5.ª impressão, março de 2025
ISBN: 978-85-06-08706-0

Atendimento ao consumidor:
Caixa Postal 169 - CEP 01031-970
São Paulo - SP - Brasil
sac@melhoramentos.com.br
www.editoramelhoramentos.com.br

Impresso no Brasil

Dados Internacionais de Catalogação na Publicação (CIP)
(Câmara Brasileira do Livro, SP, Brasil)

Carvalhaes, Fernando Goldenstein
  Fermentação à brasileira: explore o universo dos fermentados com receitas e ingredientes nacionais / Fernando Goldenstein Carvalhaes, Leonardo Alves de Andrade; [fotografia Ding Musa]. - São Paulo: Editora Melhoramentos, 2020.

  Bibliografia.
  ISBN 978-85-06-08706-0

  1. Alimentos fermentados 2. Bebidas fermentadas 3. Fermentação I. Andrade, Leonardo Alves de. II. Musa, Ding. III. Título.

19-31720   CDD-664.024

Índice para catálogo sistemático:
1. Fermentação: Tecnologia de alimentos 664.024

Cibele Maria Dias - Bibliotecária - CRB-8/9427

"SÓ DUAS COISAS TÊM VALOR NA VIDA: COMIDA E BEBIDA."

ZÉ CELSO MARTINEZ CORREA

ADAPTAÇÃO DA OBRA *BACANTES* DE EURÍPEDES
PARA A CANÇÃO DE ZÉ CELSO E ZÉ MIGUEL WISNIK

SUMÁRIO

Prefácio	9
Prólogo	10
Como utilizar este livro	13
Introdução	14
CAPÍTULO I – Fundamentos	**18**
Diferença entre putrefação e fermentação	22
Ser humano fermenta?	22
Ancestralidade no DNA humano	26
O papel dos microbiomas	27
Microrganismos majoritariamente atuantes	28
Saccharomyces	29
Brettanomyces	33
Acetobacter	36
Lactobacillus	36
Pediococcus	38
Boas práticas de limpeza e sanitização	40
Colecionando microrganismos "domesticados" e selvagens	40
Criando uma cultura de microrganismos selvagens	41
Escolhendo a fonte de microrganismos	42
Acondicionando os ingredientes	43
Iniciando o fermento selvagem	45
Manutenção da cultura selvagem	45
Fermento de gengibre (*ginger bug*)	46
Kefir	49
Coalhada (iogurte) para o dia a dia	50
Coalhada seca e soro de leite	50
Manteiga fermentada com kefir	52
Leite fermentado com kefir (Yakult® caseiro)	53
Rejuvelac	54
Ativando fermentos comerciais	55
CAPÍTULO II – Bebida	**56**
Kombucha	58
Mãe do kombucha ou SCOBY	59
Cuidados básicos com a cultura	60
Hotel de SCOBY	61
Ingredientes e utensílios necessários	61
Etapas, do chá ao kombucha	63
Mãos à obra	66
Kombucha de chá-verde com gengibre	66
Aprimorando, controlando e melhorando a produção de kombucha	68
Controle de acidez, teor alcoólico, dulçor e carbonatação	68
Teor alcoólico	68
Acidez	68
Carbonatação	69
Dulçor residual no paladar	69
Produção de extratos de frutas estáveis para a segunda fermentação	71
Adaptação de cultura para fermentar outros substratos além de chá	71
Equipamentos para a medição do kombucha	73
Saborização de kombucha	74
Kombucha à base de chá-verde fraco	74
Extrato padrão de frutas	76
Laranja-baía de verão	76
Maracujá com pimenta-rosa	77
Cenoura	78
Café	78
Pepino e hortelã	79
Mate torrado com limão	80
Hibisco, gengibre e pimenta-rosa	81
Consumindo o SCOBY	81
SCOBY em calda	82
Doce de banana com SCOBY	84
Charque vegetariano de SCOBY (*jerked beef* vegano)	84
Bala de gengibre	85
Consumindo o SCOBY batido (purê)	87
Folha de goiaba	87
Folha de cupuaçu	88
Folha de banana	88
Folha de maracujá	89
Refrigerantes selvagens	89
Refrigerante de beterraba	91
Refrigerante de abacaxi com hortelã	92
Refrigerante de camu-camu	93
Refrigerante de batata-doce	95
Refrigerante de pepino, cidreira e limão	96
Refrigerante de laranja com acerola	96
Refrigerante de melão com chá-verde	97
Ginger ale	97
Refrigerante de gengibre	99
Vinagre	99
Vinagre de chá-verde	101
Vinagre de maçã	102
Vinagre de beterraba	103
Vinagre de limão-galego	104
Vinagre de malte	105
Bebidas alcoólicas	106

Materiais e insumos necessários	109
Projetando a bebida	112
Escolha e ativação do fermento	112
Mostura e pasteurização	112
Fermentação	112
Maturação – retirando resíduos do mosto por decantação e pela temperatura	113
Trasfega – transferindo o mosto	113
Priming – correção do açúcar para gaseificação	115
Envase	115
Teor alcoólico	115
Kombucha alcoólico (hard kombucha)	119
Kombucha alcoólico de açaí (5% Vol.)	120
Hidromel	121
Tipos de hidromel	121
Hidromel clássico	122
Metheglin tupiniquim	124
Melomel de jabuticaba	125
Cervejas selvagens	126
Cerveja de jatobá e quinaquina	128
Root beer tupiniquim	128
Cerveja de ipê-roxo	129
Vinhos e sidras	132
Sidra de caju	132
Vinho seco de jabuticaba	135
Vinho de sobremesa de jabuticaba	135
Vinho de mate	136
CAPÍTULO III – Comida	**138**
Conservas láticas de vegetais	140
Adição inicial de microrganismos selecionados	141
Procedimento básico	144
Salga – salmoura	144
Meio anaeróbico (sem oxigênio)	147
Quanto tempo de fermentação?	148
Posso adicionar outras hortaliças à minha conserva depois de pronta?	148
Chucrute tradicional	150
Chucrute de couve-manteiga	152
Conserva de cenoura	153
Conserva de cabotiá e erva-doce	155
Conserva de nabo e cenoura ralados	156
Limão-galego em conserva	157
Vinagrete de limão em conserva	159
Kimchi	159
Kimchi de verão	161
Kimchi de frutas	163
Kimchi tropical	164
Chutney de manga	165
Relish de abacaxi e abobrinha	166
Conserva de jabuticaba	167
Conserva de bacupari	168
Conserva de azeitona-do-ceilão	169
Conserva de manga verde	170
Cambuboshi, umbuboshi, figoboshi e bilimboshi	173
Molho de pimenta fermentada	174
Molho de salada fermentado	176
Achar (conserva de pimenta típica de Moçambique)	176
La Jiao Jiang	177
Mandioca	179
Mandioca pubada	183
Tucupi	183
Polvilho azedo	184
Massa de mandioca pubada (carimã)	185
Blinis de puba	187
Sorvete de tucupi	187
Bolo de mandioca pubada	188
Pão de queijo	191
Cuscuz de uarini com tucupi e camarão	192
Biscoito de polvilho com óleo de urucum e semente de abóbora	195
Escondidinho de carne-seca com puba	196
Rabada no tucupi	199
Mingau de carimã com cumaru e castanha-do-brasil	200
Grãos e sementes	202
Bolinho de feijão fradinho fermentado – variação do acarajé	206
Falafel fermentado (bolinho de grão-de-bico)	208
Pasta de castanha-de-caju fermentada	209
Bolo de arroz com kefir de água	210
Mostarda	213
Nukadoko e *Nukazuke*	213
Epílogo	**221**
Glossário	**222**
Referências bibliográficas	**224**
Índice das receitas	**228**
Sobre os autores	**229**
Agradecimentos	**230**
Versão em inglês	**231**

PREFÁCIO

Que casa brasileira não tem, em alguma prateleira da cozinha, ao menos um vidro de conserva? Em viagens pelo país, confirmei que essa é uma realidade bastante comum nos lares daqui, sobretudo na região Sul. No Norte e no Nordeste, ingredientes essenciais da cultura alimentar local, como farinha, puba, polvilho e tucupi, só existem graças à fermentação da mandioca.

Em busca de mais conhecimento sobre esse tema, deparei com o Fernando e o Léo. Quem me apresentou a esses dois magos da fermentação foi uma amiga em comum, a grande pesquisadora Neide Rigo.

Fiquei encantada com o conteúdo que eles já tinham construído, em um longo e minucioso trabalho, que torna acessível uma técnica ancestral de uma maneira que faz sentido em nosso cotidiano e na realidade e, ainda melhor, com produtos brasileiros. Desse encontro de ideais e projetos, saiu o convite para unirmos forças e, juntos, lançarmos este livro, cujo desafio é disponibilizar esse conhecimento para um público mais amplo. Da admiração, nasceu uma amizade.

Por isso, é com muito orgulho que o Instituto Brasil a Gosto apresenta *Fermentação à Brasileira*, obra descomplicada e de leitura fácil, que traz um raio X do tema e ajuda a entender a teoria e a prática da produção de kombucha, refrigerantes naturais, conservas, vinagres, cervejas... E vai além: de modo pioneiro, compartilha preparos que mostram quão surpreendente pode ser esse encontro entre técnicas antigas e a nossa riqueza de ingredientes. Do kombucha de chá-mate ao vinho de jabuticaba e ao chucrute de couve-manteiga, o livro traz um total de 89 receitas e um convite para que todos se aventurem nesse caminho por uma alimentação mais natural e saudável.

Como muitos sabem, a missão do Instituto Brasil a Gosto é desvendar, preservar e divulgar a cozinha brasileira. Um dos pilares fundamentais desse trabalho é a pesquisa, vertente que nos estimula a nos debruçar não só nos estudos das tradições, como também nas tendências que rondam a alimentação.

Por todos esses motivos, este é o primeiro livro que o Instituto Brasil a Gosto, do qual sou fundadora e presidente, assina como curador, em uma série que se abre agora com trabalhos de especialistas dispostos a investigar e registrar o patrimônio alimentar brasileiro. Convido todos vocês a entrarem conosco neste movimento #PelaCozinhaBrasileira. Vamos juntos?

Ana Luiza Trajano
Presidente do Instituto Brasil a Gosto

PRÓLOGO

"Isso de querer ser exatamente aquilo
que a gente é ainda vai nos levar além"
Paulo Leminsky

Uma pesquisa pessoal que se iniciou há alguns anos e possibilitou a criação da Companhia dos Fermentados — uma pequena indústria paulistana que teima em produzir alimentos de forma tradicional no mundo contemporâneo — agora vira livro.

Cansados da rotina sufocante no mundo corporativo, Leonardo e eu decidimos montar um negócio próprio que abarcasse as atividades que gostávamos de fazer nas horas de lazer: ler, escrever, cozinhar, lecionar, fotografar e experimentar.

É difícil lembrar exatamente como a ideia foi se delineando e materializando, mas hoje temos certeza de que foi muito boa. Tampouco podíamos imaginar a quantidade de restaurantes, botecos, sítios, fazendas, canais de rádio e televisão, cozinheiros, bartenders, donos de escolas de culinária, editoras, cientistas, nutricionistas, pesquisadores e chefs que rapidamente demonstraram interesse na produção de alimentos com base na mescla de técnicas de fermentação tradicionais e modernas.

Tudo começou num minúsculo espaço de 12 metros quadrados, improvisado na edícula da nossa casa, reformado para abrigar uma mistura de laboratório com cozinha industrial, área de recebimento de insumos, expedição, estoque, entre outras coisas.

Diversas questões sobre a bioquímica das fermentações surgiram nesse momento inicial. Especialmente das fermentações rudimentares, processos que ocorrem de forma espontânea, com auxílio de microrganismos naturalmente presentes nos alimentos (ou seja, processos que não foram desenvolvidos em laboratório) que vêm sendo praticados desde o início da civilização.

Infelizmente, contamos com pouca literatura sobre o assunto, embora a humanidade o tenha desenvolvido, lapidado e dominado ao longo de milênios, em um período em que fermentar era uma forma de conservar os alimentos sem a qual teríamos morrido de fome. Encorpar essa bibliografia é um dos propósitos deste livro.

Meu pai, engenheiro-elétrico que se aventura também como mestre-cachaceiro, apresentou-me à professora Rosane Schwan, chefe de um grupo de pesquisa em fermentações rudimentares na Universidade de Lavras, em Minas Gerais. É um alento saber que existem profissionais e instituições de pesquisa que trabalham e se interessam pelo diálogo entre ensino, pesquisa e sociedade, intercâmbio tão importante, porém insuficiente em nosso país.

Nosso contato, além de extremamente gratificante, foi bastante proveitoso. O grupo fez a análise microbiológica de alguns de nossos produtos, e participamos do Simpósio de Microbiologia Agrícola de 2018 como palestrantes. Para encerrar saborosamente nossa primeira parceria de pesquisa com uma instituição pública de ensino superior, ministramos uma oficina de conservas de vegetais.

Tive a sensação de que estávamos no caminho certo com essa aproximação do nosso trabalho com a universidade. Ou pelo menos que ele fazia sentido, de alguma forma, para as pessoas que considero mais valiosas: os pesquisadores. Estar de volta à academia com um convite tão acolhedor e generoso foi como um sonho realizado, e vou guardar para sempre a receptividade e o entusiasmo da professora e dos alunos que pesquisam melhorias em produtos agrícolas brasileiros por meio de processos fermentativos.

Então, decidimos deixar de fazer apenas a pequena produção caseira para investir em uma frente inovadora: ensinar nossas técnicas para quem quisesse aprender e praticar de forma artesanal ou industrial. Inicialmente as aulas aconteciam só em São Paulo, onde estamos baseados, depois em outros estados e cidades. A receptividade calorosa confirmou mais uma vez que trilhávamos um bom caminho e aumentou nossa vontade de ir além.

Existe hoje, no mundo todo, menos de meia dúzia de iniciativas iguais à nossa: produção de comidas e de bebidas fermentadas aliada à divulgação e ao ensino de todas as técnicas utilizadas, incluindo até mesmo a oferta de assessoria para novos produtores industriais.

Este livro é, portanto, uma expansão de todo esse conjunto de práticas e reflexões. É fruto da vontade de levá-lo ao conhecimento de todos que se interessam pelo resgate e pela prática dessas formas clássicas e modernas de transformação da comida. É, de certa maneira, ativismo político ao oferecer e divulgar informação e conhecimento em resposta ao marketing sistemático, muitas vezes grosseiro, da indústria alimentar. Marketing que cria desejos e necessidades de produtos que não alimentam com qualidade e até usurpa denominações originais para essas versões empobrecidas.

Existem diversas publicações sobre técnicas de fermentação, entre elas, *A arte da fermentação*, de Sandor Katz, o maior e melhor compêndio voltado para o grande público[1]. Tratamos aqui, todavia, das experimentações de nossa trajetória particular, e nela a principal característica é a escolha, sempre que possível, de insumos brasileiros.

Autores de livros de receitas são pessoas ousadas que estudam e praticam muito suas formulações, por isso precisam aprender a lidar com frustrações. Nossos amigos que têm obras publicadas nos relatam os protestos dos leitores quando a receita "não funciona". Aqui, o número de variáveis (ambiente, temperatura etc.) e possibilidades de erro é ainda maior porque trabalhamos com seres vivos, e não ingredientes inertes.

Tendo isso em conta, alertamos e pedimos, de antemão, paciência: se algo não sair como esperado, tenha ânimo para refazer os experimentos, mais de uma vez se for necessário. Uma hora, funciona. Se as receitas estão aqui, é porque foram testadas e aprovadas não apenas por nós, mas também por familiares, amigos, clientes e outras pessoas destemidas e praticantes que conseguimos reunir em nossa longa e mágica caminhada.

Por último, temos a esperança de que os leitores possam encontrar diversas formas de explorar este conteúdo. Sugerimos algumas: folheadas rapidamente para curtir as imagens; como guia para experimentos científicos nas escolas e universidades; como guia de receitas caseiras e industriais, seguindo-as *ipsis litteris*; ou como inspiração para criações autorais que respeitem as técnicas, porém com outras formulações. Esperamos que seja um livro a ser usufruído por cientistas e bruxas.

Fernando Goldenstein Carvalhaes

---

[1] Sandor Ellix Katz, *Wild Fermentation: The Flavor, Nutrition, and Craft of Live-Culture Foods*, 2012.

COMO UTILIZAR ESTE LIVRO

Este livro é composto de três capítulos, que podem ser explorados de forma independente.

O primeiro discorre sobre aspectos microbiológicos da fermentação e a sua importância no processo civilizatório. Embora seja desejado entender como ocorrem os processos biológicos em cada uma das técnicas (ainda que de maneira superficial), esse não é um conhecimento imprescindível para reproduzi-las. Basta lembrar que a compreensão do papel dos processos biológicos na transformação dos alimentos se inicia no século XIX com Pasteur, e algumas das técnicas têm milênios de existência. Ter o conhecimento dos microrganismos presentes e da dinâmica dos processos biotecnológicos nos leva a um passo além, permitindo controlar com mais rigor os resultados esperados, trazendo mais segurança alimentar e possibilidades de variar receitas e compor novas criações.

O segundo capítulo trata de bebidas. Se você está interessado em produzir seu próprio kombucha, pode pular direto para ele. Ali, ensinamos também a fazer refrigerantes naturais e bebidas alcoólicas.

Já o terceiro é o das comidas. Quem está ansioso para produzir seu primeiro chucrute pode ir direto para a receita. Basta segui-la, para ter uma conserva com as mesmas características de um genuíno fermentado: saboroso, milenar e cheio de vida.

Algumas receitas dependerão de outras, previamente apresentadas. Nesse caso, haverá indicações.

INTRODUÇÃO

"Bactéria num meio é cultura."
Arnaldo Antunes

Há aproximadamente 10 mil anos, a humanidade deu um grande passo qualitativo na maneira de se relacionar com o ambiente, realizando a transição de caçadores-coletores para sedentários. Deixamos de viver como nômades, paramos de nos deslocar incessantemente em busca de comida e nos fixamos em locais estratégicos, em terras férteis, onde passamos a produzir alimentos, praticando a agricultura e a domesticação de animais de forma mais intensiva.

Recentemente, historiadores[2] têm compreendido esse período de transição e início de vida sedentária como sendo de aspectos contraproducentes e mesmo prejudiciais para a humanidade, que passou então a enfrentar uma série de novas adversidades.

Primeiramente, passamos de uma dieta diversificada de frutos, raízes e fontes de proteínas (animais) para uma dieta mais restrita, pobre em diversidade de nutrientes. Os primeiros grãos que cultivamos eram selvagens e não supriam a variedade de nutrientes que necessitamos no dia a dia. Além disso, nesse início de agricultura desajeitada e sem as técnicas que temos hoje em dia, a produção era limitada. Estávamos sujeitos às intempéries, e invariavelmente perdíamos uma parcela considerável da produção nas ocorrências de secas, inundações, pragas e outros desacertos.

Uma estação produtiva que terminasse com excedentes era considerada uma vitória para as tribos, que prontamente faziam seus rituais de agradecimento aos deuses – algo que ainda fazem. Porém, quando tinham sorte de chegar à colheita com saldo positivo, era preciso enfrentar um segundo desafio: conservar os alimentos até a próxima safra.

Para povos que moram em terras férteis na zona tropical, faz menos sentido falar em conservação de alimentos. A incidência de energia solar é alta e relativamente constante ao longo do ano, portanto estações e sazonalidade agrícola são menos percebidas ("em se plantando, tudo [e sempre] dá"). Porém, em direção aos polos, nas zonas temperadas, a sazonalidade é muito bem definida e existem épocas do ano em que faz muito frio, a ponto de cessar a produção agrícola.

Nessas regiões, onde gela em um período do ano, a necessidade de conservar alimentos é premente, uma questão de sobrevivência. Sem refrigeração, irradiação ou auxílio dos produtos químicos disponíveis atualmente, iniciamos desde os primórdios da vida sedentária um trabalho sistemático de aperfeiçoamento de técnicas de conservação de alimentos, o que nos permitia a sobrevivência durante os longos e improdutivos invernos, ou seja: sem as técnicas modernas de que dispomos hoje, tivemos que desenvolver modos naturais de preservar os alimentos para não morrer de fome. E vimos fazendo isso nos últimos 10 mil anos.

Mesmo nas regiões tropicais e subtropicais, à medida que fomos nos tornando sedentários ou praticando formas itinerantes de agricultura, diferentes povos desenvolveram, ao longo da história, processos de fermentação como parte de suas estratégias de sobrevivência, que resultaram em diversas técnicas rudimentares de conservação de alimentos, como: salga,

---

[2] Yuval Harari, *Sapiens: Uma Breve História da Humanidade*, 2014.
Michael Pollan, *Cozinhar: Uma História Natural da Transformação*, 2013.

secagem, defumação, adição de açúcar, congelamento (pense nos esquimós) e fermentação.

As cinco primeiras se baseiam na diminuição da atividade de água, ou seja, da disponibilidade dessa substância, que é imprescindível para qualquer organismo em nosso planeta.

Pense em uma geleia de fruta, por exemplo. Por mais que ela seja pastosa, indicando a presença de água, o açúcar presente está fortemente ligado a ela, e, por mais que haja microrganismos presentes ali, eles estão sem atividade metabólica (ou até mesmo morrem), pois perdem água para o meio por conta da pressão osmótica.

Já a fermentação é uma estratégia que deliberadamente trabalha com o cultivo dos microrganismos presentes naturalmente ou inoculados nos alimentos, de forma a garantir uma proteção microbiológica: microrganismos que não são nocivos à saúde irão se reproduzir e tomar conta do meio, impedindo a proliferação dos patógenos.

De modo geral, todos esses procedimentos podem ser considerados rudimentares (ou seja, não dependem de tecnologia industrial moderna) e foram desenvolvidos e praticados durante estes milhares de anos. O termo "rudimentar", aqui, não deve ser entendido como pejorativo nem sinônimo de malfeito, mas sim como denominação de uma prática desenvolvida em períodos em que não existiam as técnicas e equipamentos modernos posteriores ao advento da ciência moderna.

Nossos antepassados se empenharam no estudo dessas técnicas porque a vida deles dependia disso.

Ao longo do processo de pesquisa e aprimoramento, muita coisa deu errado, muita gente passou mal e até morreu porque os alimentos se deterioraram, muitos procedimentos foram abandonados, pois simplesmente não funcionavam, e preservados apenas os que tinham êxito, num processo natural de apuração de técnicas (memes) análogo à dinâmica de seleção de espécies (genes)[3].

Fomos presenteados com uma cultura milenar de técnicas rudimentares de processamento de alimentos que garantem segurança alimentar utilizando apenas equipamentos elementares: os únicos a que tivemos acesso nos últimos milênios.

É impressionante encontrarmos formas de processamento de alimentos em todos os povos da humanidade. São procedimentos que atravessam o tempo e o espaço, e é de nosso interesse resgatá-los, documentá-los e praticá-los, pois estamos aqui, vivendo, trabalhando e escrevendo livros por conta deles.

Neste trabalho, vamos nos ater às técnicas de fermentação, um processo natural que ocorre sempre que há microrganismos crescendo em um substrato nutritivo (nossos alimentos, por exemplo), com ou sem a presença de oxigênio. É um processo de degradação dos insumos que pode ser dirigido e controlado por nós, bastando para isso conhecer os métodos.

As inúmeras técnicas de conservação que ocorrem a partir da fermentação tornam também os alimentos menos tóxicos, mais digeríveis, nutritivos e saborosos. Processos fermentativos herdados dessa longa caminhada em busca da segurança alimentar são responsáveis pela produção de diversos ali-

---

[3] Richard Dawkins, O Gene Egoísta, 2007.

mentos presentes em nosso dia a dia, como queijo, iogurte, chocolate, café, embutidos, polvilho azedo, bebidas alcoólicas, pão, vinagre, shoyu, missô, tempeh, kombucha, kefir, nam pla, entre outros.

A fermentação, diferentemente de outros tipos de conservação, tolera imprecisões. Neste livro constam receitas com quantidades precisas, porém não existe a possibilidade de acontecer um erro que leve a um resultado nocivo à saúde, caso você erre na quantidade de sal, adicionando o dobro ou a metade do valor indicado, por exemplo.

Acidentes com botulismo (comum com palmitos em nosso país) ocorrem apenas em preparos em que o vegetal não foi fermentado, mas sim pasteurizado e acidificado artificialmente e de forma não eficaz. Esse é apenas um dos diversos exemplos de como a crescente industrialização do processamento de alimentos pode ser perversa e de que sobrepô-la aos métodos tradicionais consagrados pode ser mortal.

Já no âmbito da coletividade, na medida em que nossas sociedades se tornaram mais complexas, o preparo de alimentos deixou de ser uma tarefa coletiva. A divisão do trabalho implicou que as famílias deleguem etapas importantes da produção a terceiros – como as empresas. Infelizmente, diversos procedimentos ancestrais de aprimoramento e melhoria de alimentos foram em parte esquecidos ou caíram em desuso devido à crescente industrialização.

Mais recentemente, na cultura contemporânea, a propaganda intensiva cria a ilusão de que o alimento produzido por máquinas é mais saudável e saboroso do que o que é feito com as mãos, tornando-o mais desejável. No lugar da comida "de verdade", tal como era produzida e consumida por milhares de anos, encontramos hoje simulacros que tentam mimetizá-la. Trata-se dos alimentos ultraprocessados, pouco ou nada saudáveis, que ocupam cada vez mais o espaço do que antes era feito manualmente,

respeitando-se o tempo de preparo e com o uso de ingredientes legítimos e autênticos.

Não há dúvida de que novas tecnologias são grandes aliadas da humanidade e vêm melhorando nossa qualidade de vida ao longo da história. Temos cada vez mais facilidade de acesso a comunicação, saúde e eventualmente mais tempo livre para cada indivíduo, devido à tecnologia (embora, com os últimos avanços de smartphones e das redes sociais, haja uma boa discussão sobre o que vem a ser tempo "livre").

Com o advento da grande indústria alimentícia, produz-se agora em larga escala o que antes era exercitado de forma diária e ritualística nos lares. Porém, se os novos processos tecnológicos poupam tempo às famílias, garantem segurança alimentar e barateiam os custos, por outro lado reduzem a qualidade nutritiva e terapêutica dos alimentos, sua variedade e sabor.

É preciso estar atento a uma questão central: quando uma técnica deixa de ser praticada e desaparece até mesmo dos livros, é parte de uma cultura que vai se perdendo e acaba por se extinguir, à semelhança de muitos idiomas indígenas brasileiros que nunca mais serão ouvidos. Nesse sentido, é uma forma de etnocídio que presenciamos nos dias de hoje: a prática diária de apagar ou irresponsavelmente rebaixar procedimentos legítimos de produção de alimentos. É assim que pessoas desavisadas veem alimentos fermentados como sinônimo de "apodrecidos". A riqueza de variados patrimônios culturais, com seus diversos costumes e técnicas, vem sendo abandonada, e lidamos cada vez mais com menos e mais pobres opções de produtos.

Na indústria, os prazos de produção devem ser encurtados (é preciso produzir grandes volumes, e tempo é dinheiro), portanto processos manuais demorados são transformados em industriais acelerados. Isso significa, na maioria das vezes, não só a pasteurização, como também a adição de químicos que visam realçar o sabor, aglutinar, decantar, clarificar e principalmente conservar os alimentos de forma rápida, barata e eficaz. Com isso, o produto pode ter um sabor próximo àquele produzido originalmente, mas está longe de ser genuíno.

Existem diversos exemplos de produtos que perderam completamente a originalidade com a diminuição do tempo de produção e a adição de outros elementos. Talvez o caso mais emblemático seja o do pão: uma receita original leva ao menos um dia e demanda diversos tipos de microrganismos. Porém, sua produção industrial (da farinha ao pão) se faz em menos de uma hora, com apenas uma "levedura domesticada". Mas com isso há prejuízo para a variedade, a digestibilidade e o sabor, entre outras características saudáveis de um pão de fermentação natural.

Outro exemplo desse prejuízo na qualidade do alimento, em decorrência do modo de produção, pode-se constatar nas conservas de vegetais: o processo de fermentação rudimentar demanda ao menos um mês, enquanto o processo industrial se faz em apenas algumas horas, com um resultado inferior ao artesanal (contamos um caso divertido no capítulo que trata do assunto, nas páginas 148 e 149). São esses os chamados alimentos ultraprocessados, que guardam pouca ou nenhuma relação com o produto original. Diversos estudos apontam para a (ir)responsabilidade desse tipo de alimentação, que torna a dieta do homem contemporâneo cada vez mais padronizada, pobre – e nociva[4].

Nesse sentido, hoje em dia, praticar a fermentação rudimentar é uma forma de ativismo político, que se opõe à normatização pasteurizadora, que se tornou costume e regra, preconizando a adição sistemática de conservantes e outros elementos da indústria química a cada item de consumo. A industrialização em massa da alimentação não apenas aliena, como também infantiliza, ao nos entregar produtos sempre conhecidos, sempre óbvios e produzidos sem preocupação com a saúde de quem os consome. Pense na quantidade de sal e açúcar, objeto de discussão há décadas e ainda sem legislação no Brasil que regulamente a indústria de forma a defender nossa saúde.

Portanto, registrar e divulgar técnicas antigas de produção e conservação de alimentos são instrumentos de cidadania, que empoderam pessoas que muitas vezes já estão alienadas em relação a um dos itens mais importantes do cotidiano e são reféns da grande indústria, tão presente na mídia. A publicidade, visando criar o desejo de consumo, nos bombardeia com informações desencontradas, muitas vezes contraditórias e imprecisas, não necessariamente alinhadas com as necessidades de nossa saúde física e mental. Mesmo quando busca qualidade, o cidadão está sujeito ao poder da propaganda, que incute desejo e cria necessidade, fantasiando produtos com um figurino saudável, como "funcionais", tão bons ou melhores que os originais, quando em muitos casos são prejudiciais à saúde.

---

[4] Existem diversos estudos sobre o impacto dos alimentos ultraprocessados na saúde humana. O mais interessante para a introdução ao assunto é o *Guia Alimentar para a População Brasileira*. Para mais informações, consultar a p. 225 nas Referências Bibliográficas.

CAPÍTULO I

FUNDAMENTOS

Fermentação à Brasileira

Fermentação é um processo bioquímico anaeróbico (sem presença de oxigênio) de produção de energia por parte de microrganismos[5]. Podemos ampliar a definição formal do conceito para abranger o propósito deste livro, que não é apenas de divulgação científica, mas também de culinária: a fermentação é um processo de transformação dos alimentos por microrganismos.

Já sabemos que os microrganismos são os principais agentes da fermentação e que ela ocorre não apenas nos alimentos, como também em qualquer outro substrato que possa ser decomposto, em um típico processo de produção de energia. Os microrganismos dependem da produção de energia para sobreviver, e essa é a necessidade primordial de qualquer ser vivo em qualquer universo[6].

Mais especificamente, é um processo metabólico – um conjunto de reações químicas – no qual variadas enzimas produzidas pelos próprios microrganismos decompõem moléculas orgânicas em compostos mais simples, os chamados resíduos metabólicos ou simplesmente metabólitos.

Em qualquer reação química, temos sempre um reagente de um lado e os produtos finais do outro:

REAGENTES ⟶ **Produtos**

Especificamente no caso das reações metabólicas, chamamos os produtos de resíduos metabólicos ou metabólitos.

SUBSTRATO ⟶ **Energia + metabólitos**

Neste livro, utilizaremos o termo "fermentação" para designar processos de transformação de determinado substrato (alimento), sejam eles aeróbicos (com presença de oxigênio) ou anaeróbicos (sem a presença de oxigênio).

A breve incursão pela bioquímica logo desemboca na culinária: microrganismos fermentam para produzir energia vital e, de quebra, transformam os alimentos produzindo substâncias interessantes para nós (resíduos metabólicos).

Por exemplo, no caso específico do pão, alimentamos leveduras (sejam elas selvagens ou produzidas em laboratório e comercializadas nos supermercados) com água, farinha e sal. Elas quebram as grandes cadeias de açúcar (carboidratos) e produzem diversos metabólitos, entre eles o gás carbônico, sem o qual o pão não cresce.

---

[5] Albert Lehninger, David L. Nelson e Michael M. Cox, *Lehninger Principles of Biochemistry*, 2000.

[6] O físico Carlo Rovelo discorda desta frase. Para ele, um ser vivo depende de entropia. A discussão é poética e está magistralmente escrita em seu livro *A Realidade não é o que Parece* (2017).

> **FARINHA + ÁGUA + SAL** ⟶ **Pão**
> **(gás carbônico)**

No caso do vinho, as leveduras se alimentam com o açúcar presente nas uvas (frutose), produzindo energia e álcool – um dos resíduos metabólicos mais adorados pela humanidade –, bem como gás carbônico, muito importante para gaseificar as bebidas espumantes.

> **UVAS (frutose)** ⟶ **Vinho (álcool) + gás carbônico**

Já o álcool pode passar por um segundo processo aeróbico e virar vinagre, transformando-se em ácido acético:

> **VINHO (álcool)** ⟶ **Vinagre (ácido acético)**

No caso do leite, bactérias e leveduras degradam a lactose (outro tipo de açúcar), produzindo energia. Já como subproduto, fornecem o ácido lático, que auxilia na conservação do leite, ao talhar, e pode ser transformado em iogurtes e queijos.

> **LEITE (lactose)** ⟶ **Queijo (ácido lático)**

Diversos queijos passam por uma segunda "fermentação" (aeróbica), ou seja, um segundo momento de degradação, quando são devorados por fungos, bactérias e até ácaros, tendo sua textura, aroma e sabor melhorados (segundo algumas culturas, embora outras desconfiem da segurança alimentar do resultado). É o caso do queijo brie, cujo exterior fica mofado pelo fungo *Penicillium camemberti*; do camembert, pelo *Penicillium candidum*; e do roquefort e gorgonzola, pelo *Penicillium roqueforti*. Em situações mais extremas e dramáticas, que demandam coragem e uma taça de vinho, o saint-nectaire precisa do *Chrysosporium sulfureum*, limburger e livarot, de *Brevibacterium linens*, maroilles e münster, da *Debaryomyces hansenii*.

Os vegetais passam por uma fermentação que produz diversos tipos de metabólitos interessantes, que enriquecem e conferem profundidade e complexidade de sabor. Porém, o metabólito que mais interessa para que eles se conservem é, analogamente à fermentação do leite, o ácido lático.

Na página ao lado, um exemplo da formação de metabólitos como subproduto da ação de microrganismos: a luva infla pelo gás carbônico gerado pela fermentação.

Se hoje em dia podemos fazer essas fermentações com microrganismos específicos, isolados e melhorados pela engenharia genética, antigamente (ou seja, antes de Pasteur) não havia tal distinção e nossas técnicas invariavelmente utilizavam microrganismos selvagens: verdadeiras culturas que continham mais de uma espécie e cepa (muitas vezes de diferentes reinos). Esse é o caso, ainda hoje, da fermentação dos vinagres, kombucha, kefir de água e de leite, entre tantos outros que não são possíveis (até o momento) apenas com a adição de colônias de microrganismos isolados e produzidos em laboratório.

Ao longo das próximas páginas, desenvolveremos com profundidade cada uma dessas técnicas e discorreremos brevemente sobre a biotecnologia dos processos.

Diferença entre putrefação e fermentação

Nem toda fermentação (processo de degradação de um substrato) traz melhorias e resíduos metabólicos saudáveis e de interesse para nós. Quando algo "azeda" na geladeira, não temos dúvida de que deve ser descartado, pois não se trata de um processo intencionalmente produzido, de forma controlada, seguindo uma técnica. Trata-se de um processo espúrio, devido ao acaso, e, portanto, não temos como saber o que há lá dentro, tanto em termos de microrganismos como de seus metabólitos.

Dessa forma, a putrefação pode ser pensada como um processo fermentativo em que nem os microrganismos nem seus resíduos metabólicos são de interesse para nós.

A humanidade sofreu muitos reveses (incluindo óbitos) em busca de técnicas seguras e de seu aperfeiçoamento ao longo dos milênios, e este livro trata de uma ínfima parte: a das que tiveram êxito. As técnicas que fracassaram foram esquecidas com o tempo. Assim como acontece com a história da ciência, a informação que sobrevive diz respeito a algo que deu certo, enquanto os erros são esquecidos com o tempo.

Você pode se perguntar como é possível que indígenas e outros povos da Antiguidade, sem álcool, detergente, bactericidas e outras facilidades modernas, fossem capazes de conservar alimentos por anos utilizando-se da fermentação. Essa questão também foi apresentada por um consórcio de pesquisadores contratados pelas Nações Unidas, num esforço de compreender como as tribos pan-americanas, as africanas, vilarejos no Sudeste Asiático, vikings e outras civilizações antigas garantiam segurança alimentar em seus processos rudimentares – esses relatórios são muito interessantes e valem a leitura[7].

Ser humano fermenta?

Como produzimos energia? Microrganismos fermentam para produzir energia. Seres humanos obtêm energia. Seres humanos fermentam? Ao parar para compreender a maneira como ganhamos energia, temos um assombro, pois a resposta nos torna menos humanos.

A história da descoberta de nossa usina interna de produção de energia é interessante e impressionante[8]. Costumamos aprender, ainda no ensino fundamental, que temos no interior de cada célula uma organela responsável por produzir moléculas

---

[7] FAO, "Fermented Fruits and Vegetables: A Global Perspective", 1998.
FAO, "Fermented Cereals: A Global Perspective", 1999.
[8] Nick Lane, *Power, Sex, Suicide: Mitochondria and the Meaning of Life*, 2016.

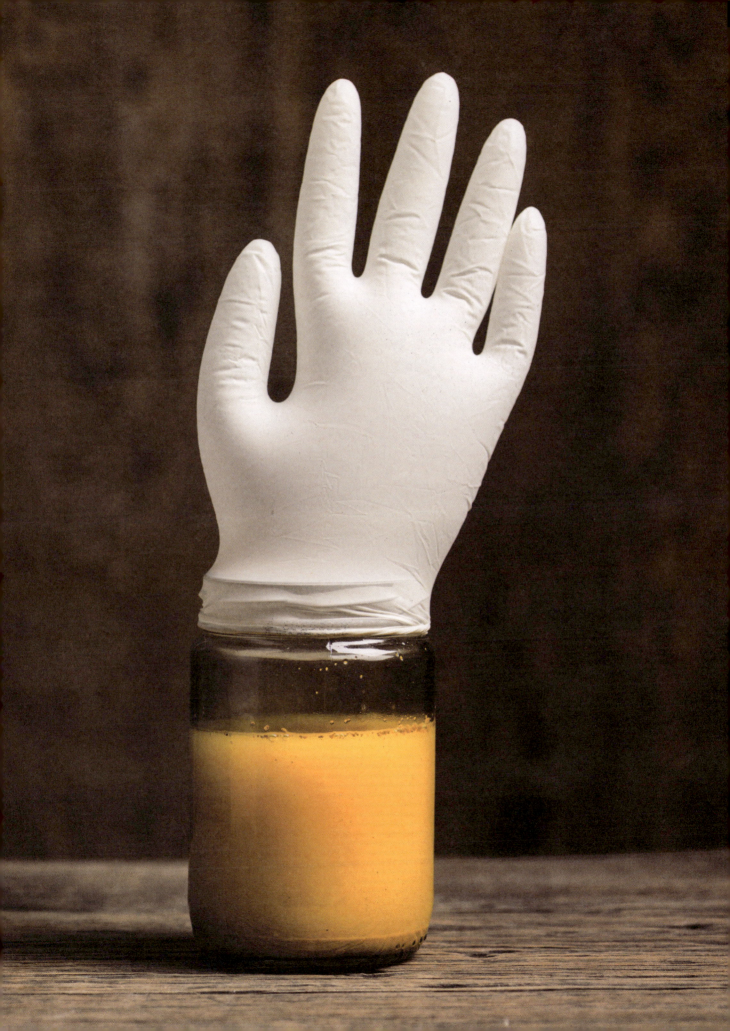

CAPÍTULO I | FUNDAMENTOS

de energia (ATP), que estão prontas para ser utilizadas onde se fizer necessário. Trata-se das mitocôndrias, organelas extraordinárias que carregam seu próprio DNA. Ou seja, a informação contida nos 46 cromossomos que constituem o genoma humano não prevê a manutenção e a divisão da mitocôndria, organela essencial para respiração.

Formação de sal nas paredes externas de um pote de fermentação

Dito de outra maneira, o fato de que a informação genética necessária para a existência da mitocôndria não está contida em nosso genoma significa, entre outras coisas, que, quando os cientistas finalizaram o projeto genoma humano e tiveram pela primeira vez (ainda que apenas digitado em seus computadores) a grande enciclopédia escrita no alfabeto ATCG – o que nos define como espécie –, já sabiam que apenas com aquele conjunto de genes não seria possível criar um ser humano artificialmente a partir do zero.

Mesmo se estivéssemos munidos de toda a tecnologia necessária, sempre faltaria uma das informações mais importantes, pois a mitocôndria é uma organela que contém sua própria informação genética. Mais estranho ainda, seu genoma não está presente na informação genética que vem nos espermatozoides do pai, mas nos óvulos da mãe[9].

Além de furtar parte de nossa humanidade (ou, olhando pelo lado positivo, nos tornar um superorganismo), o fato de dependermos de uma organela que era originalmente um microrganismo e agora habita o interior de cada uma de nossas células é um indicador de mecanismos de evolução através da simbiose. Esse tipo de "invasão" ancestral ocorreu muito antes de nossa espécie (bem como outras derivadas) se desenvolver. Como se não bastasse essa situação desconcertante, as mitocôndrias continuam nos invadindo a cada nova concepção, de forma análoga ao que fizeram em algum momento, milhões de anos atrás: quando somos apenas um punhado de células no útero materno, logo após o espermatozoide do pai injetar informação genética no óvulo. Elas são praticamente os únicos "corpos" estranhos existentes no útero – únicas em um dos ambientes mais estéreis que conhecemos –, estando presentes em nossas primeiras células e passando a habitar o nosso corpo até o fim de nossa vida. Assim, as mitocôndrias são transmitidas apenas pelas mulheres: a sua mitocôndria veio da sua mãe, que veio de sua avó materna, bisavó materna etc[10].

Esse fato pitoresco é um exemplo de como ocorrem as dinâmicas de processos evolutivos ancestrais, no caso, um processo que se origina com a simbiose entre duas espécies distintas que se fundem em uma terceira, num processo chamado de simbiogênese[11] – área do conhecimento que se propõe a compreender esses processos

---

[9] Em diversos organismos, apesar das mitocôndrias apresentarem seu próprio material genômico, a maior parte dos genes relacionados à sua construção e funcionalidade estão presentes no núcleo. Acredita-se que a evolução promoveu a transferência dos genes mitocondriais para o núcleo das células por diversos fatores. Um dos fatores óbvios é que as mutações no genoma mitocondrial ocorrem mais frequentemente que no genoma nuclear, e essa transferência é um mecanismo de proteção. Nesse caso, alguns organismos terão mitocôndrias com mais genes e outros com menos, variando geralmente de 64 a 3 genes codificantes de proteína e podendo variar para mais ou para menos.
   • Otto G. Berg, C. G. Kurland, Why Mitochondrial Genes are Most Often Found in Nuclei, *Molecular Biology and Evolution*, Volume 17, Issue 6, June 2000, Pages 951-961.
   • Brandvain Y, Wade MJ. The functional transfer of genes from the mitochondria to the nucleus: the effects of selection, mutation, population size and rate of self-fertilization. *Genetics*. 2009; 182(4):1129-1139.
[10] Rebecca L. Cann et al., "Mitochondrial DNA and Human Evolution", 1987.
[11] O termo "simbiogênese" significa origem pela simbiose e data do artigo de 1909: Constantin Merezhkowsky, "The Theory of Two Plasms as Foundation of Symbiogenesis: A New Doctrine on the Origins of Organisms", 1909. Para uma leitura saborosa e em tom de prosa, recomendamos: Lynn Margulis, *O Planeta Simbiótico: Uma Nova Perspectiva da Evolução*, 2001. O artigo seminal da autora, após ser rejeitado em diversos periódicos é maravilhoso, embora mais técnico: Lynn Margulis, "On the Origin of Mitosing Cells", 1967.

evolutivos e desmembrar, através de marcadores bioquímicos, como a evolução é potencializada pela apropriação de genes entre organismos[12]. Seja por uma tentativa de alimentação malsucedida, seja por invasão ou troca de genes propiciada pela ação de vírus, o fato é que somos transgênicos desde a nossa gênese e carregamos em cada uma de nossas células diversas organelas que já foram microrganismos e hoje fazem parte do nosso organismo.

Porém, não é sempre que obtemos energia por meio do metabolismo da mitocôndria. Quando a respiração aeróbica (com oxigênio) não dá conta da necessidade de produção de energia (por exemplo, quando estamos fugindo de um leão ou fazendo exercícios anaeróbicos na academia), não há tempo de o oxigênio chegar às células para alimentar as mitocôndrias. Nessa situação, temos a capacidade de utilizar uma via metabólica humana que converte energia de forma anaeróbica (ou seja, sem a presença de oxigênio). Essa conversão de energia é intracelular (ocorre dentro da célula), porém fora da mitocôndria, e tem como resíduo metabólico o ácido lático (o mesmo que as bactérias produzem no queijo e no chucrute e que provoca dores nos dias seguintes ao exercício). Trata-se de um conjunto de reações químicas análogas à que ocorre em diversos microrganismos produtores de ácido lático, com um rendimento muito inferior à respiração aeróbica[13].

Neste sentido, podemos dizer que o ser humano tem a capacidade de fazer um metabolismo para conversão de energia igual ao da fermentação promovida pelas bactérias. Ou seja, trata-se de uma via metabólica anaeróbica herdada de nosso passado unicelular. Por sorte[14], não produzimos álcool no lugar do ácido lático. Já pensou que desastre seria?

Ancestralidade no DNA humano

Como se não bastasse o fato dramático de que carregamos uma organela que possui DNA próprio no interior de cada uma de nossas células, o que é o primeiro indicador claro de que não somos tão humanos quanto gostaríamos – ou que somos mais do que imaginávamos –, hoje em dia, com o advento da engenharia genética e da bioinformática, constatamos que existem diversos genes desligados[15] em nosso genoma que pertenciam originalmente a outros microrganismos, ou

---

[12] Imagine uma ameba fagocitando sua colega vizinha, porém sem conseguir digerir plenamente todo o material genético, restando um gene que vai expressar uma proteína, a qual fortificará a parede celular, ou vai ajudar na mobilidade, um aparato que possibilitará sensibilidade à luz (pense nos nossos olhos), cílios que ajudarão na mobilidade, pelos etc.

[13] Menos de 4% da energia contida na glicose é aproveitada por nosso organismo.

[14] "Sorte" não é a melhor palavra para descrever o processo de mutação e seleção: imagine-se fugindo de um leão e tendo a concentração de álcool se elevando no sangue. Não daria certo, né? Provavelmente, muitos microrganismos produziam álcool como metabólito, porém desapareceram, pois não se trata de uma estratégia evolutivamente estável.

[15] Revisão de conceitos que às vezes causam confusão:

  i. **DNA ou ácido desoxirribonucleico** – são as bases A, T, C, G que podem se ligar (de forma aleatória ou não) de forma a criar uma fita longa, que por sua vez pode ser cortada ao meio (RNA).

  ii. **Gene** – uma sequência especial de bases A, T, C, G que pode ser expressa (transcodificada) em uma proteína.

  iii. **Genoma** – conjunto de genes próprio de um microrganismo.

A história da descoberta dos genes é muito instigante e todos deveriam conhecer, pois a revolução biotecnológica é iminente e precisamos ter conhecimento sólido sobre o assunto para poder promover um diálogo saudável entre ciência, pesquisa e sociedade. Os nossos preferidos são: Siddhartha Mukherjee, *O Gene: Uma História Íntima*, 2016 e Richard Dawkins, *O Gene Egoísta*, 2007.

ainda genomas inteiros, como é o caso de certos vírus, que um dia nos infectaram e agora navegam tranquila e silenciosamente pelo *pool* de genes humanos (bem como de outros organismos derivados[16]), sendo transferidos através de gerações como uma informação muda, que não é expressada (transformada em proteínas), mas que pode ser religada a qualquer momento. Recentemente, cientistas isolaram e religaram antigos vírus que estão em nossos genomas, tendo eles, por sorte, se revelado não virulentos[17].

O papel dos microbiomas

Neste novo contexto de compreensão do funcionamento dos seres vivos, nos demos conta de que não ficaríamos em pé sem o auxílio da mitocôndria, assim como também de uma miríade de microrganismos que habitam nosso corpo.

O termo "microbioma" refere-se ao conjunto de microrganismos que coexistem (em simbiose, em paz ou em guerra) em determinado ambiente. No caso do corpo humano, não estão restritos apenas ao trato intestinal, a idealizada flora intestinal - elevada ao patamar de causadora de todos os problemas e a cura de todos os males na atualidade pela indústria farmacêutica e última moda entre *neonutris* –, mas também à flora ocular, auricular, nas axilas e em cada reentrância do corpo, cada um com sua importância e papel.

De fato, a miríade de microrganismos que nos habita - e de certa forma nos define – fermenta não apenas ao longo do trato intestinal, mas também por todos os outros tecidos, pelos e orifícios que encontram pelo caminho, nos transformando em verdadeiras cubas de fermentação ambulantes. Pense nisso na próxima vez que vir seu pote de fermentação borbulhante: é de certa forma um espelho!

A relevância dos nossos microbiomas está apenas começando a se descortinar, e torna-se cada vez mais clara sua importância no metabolismo e em questões relacionadas à saúde. É intrigante termos a consciência de que presenciamos uma quebra de paradigma nas ciências da saúde neste momento. Medicina, nutrição e biologia estão apenas começando a compreender a intrínseca relação e o papel dos microrganismos em nosso corpo, um movimento sadio que transforma a medicina cada vez mais em uma ciência preventiva e menos curativa.

Passamos a entender que, para funcionar sem dar "defeito", dependemos de não apenas 21 mil genes (genoma humano), como também de 3 milhões de genes (a soma de genes dos genomas de nossa microbiota). Em número, eles também nos excedem: temos aproximadamente 10 trilhões de células humanas e 100 trilhões de microrganismos trabalhando para nos manter funcionando em ordem[18]. O fato de as bactérias, fungos e leveduras que nos habitam não nos fazerem mal (pelo contrário, nos ajudarem) não tem nada de místico: é apenas o óbvio, velho e

---

[16] Ou apomórficos (aqueles que possuem características mais recentes) em contraposição aos basais/plesiomórficos (aqueles que mantêm características antigas, parecidas ou iguais aos ancestrais comuns).

[17] Recentemente, cientistas reativaram um vírus cujo genoma se encontra inerte em nosso genoma, como se fosse um registro fóssil. O vírus reativado passou a trabalhar e infectar células, mostrando-se não patogênico. Por sorte, o experimento foi feito em um laboratório de segurança máxima, e o vírus, ativo, foi posteriormente destruído. Para conhecer mais sobre o assunto: Sam Kean, *O Polegar do Violinista: e Outras Histórias da Genética sobre Amor, Guerra e Genialidade*, 2013.

[18] Existem diversos livros de divulgação científica que narram as últimas descobertas da ciência em relação ao microbioma humano; sugerimos alguns títulos sobre o tema nas Referências Bibliográficas (*ver p. 225*).

matemático darwinismo: bactérias, fungos e leveduras que tentam habitar nosso corpo e nos fazem mal não sobrevivem, simplesmente porque nós não vamos sobreviver em conjunto. Ou seja, o que tinha que dar errado já deu e não ficou para contar história.

Em outras palavras, o corpo humano começa a ser entendido como um nicho onde coexistem diversos microrganismos. Esses seres microscópicos se beneficiam morando em nós não como parasitas, mas como o que chamamos de "protocooperação": relação ecológica harmônica entre indivíduos de diferentes espécies (interespecífica), em que há benefícios para todos os envolvidos.

Mais uma vez, não devemos ficar assustados com a nossa (des)humanidade, mas contentes por saber que de fato somos um superorganismo e que, em nosso interior, há todo um ecossistema de relações intrincadas e sofisticadas, assim como observamos na natureza.

Microrganismos majoritariamente atuantes

São muitos os seres que não enxergamos a olho nu. Não obstante, estão por toda parte: nas aberturas vulcânicas submarinas a 120 °C, em profundidades de 11 mil metros e em concentrações salinas até dez vezes superiores à do mar, bem como nas bancadas dos laboratórios de nível 4 de segurança, onde nem mesmo as técnicas mais modernas de assepsia são capazes de erradicá-los[19].

Foram os primeiros seres a surgir neste planeta e serão os responsáveis, no fim dos tempos, por colocar as cadeiras em cima das mesas e desligar a luz quando chegar a hora do adeus à vida na Terra. Encontram-se também aos trilhões e trilhões nos recôncavos de nosso corpo, interna e externamente e, como argumentamos no tópico anterior, não faz sentido pensar o funcionamento do organismo humano (nem de nenhum outro ser) apenas contando com suas próprias células (ou seja, apenas utilizando as instruções de seu próprio genoma). Portanto, nós dependemos dos microrganismos que nos rodeiam e nos habitam e devemos cuidar deles com respeito.

Em nossas fermentações, vamos trabalhar em parceria com microrganismos dos reinos *Monera* (bactérias) e *Fungi* (fungos). As bactérias são remanescentes dos seres mais basais encontrados em nosso mundo. Não contêm organelas complexas nem núcleo protegendo seu DNA: o material genético flutua, desprotegido, no interior do citoplasma, carregando toda informação vulnerável, pronta para sofrer danos e ataques por vírus e outras desgraças. Já os fungos e leveduras são mais derivados: têm o material genético protegido por um núcleo, organelas capazes de realizar funções específicas e uma estrutura externa forte, a chamada "parede celular", que dificulta a entrada de vírus e patógenos. Daremos a esses microrganismos as condições necessárias para que convertam e absorvam energia e se multipliquem. Em troca, eles vão transformar, de forma saudável, nossos alimentos.

Podemos dispor de uma profusão de microrganismos naturalmente presentes nas hortaliças e em outros insumos alimentícios, portanto, se desejarmos aproveitar os insumos como fonte de microrganismos, é preferível utilizar vegetais

---

[19] Juergen Wiegel e Francesco Canganella, "Extreme Thermophiles", 2002.

Imagem (ao lado) de S. cerevisiae obtida por meio de microscopia eletrônica.
FONTE: Wikimedia Commons

orgânicos sempre que possível, não apenas pela questão da nossa saúde, mas também pela saúde dos microrganismos, dado que agrotóxicos e pesticidas têm ação bactericida, fungicida e antibiótica em geral.

Dito isso, vamos apresentar brevemente alguns microrganismos mais comuns em fermentações rudimentares, que nos acompanharão no dia a dia na cozinha viva. É interessante conhecê-los, pois irão guiar a qualidade, o sabor e o aroma de nossas preparações. Além disso, para quem for utilizar com frequência colônias de microrganismos, daremos algumas dicas de como mantê-los isoladamente, embora também seja possível conservar colônias com um conjunto de microrganismos de diferentes espécies. Vamos a eles:

▶ *Saccharomyces*

Esse gênero contém as leveduras que são definitivamente as melhores amigas do ser humano. Veneradas e alimentadas como verdadeiras deusas, elas nos acompanham há milênios e foram coletadas e domesticadas de forma fortuita, diversas vezes no tempo e no espaço. Elas nos dão o pão, o vinho e a cerveja. O que mais um ser humano adulto poderia desejar?

Diversos historiadores argumentam que a própria origem e organização de nossa civilização no momento de transição rumo ao sedentarismo e à prática da agricultura se iniciou com a necessidade de fermentar grãos para produzir bebidas (mesmo antes do pão)[20]. Os pesquisadores inferem que iniciamos a reutilização de parte de fermentações anteriores (que tiveram êxito) como inóculos para novas fermentações de forma intensiva a partir do século XII. Nessa época, estávamos longe de entender

---

[20] Sobre a transição de caçadores-coletores, sugerimos os livros de Harari e de Pollan citados anteriormente (*ver p. 14*).

Conserva de limão-galego (receita completa na p. 157).

a fermentação como um processo biológico. Havia, sim, muitas explicações para os fenômenos naturais, que faziam parte e forjavam os mitos cosmogônicos.

Para os antigos, havia algum tipo de animação divina, etérea, em cada fermentação que, de forma mística, facilitaria uma próxima brassagem, caso parte dela fosse ritualisticamente transportada[21].

Ao escolher quais culturas de microrganismos seriam multiplicadas e propagadas (separando as que deram certo das que levavam a resultados tóxicos, desagradáveis ou ao apodrecimento), inadvertidamente iniciamos um processo de seleção artificial de bactérias e leveduras que nos convinham, de acordo com nossa saúde e paladar (agradeça aos seus antepassados por contrair diarreias e mesmo pelo autossacrifício em busca da levedura perfeita). Pelo fato de ter sido cuidadosamente selecionada ao longo dos últimos séculos, através de um primoroso processo de domesticação, a *S. cerevisiae* é a levedura mais fácil de ser trabalhada e a maior camarada da humanidade: raramente desenvolve fedentinas ou metabólitos tóxicos.

Embora este livro não trate de produção de cerveja genuína (segundo a "lei da pureza"), é graças a ela que a domesticação das leveduras se iniciou, mesmo que de forma mística, e através da sua história aprendemos indiretamente sobre essa levedura[22].

Historiadores apontam o início da produção de cerveja (ou de sua precursora) há 10 mil anos, logo após o início de vida como sedentários, sendo que a primeira receita desponta já nos primeiros registros escritos de que temos ciência, há 4 mil anos, feitos pelos sumérios, adoradores da deusa Ninkasi[23]. Muitos milênios depois, surgiu, formalmente, uma primeira definição do que deveria ser a composição da bebida, por meio da primeira lei da pureza de produção de cerveja (Reinheitsgebot), criada pelos bavários, em 1516. Em sua descrição, ainda não se incluía o fermento, pelo simples fato de que eles ainda não faziam ideia de sua existência.

Apenas em 1680, com a invenção do microscópio, Anton Leeuwenhoek observou pela primeira vez as leveduras, porém ainda sem as identificar como seres vivos. Tivemos de esperar mais um século para que Louis Pasteur, no início de 1800, com seus experimentos geniais, colocasse um ponto final na teoria da geração espontânea e demonstrasse que as leveduras se tratavam de microrganismos vivos que faziam muitas coisas interessantes, entre elas transformar açúcar em álcool e gás carbônico (sendo que a reação química já havia sido proposta por Lavoisier 20 anos antes).

Só então as leveduras passaram a compor a lista de ingredientes necessários (e, segundo a nova "lei da pureza", suficientes) para se fazer uma cerveja. Ainda então, a imagem que os pesquisadores faziam dos microrganismos era um tanto divertida, como podemos constatar neste trecho (livremente traduzido do inglês) a seguir, em que o cientista descreve o que vê no microscópio[24]:

---

[21] Para quem quer conhecer mais sobre a história da cerveja: Chris White e Jamil Zainasheff, *Yeast: The Practical Guide to Beer Fermentation*, 2010.

[22] Para quem quiser se aprofundar, indicamos nas Referências Bibliográficas alguns artigos científicos sobre o assunto (ver p. 225).

[23] Garrett Oliver, *The Brewmaster's Table*, 2003.

[24] Friedrich Wöhler, *The Demystified Secret of Alcoholic Fermentation*, 1839.

"... incríveis números de pequenas esferas são vistos, que são os ovos dos animais. Quando colocados em solução de açúcar, eles incham, estouram, e os animais que se desenvolvem a partir deles se multiplicam com velocidade inconcebível. A forma desses animais é diferente de qualquer uma das até então descritas 600 espécies. Eles têm a forma de um balão de destilação Beindorf (sem o dispositivo de arrefecimento). O tubo do bulbo é uma espécie de cano de sucção coberto por dentro com cerdas longas e finas. Dentes e olhos não são observados. Pode-se claramente distinguir um estômago, trato intestinal, o ânus (como um ponto rosa) e os órgãos de excreção de urina. Do momento de emergência do ovo, pode-se ver como os animais engolem o açúcar do meio e como ele entra em seu estômago. Ele é digerido imediatamente, e este processo é reconhecido com certeza pela eliminação de excrementos. Em resumo, esses infusórios comem açúcar, eliminam o álcool do trato intestinal e CO_2 dos órgãos urinários. A bexiga urinária em seu estado preenchido tem a forma de uma garrafa de champanhe, no estado vazio é um broto pequeno. Depois de alguma prática, observa-se que uma bolha de gás se forma em seu interior, aumentando seu volume em até dez vezes; por alguma torção semelhante ao movimento de um parafuso, o animal controla os músculos ao redor do corpo de forma que o esvaziamento da bexiga é realizado... Do ânus do animal, pode-se ver a emergência incessante de um fluido que é menos denso que o líquido médio, e de seus genitais enormemente grandes um fluxo de CO_2 é esguichado em intervalos muito curtos... Se a quantidade de água é insuficiente, ou seja, a concentração de açúcar é muito alta, não ocorre fermentação no líquido viscoso. Isso porque os pequenos organismos não podem mudar de lugar no líquido viscoso: eles morrem de indigestão causada pela falta de exercício."

A *S. cerevisiae* tem ainda diversas "primas" (leveduras do mesmo gênero e diferentes espécies) com nomes e funções divertidas, como *S. bayanus*, também utilizada em fermentações alcoólicas, que suporta maiores concentrações de álcool; *S. florentinus*, presente no gengibre e, portanto, em *ginger ales*; *S. paradoxus*, que vive pegando carona nas moscas de frutas; *S. pastorianus* (em homenagem ao grande desbravador do mundo microscópico, Louis Pasteur), a primeira levedura que ganhou nome científico, originalmente chamada de *S. carlsbergensis* (sim, oriunda da cervejaria homônima), utilizada também na produção de cerveja; e a tropical *S. boulardii*, probiótico amplamente comercializado pela indústria farmacêutica.

Apenas nas últimas décadas encontramos no mercado de insumos de bebidas alcoólicas variedades específicas para diferentes estilos de fermentação.

IMPORTÂNCIA DA ESCOLHA DA VARIEDADE

Existe um trabalho interessante[25] acerca da transformação do mosto de cerveja que aponta que, para uma determinada receita, as leveduras vão metabolizar entre 50% e 80% do mosto. O que sobra são proteínas, dextrinas e outras subs-

---

[25] Jean de Clerck, *A Textbook of Brewing*, 1957.

CAPÍTULO I | FUNDAMENTOS

tâncias não metabolizáveis. Do que foi transformado, aproximadamente 46% correspondem a gás carbônico, 48%, a etanol e 5%, a massa de leveduras novas. Embora a soma seja aproximadamente 100%, é exatamente no 1% restante que estão todos os metabólitos responsáveis pela personalidade (aroma, sabor e outras características organolépticas) daquela formulação. Ou seja, não adianta utilizar o melhor malte, lúpulo e água se você não cuidar da levedura. Portanto, com toda essa diversidade e especificidade, esperamos que ninguém utilize fermento de pão para fazer cervejas, vinhos e refrigerantes.

▶ *Brettanomyces*

Carinhosamente apelidado de Brett ou Bretta, por fermentadores que já começaram a sair do lugar comum, esse gênero de levedura costuma morar na casca das frutas e nas porosidades de barris de madeira utilizados na produção de bebidas, onde pode ser encontrada até a profundidade de 8 mm[26], sendo provavelmente dessa forma sorrateira que acabou contaminando as produções de cerveja antes do século XX. Essa levedura ainda é considerada um grande problema para produtores industriais de bebidas alcoólicas fermentadas, mas tem angariado muitos seguidores hoje em dia, tanto na microindústria cervejeira quanto na produção caseira. Descoberta por H. Claussen em 1904, desde o início de sua utilização teve uma aceitação amotinada, e até hoje não há consenso sobre a qualidade dos aromas e sabores que produz.

Neste sentido, grande parte do interesse de se utilizar essa levedura vem justamente da produção de moléculas aromáticas capazes de transformar radicalmente nosso mosto. Tratam-se de ésteres frutados e fenóis picantes, defumados, causadores de excentricidade nas brassagens e que sempre pregam uma peça na cognição de quem os provam. Você pode tanto obter aromas de cravo, banana, abacaxi, maçã verde, pera, feno, quanto de sela-de-cavalo-suado-que-cruzou-os-pampas--sem-tomar-banho, estábulos, entre outras terminologias elegantes, porém eufemísticas, utilizadas por enólogos para designar aromas desajuizados. Devemos notar que ela pode nos presentear também com aromas repulsivos, tais como o cheiro acre, *band-aid*®, solventes e medicamentos em geral, urina de rato e até esterco.

É virtualmente impossível, numa fermentação selvagem (ou seja, com leveduras que não foram compradas de um laboratório), saber de antemão qual será o aroma proeminente, ou se haverá indesejados. Não devemos nos angustiar, pois isso faz parte da arte e da graça do trabalho contínuo de pesquisa de um explorador de fermentações rudimentares. No caso da Bretta, temos uma situação um tanto desconcertante para provadores que aparentemente não conseguem chegar a um consenso quanto à natureza e à qualidade do aroma e do sabor provenientes de uma fermentação conduzida por essa marota levedura[27].

A Bretta consegue metabolizar grandes moléculas de açúcar (ou seja, carboidratos mais complexos), maiores do que sua mal-acostumada prima *S. cerevisiae*.

---

[26] Para mais informações técnicas sobre a Bretta, consultar a p. 226 (Referências Bibliográficas).

[27] Para mais informações sobre o assunto, consultar a p. 226 (Referências Bibliográficas).

Isso significa que a cerveja ou qualquer outra bebida em que ela esteja presente, quando "contaminada" por ela, terá menos corpo (dado que essa característica resulta principalmente da presença de açúcares não fermentáveis pela *S. cerevisiae*). Nesse sentido, é interessante que um mosto que será fermentado pela Bretta contenha amido, para uma fermentação que pode levar meses.

Na foto ao lado, cerveja selvagem feita com botânicos nacionais (receita nas pp. 128-129).

Inquietudes à parte, nem tudo está perdido: sabemos que, para que ela produza ésteres aromáticos de frutas, é necessária a presença de ácido lático, bem como álcool, que serão, então, transformados em lactatos etílicos, moléculas aromáticas (etilas e butilas), entre outros compostos responsáveis pela complexidade e riqueza de aroma e sabor amigável. Porém, em grandes concentrações de ácido acético, a Bretta produz acetato de etila, que em baixas concentrações lembra frutas, mas em altas nos remete ao cheiro de solvente. Além disso, é importante que as temperaturas de fermentação não passem de 27 °C, para que não surjam outras características indesejáveis.

É interessante notar que a Bretta é uma levedura anaeróbica facultativa: trabalha com ou sem oxigênio, mas só consegue produzir ácido acético na presença desse gás. Portanto, não há grandes preocupações nesse sentido, contanto que se mantenham as fermentações anaeróbicas, que é o caso geral – para se iniciar uma fermentação com a cuba aberta (regime aeróbico) em que não se deseje ácido acético, deve-se adicionar a Bretta apenas quando for fechá-la (regime anaeróbico).

Comercialmente, são duas as espécies de leveduras preferidas (garantindo que não haverá surpresas indesejáveis): *B. claussenii* (nomeada em homenagem ao seu descobridor, N. H. Claussen, em 1904) e *B. bruxellensis* (ou lambicus), que podem ser facilmente encontradas em lojas de artigos de cervejaria. Leveduras desse gênero possuem o dobro de genes da *S. cerevisiae*, o que é em parte responsável pela grande biodiversidade observada. Sabemos que existem muitas espécies de *Brettanomyces* a serem descobertas, que continuam selvagens e indomadas na natureza. Ter consciência de que algumas delas podem estar em nossas garrafas torna nossas explorações ainda mais bárbaras. Para uma fonte natural, podemos utilizar kombucha, porém devemos ter em mente que virão outras colegas, listadas a seguir.

Manutenção

Por ser uma das leveduras com metabolismo lento, é uma das mais fáceis de se manter. O ideal é, ao final de uma fermentação, preparar uma solução de água e extrato de malte (diluído a 10%), adicionar nutriente para leveduras (seguindo instruções do fabricante) e a seguir ferver a mistura por 10 minutos, coberta com papel-alumínio (adicione-o após o início da fervura para evitar ter parte do mosto derramado). Feito isso, deixe esfriar rapidamente (banho-maria com gelo), tomando o máximo de cuidado para que não haja contaminação (não abrir a panela/erlenmeyer). Quando chegar à temperatura ambiente, despeje em uma garrafa PET sanitizada e adicione as leveduras decantadas, deixando sempre um espaço para o ar. Chacoalhe bem para aerar a mistura, instale um selo d'água na garrafa e mantenha em temperatura ambiente, preferindo o lugar mais frio de sua casa. A atividade biológica cessa em pH abaixo de 3,4.

▶ *Acetobacter*

Trata-se de um gênero com múltiplas espécies de bactérias que possuem metabolismo aeróbico (requerem oxigênio) e são responsáveis, entre outras coisas, pela transformação do álcool em ácido acético. Grandes produtoras de vinagre, são indesejadas nas produções de cervejas, vinhos e refrigerantes, dado que este ácido é pungente e cortante, o que não propicia vontade de tomá-lo aos goles para matar a sede. Quem sabe um *shot*?

Não obstante, a *Acetobacter* cria uma das características mais marcantes das cervejas lambic, flanders e outras que passam por uma fase inicial aeróbica e certamente nos proporciona conhecer o sabor dos fermentados como eram produzidos antigamente (quando não havia tecnologia para garantir uma fermentação anaeróbica). Nos vinhos biodinâmicos, esse sabor é comumente presente, bem como no kombucha.

Uma das características mais interessantes desse grupo de microrganismos é a capacidade de produzir celulose, o que traz ao mundo macro uma visão a olho nu de processos microscópicos. Conhecida popularmente como "biofilme", essa capa sobrenadante acaba se tornando o lar de diversos outros microrganismos, propiciando um verdadeiro ecossistema, tecnicamente designado de "zoogleia". É o caso da mãe do vinagre, kombucha e kefir, entre outros.

Microrganismos desse gênero trabalham melhor em temperaturas entre 25 °C e 30 °C, e, portanto, se você não deseja que sua bebida avinagre, garanta um meio anaeróbico e saiba que a temperatura de fermentação não deve ultrapassar 21 °C.

Manutenção

Mantenha em um pote à temperatura ambiente contendo o substrato que a zoogleia está apta a metabolizar (por exemplo chá-preto e sacarose a 5%), cubra com um pano para possibilitar a troca de oxigênio, mas firmemente fechado com elástico para evitar a entrada de insetos. Por ficar aberta, a cultura sempre receberá a visita de outros microrganismos e alguns deles poderão eventualmente se fixar, tornando a cultura mista, além de selvagem.

▶ *Lactobacillus*

Trata-se de um grande gênero de bactérias que abarca inúmeras famílias, entre elas *Lactobacillaceae* e *Leuconostocaceae*, parceiras que vêm acompanhando a humanidade e sendo nutridas por ela há milênios. Em troca, têm nos auxiliado, principalmente, na conservação de vegetais e laticínios. São ótimas produtoras de ácido lático, substância encarregada de tornar o meio (o alimento) ácido, o que inibe grande parte das bactérias nocivas ao ser humano (notadamente o *Clostridium botulinum*, responsável pelo potencialmente fatal botulismo, que para de funcionar quando o pH está abaixo de 4,5).

São bactérias aerotolerantes: não necessitam de oxigênio, porém suportam uma baixa concentração do gás, e são normalmente termófilas (apreciam temperaturas acima de 30°C, como bem sabe quem produz iogurte em casa) e acidófilas (suportam um meio ácido).

Na família dos lactobacilos inclui-se grande parte das bactérias responsáveis pela produção de queijos, iogurtes e leites fermentados em geral, tais como o

SCOBY, ou mãe de kombucha, cultura simbiótica de bactérias e leveduras que pode ser recebida por doação ou comprada pelo site da Companhia dos Fermentados.

L. acidophilus, L. kefiri, L. casei, L. helveticus, L. delbrueckii, entre tantos outros. O kefir de leite, por exemplo, é uma cultura simbiótica de bactérias e leveduras que tem sua origem provável no processo de estocagem de leite em bolsas produzidas com tecido intestinal de carneiros, ovelhas e outros animais cuja flora intestinal continha naturalmente diversas espécies desse gênero[28].

Já entre os primos *Leuconostocaceae*, um dos principais personagens ativos na fermentação selvagem de hortaliças é o *Leuconostoc mesenteroides*. Trata-se de uma bactéria heterofermentativa: produz não apenas um, mas diversos metabólitos de interesse, além do ácido lático necessário para a segurança alimentar. A diversidade de metabólitos é responsável por proporcionar toda a complexidade de aroma e sabor da conserva, ausente em uma conserva industrial ou mesmo a que é iniciada com um inóculo. Trataremos desse assunto no capítulo sobre fermentação de vegetais.

Sempre presente nas cascas de frutas e outros vegetais, ele necessita de baixas temperaturas para produzir a diversidade de subprodutos, portanto garanta que sua conserva será mantida entre 15 °C e 21 °C na primeira semana de fermentação se você desejar garantir a profundidade de aromas em sua receita, caso contrário irá produzir apenas ácido lático, e o resultado será uma conserva de paladar sem muita complexidade[29].

Produtores de cerveja costumam adicionar ácido lático para mimetizar a presença dessas bactérias no processo fermentativo, mesmo sabendo (ou não) que se trata de um simulacro e que a adição artificial pode levar a um sabor bruto inconveniente, sem a sutileza e a complexidade que se deve à miríade de subprodutos naturais de uma genuína fermentação lática.

Manutenção

Essas bactérias são preguiçosas e gostam de moléculas de açúcares menores. Portanto, você pode bater uma maçã, ferver por 10 minutos em uma panela coberta com papel-alumínio, deixar esfriar rapidamente e, ao atingir temperatura ambiente, adicionar a elas. Não há necessidade de aeração inicial. Lembre-se de que elas não trabalham bem a um pH abaixo de 3,8, por isso é interessante medir e, caso esteja abaixo, corrigir com sulfato de cálcio (gipsita), por exemplo. Meça com um refratômetro a quantidade de açúcar regularmente para prevenir que seja exaurida, causando a morte desses produtores de ácido lático.

▶ *Pediococcus*

São bactérias que também pertencem à família *Lactobacillaceae* e produzem basicamente ácido lático em suas fermentações (homofermentativas). Apresentam crescimento lento e necessitam de uma quantidade baixa de oxigênio (microaerófilas), perecendo em meios com alta concentração do gás, como ocorre em fer-

---

[28] Para mais informações sobre os microrganismos do kefir de leite, consultar a p. 226 (Referências Bibliográficas).
[29] Claire Server-Busson et al., "Selection of Dairy Leuconostoc Isolates for Important Technological Properties", 1999.

mentações abertas que ficam em contato com o ar atmosférico. Como toleram pH mais ácido que suas colegas do gênero *Lactobacillus*, são uma alternativa para quem deseja obter fermentações mais ácidas do que as alcançadas por esse mesmo grupo. Produzem, dependendo das condições e em pequenas quantidades, diacetil, uma substância com aroma de manteiga, nada desejável para a maioria das nossas fermentações. Não se trata de um problema se no mesmo mosto estiver presente a heroína Bretta, capaz de transformar a molécula em outras substâncias e eliminar o odor.

Manutenção

Similar aos primos *Lactobacillus*. É interessante aerar ligeiramente o mosto apenas ao inocular, lembrando que produzem ácido acético se em contato contínuo com oxigênio. É normal a formação de cheiro de manteiga (proveniente do diacetil produzido) após longos períodos de armazenamento. Mantenha o pH entre 5 e 6 (controlando com adição de gipsita).

A SEGUIR, UM RESUMO DAS PRINCIPAIS CARACTERÍSTICAS DOS MICRORGANISMOS QUE APRESENTAMOS:

	Tolerância a álcool	pH*	Ácido lático	Ácido acético	Dias**	Oxigênio	Temperatura (°C)
Acetobacter	18%			8% (P)	30	++	21 - 43
Brettanomyces	18% (P)	3,4	(P)	(P)	100	+	4-35
Enterobacter	2% (P)	4,3	(P)	0,5% (P)	2	+	10-50
Lactobacillus	8%	3,8	1% (P)	-	4	-	16-60
Pediococcus	8%	3,4	2% (P)	+	100	---	7-60
Saccharomyces	25% (P)	4,5		0,5%-	2	+	7-35

Legenda

P   Produz
++   Obrigatório
---   Tóxico
-, +   Efeito moderado
*   Nível aproximado no qual os organismos cessam a reprodução
**   Número de dias para o crescimento ideal durante a fermentação tradicional

Boas práticas de limpeza e sanitização

Ao trabalhar com fermentação, precisamos evitar contaminação por microrganismos indesejados. Para tanto, apresentamos algumas possibilidades de sanitização dos utensílios que serão utilizados. Essa etapa é sempre muito importante e deve se tornar um hábito diário, pois, dependendo da dificuldade e do tempo que levou para fazer um fermentado, não será legal descartá-lo devido a uma contaminação.

Todos os utensílios que serão utilizados têm de ser lavados e sanitizados inicialmente e ao longo do processo. O ambiente criado para possibilitar a fermentação também incentiva o desenvolvimento de todo e qualquer microrganismo deixado por uma higienização inadequada.

Para a limpeza, utilize uma esponja nova, água e detergente. Lave formando bastante espuma, escovando com uma esponja os equipamentos para remover qualquer detrito e impureza. Proceda com um bom enxágue e deixe secar.

Para a sanitização, existem quatro possibilidades:

Água clorada - *utilize na proporção de 1% de cloro ativo com 10 minutos de contato (submerso);*
Álcool 70 - *adapte a garrafa de álcool instalando um bico de spray e, após aspergir, deixe agir por 10 minutos;*
Ácido peracético - *conforme indicado pelo fabricante;*
Iodofor - *conforme indicado pelo fabricante.*

Seja qual for o sanitizante escolhido, não enxágue no final do processo para evitar recontaminação. Recomendamos o ácido peracético, pois é o único que não deixa resíduos indesejáveis. Ele se degrada e se transforma em oxigênio e água em 24/48 horas (dependendo da concentração inicial), o que não acontece com outros sanitizantes, que continuarão presentes em sua bebida.

Colecionando microrganismos "domesticados" e selvagens

Onde obter microrganismos para fermentar comidas e bebidas?

A indústria biotecnológica vem alçando voo nas últimas décadas, selecionando microrganismos de diferentes reinos para todo tipo de uso, não apenas para o ramo alimentício, mas também farmacêutico (antibióticos e outras drogas) e de engenharia (solventes), entre outros[30].

As técnicas modernas permitem a rápida obtenção de microrganismos para fins específicos, não apenas através de seleção artificial e hibridismo, como também por meio da transgenia, produzindo todo tipo de "Frankenstein", muitas vezes com pouco ou nenhum diálogo com a sociedade ou respaldo de pesquisas mais aprofundadas sobre segurança biológica. As indústrias (e seus gestores) não se pautam necessariamente por parâmetros morais e, com frequência, extrapolam limites para os quais a sociedade não tem informação nem segurança suficiente para tomar decisões.

---

[30] Willibaldo Schmidell et al. *Biotecnologia Industrial*, 2001.

Os microrganismos que já foram domesticados e são produzidos rotineiramente em bancadas de laboratório são facilmente encontrados em lojas de artigos para cervejeiros, cada vez mais diversificados devido à demanda de microcervejeiros e fermentadores amadores. Existem, por exemplo, *S. cerevisiae* de diferentes variedades, adequados para todo tipo de necessidade. Algumas fermentam cervejas a baixas temperaturas (*lager*), outros a altas (*ale*).

Outras são mais adequadas a vinhos – tinto, branco, espumantes ou hidromel. Há tipos que são verdadeiras aberrações genéticas (como é o caso de algumas raças de cães) e suportam uma graduação alcoólica de até 22%. O gênero *Brettanomyces* está cada vez mais presente também, devido à crescente procura pelos produtores industriais e caseiros aventureiros, assim como ocorre com o gênero *Lactobacillus*.

Para adquirir o microrganismo desejado, caso não haja loja próxima que o disponibilize, existem lojas online que enviam o produto para todo o Brasil. É a forma mais fácil e garantida de obter os microrganismos específicos com variedades puras, de patente registrada e controle de origem.

Por outro lado, ao adquirir microrganismos produzidos em bancada de laboratório, não teremos a riqueza e a variedade características de uma cultura selvagem. Pense na analogia com cães: uma matilha de pastores irá, com certeza, cuidar de suas ovelhas. Porém, em uma matilha de alguns bilhões de vira-latas, você terá alguns milhares que demonstrarão inclinação para fazer isso, enquanto outros servirão de companhia, de guarda, de caça, entre outras diversas funções. Além disso, sabemos que cruzamentos entre seres da mesma linhagem (endogamia) levam a mutações danosas, o que invariavelmente ocasiona doenças genéticas após algumas gerações e, no caso de bactérias e leveduras, nos obriga a comprar periodicamente um novo lote. Logo, ao comprarmos microrganismos "de pedigree", temos de ter em mente que eles não irão durar para sempre: mesmo se soubermos como multiplicá-los, após algumas brassagens teremos de trocá-los por novos, pois terão se degenerado e não servirão mais para aquele propósito específico.

Criando uma cultura de microrganismos selvagens

Para coletar e criar uma cultura de microrganismos selvagens adequada para fermentações de alimentos, bastam disposição, conhecimento, técnica e criatividade. É uma atividade lúdica que pode ser feita também com crianças em casa, em escolas e mesmo com alunos de graduação nas universidades. Pode também ser entendida como ato político de desenvolvimento de autossuficiência técnica, manutenção cultural e preservação da memória de nossos antepassados.

Nada contra microrganismos de grife; nós os utilizamos rotineiramente, e as receitas deste livro contemplam as duas possibilidades (eles estão sempre prontos para trabalhar, salvando-nos quando temos alguma urgência fermentativa).

A coleta e a manutenção de microrganismos acabam virando um *hobby*. Estamos sempre caçando em flores, folhas e frutas microrganismos sedentos por açúcar e dispostos a animar a grande festa da fermentação.

Fermentação à Brasileira

A seguir, vamos apresentar, além de algumas ideias para inspirar sua coleção, um método simples de coleta e propagação de microrganismos selvagens, que consiste basicamente em misturar uma seleção de vegetais com água e açúcar num recipiente, deixar espaço para o oxigênio (*headspace*), fechar e agitar até despertar a cultura selvagem.

Escolhendo a fonte de microrganismos

Leveduras metabolizam açúcares e, portanto, estão sempre presentes em frutas (ricas em frutose) e flores (devorando o néctar, assim como fazem os insetos e pássaros), podendo também ser encontradas em cascas e troncos de árvores, sementes e raízes. Geralmente, elas ficam localizadas na parte externa dos vegetais, embora ultimamente tenhamos iniciado um estudo mais profundo de microrganismos que habitam seu interior (endofíticos), quase sempre em relação de simbiose, de forma análoga aos que vivem em nosso corpo.

Ao optar por frutas compradas no mercado, eleja sempre as orgânicas. Nós preferimos utilizar fontes com quantidade moderada de açúcar, evitando, por exemplo, um purê de manga muito madura, assim como utilizar pequenos frutos inteiros. Isso porque uma fonte que contenha muito açúcar logo iniciará um processo intenso de fermentação, que dificilmente será desacelerado, mesmo quando refrigerado. Pense que você deseja gerar uma brasa, e não uma fogueira.

Contamos com uma ampla gama de vegetais que funcionam bem para iniciar um fermento selvagem, conforme nossa experiência. Diversos deles não são encontrados no mercado, portanto você deverá fazer uso de seu lado explorador e sair à procura pelas ruas da cidade[31] ou no campo. Após coletá-los, lavar bem em água corrente deve ser suficiente. Não deixe de molho no cloro, pois isso erradicaria toda vida ali presente. É necessário ter sempre um livro ou guia de plantas para ter certeza de que o que se está colhendo não é tóxico[32]. Escolha sempre flores cujas pétalas sejam espessas e não se desfaçam facilmente. Maria-sem-vergonha, paineira e lírio-do--brejo são exemplos de flores que podem ser utilizadas, apesar de se degradarem já no primeiro ciclo, ocasionando um aspecto desagradável à casa dos microrganismos. Já begônia, tiririca e picão são exemplos de flores mais resistentes.

Podemos dividir os vegetais em cinco grupos:

▸ **1. Flores:** Sabugueiro, iúca, pata-de-elefante, jambu, dália, dente-de-leão, begônias, gravatá, cactos (mandacaru, pitaya, palma etc.), aroeira-mansa (pimenta-rosa), hibisco, bananeira ornamental (*Musa ornata*), tanchagem, lírio-amarelo, cúrcuma, bastão-do-imperador, lírio-do-brejo, ipê, paineira, erva-doce, lavanda, calêndula, camomila, arnica.

---

[31] Para quem mora em São Paulo ou outra cidade poluída, alguns estudos indicam que, dependendo do tipo de poluição (do solo e do ar), localização, vegetal, não há níveis de toxicidade que trazem risco à saúde humana. Para mais informações sobre o assunto, consultar a seção Vegetação em Regiões Metropolitanas das Referências Bibliográficas (*ver p. 226*).

[32] Para mais informações sobre o tema, consultar a p. 227.

▶ **2. Frutas:** (utilizá-las sempre inteiras, fazendo pequenos furos na casca com auxílio de uma faca ou palito de dente) coquinhos (palmeira jerivá, butiá e colegas doces), cactos (mandacaru, pitaya, palma etc.), urucum, vagem da *Cassia fístula* (chuva-de-ouro), *Cassia leiandra* (marimari) e suas primas comestíveis da família *Fabaceae*, seriguela, ciruela (caferana), uva, uva-passa, figo seco, damasco, jatobá, jurubeba, pitanga, jabuticaba.

▶ **3. Raízes:** Gengibre, cúrcuma, lírio-do-brejo, coentro, dente-de-leão, tiririca ou priprioca (orchata de chufas fermentadas).

▶ **4. Sementes:** Cardamomo, zimbro, pinhos, capuchinha, painço, quinoa, mamão, urucum, pimenta-rosa, erva-doce, tamarindo, amora.

▶ **5. Cascas de árvores, troncos e folhas:** cipó-cravo, canela, goiaba, eucalipto, guaco, malva, pitanga.

ATENÇÃO: Tenha sempre certeza de que o vegetal que vai utilizar é próprio para o consumo. Se houver a mínima incerteza quanto à identificação ou qualidade, descarte-o. Não utilize flores compradas em floriculturas, pois elas são tratadas com inseticida.

Acondicionando os ingredientes

Lave bem com água todos os ingredientes e com água e sabão os frascos que serão utilizados. Garrafas PET são mais indicadas quando escolhemos flores, grãos ou frutas (que passam pela boca do recipiente sem necessidade de forçar) e potes de vidro para o caso de frutas grandes. O ideal é calcular, no volume total do recipiente, 1/3 para o vegetal, 1/3 para a solução de água com 5% de açúcar (50 g/litro) e 1/3 de espaço que ficará vazio (*headspace*).

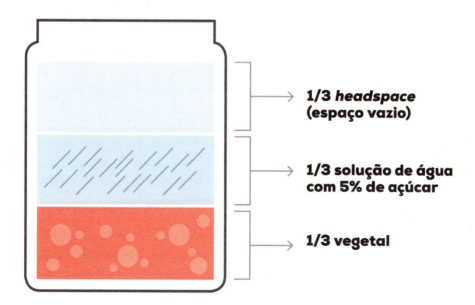

Iniciando o fermento selvagem

Os microrganismos que queremos propagar estão presentes nas frutas, raízes e flores que escolhemos; basta ajudá-los, introduzindo oxigênio no meio de cultura para possibilitar sua propagação.

Para tanto, basta agitar a garrafa/pote quatro vezes ao dia, abrindo o recipiente antes de cada agitação para reciclar o ar interno, trazendo mais oxigênio para os microrganismos que estão em desenvolvimento. Esse processo pode levar de um a dez dias, e variáveis como temperatura, ingredientes escolhidos, quantidade inicial de microrganismos, frequência e intensidade de agitação vão determinar quanto tempo será necessário para despertar a cultura.

O principal indicador de que os microrganismos se propagaram e a cultura está pronta para o uso é a formação de gás carbônico, que produz bolhas visíveis a olho nu e causa estufamento da garrafa e da tampa do pote. Quando isso acontecer, a cultura já pode ser utilizada ou mantida fechada na geladeira para uso posterior.

Quando for utilizar, escorra apenas o líquido (que já está repleto de microrganismos em suspensão), mantendo os pedaços sólidos no recipiente, sempre com mais água e açúcar para voltar a propagar os microrganismos.

Manutenção da cultura selvagem

Uma vez que temos a cultura pronta para o uso, ou seja, visivelmente ativa e borbulhante, não é mais necessário agitar o recipiente quatro vezes ao dia. As paredes celulares foram formadas, e os microrganismos estão em número suficiente para evitar contaminações por mofos e outros indesejados. Se não for utilizá-la com frequência diária, basta deixar na geladeira até o próximo uso, apenas lembrando que ela entrará em estado de dormência e serão necessárias algumas horas, após retirá-la da geladeira, para reanimá-la.

Antes de utilizá-la para uma nova receita, retire-a da geladeira e aguarde algumas horas para que entre em equilíbrio com a temperatura ambiente. Prove. Se não houver açúcar, adicione uma solução de sacarose (açúcar cristal) a 5% (50 g/l) na quantidade de 20% do volume atual. Escorra e coe a quantidade de líquido que for utilizar na receita.

Após o uso, adicione mais água e açúcar ao frasco que contém os microrganismos, agitando para aerar e deixando mais algumas horas fora da geladeira, até haver a formação de gás carbônico, que é o maior indicador de que está tudo ocorrendo bem lá dentro. Quando isso acontecer, coloque novamente na geladeira.

A cultura poderá ficar sem utilização na geladeira por até três semanas – após esse período, os microrganismos perderão força e iniciarão o processo de autólise (autodestruição das células, com eventual produção de metabólitos indesejáveis).

Examine periodicamente o aroma da cultura para se certificar quanto à sua saúde. Se ela ficar inativa, com aromas e aparência desagradáveis (putrefato), descarte e recomece sua coleção. Muitas vezes ficamos apegados aos microrganismos, mas devemos ter em mente que o custo de uma nova cultura é muito inferior ao de uma fermentação descartada.

Pote com tamarindo, água e açúcar para fermento selvagem.

Fermento de gengibre (*ginger bug*)

RENDIMENTO	DIFICULDADE	PREPARO	FERMENTAÇÃO
400 ml	FÁCIL	30 MINUTOS	4 DIAS

Trata-se de um caso específico do procedimento descrito anteriormente para multiplicar os microrganismos presentes nos vegetais. É uma das culturas selvagens mais fáceis de fazer e manter. Deixamos aqui uma sugestão de receita, cujas proporções podem também ser utilizadas em outras escolhas de insumo básico, conforme descrito acima.

Ingredientes

» 100 g de gengibre descascado
» 300 ml de água filtrada
» 15 g de açúcar cristal

Preparo

1. *Corte o gengibre em lascas ou rale.*

2. *Coloque-o dentro da garrafa PET (devidamente limpa e sanitizada).*

3. *Adicione a água e o açúcar.*

4. *Misture bem.*

5. *Abra a tampa da garrafa quatro vezes por dia, apertando diversas vezes para reciclar o ar interno (e repor o oxigênio consumido), feche e chacoalhe vigorosamente.*

Você deve repetir o passo 5 até que a garrafa comece a estufar com a formação interna de gases. Quando isso acontecer, é sinal de que já há atividade microbiológica intensa e seu fermento está ativo e pronto para ser utilizado. Se não for usá-lo de imediato, pode ser mantido na geladeira por até um mês.

CAPÍTULO I | FUNDAMENTOS

Kefir

É uma simbiose de bactérias e leveduras (contando com mais de 20 espécies de cada uma), muitas delas compatíveis com as que são comumente encontradas no trato intestinal, o que faz com que seja considerado um alimento probiótico. É uma das culturas selvagens mais populares, devido ao seu rápido crescimento e à facilidade de manutenção e utilização.

Existem duas variedades da cultura de kefir, que as pessoas costumam confundir: **kefir de água (tibicos)**, que se alimenta de sacarose (glicose e frutose), e **kefir de leite**, que se alimenta de lactose. Não é possível fazer a "conversão" de uma cultura para a outra, devido à diferença dos substratos que são metabolizados (vegetal x animal), porém ambas as culturas podem ser utilizadas para iniciar o processo fermentativo.

Cuidados essenciais com o kefir de água:

- Recomendamos o uso de açúcar mascavo, por ser menos processado, mas o açúcar branco, o cristal ou o demerara também são apropriados.
- Mantenha o kefir com água e açúcar.
- Faça a troca da água 1 vez por dia ou a cada 2 dias: retire 50% do volume do líquido para consumo e acrescente mais água e açúcar mascavo na proporção de 3 colheres (sopa, aproximadamente 45 g) por litro.
- Evite lavar os grãos com água corrente, pois o kefir se multiplica em pequenas camadas, que se dissolvem com o impacto da água.
- Utilize um pote coberto com um pano e preso por um elástico.
- Deixe fora da geladeira para que haja a fermentação.
- Use recipientes de vidro, cerâmica, plástico ou inox. Nunca ferro, cobre e alumínio.
- Utilize água filtrada e sem cloro.
- Caso possua a cultura de kombucha, mantenha-a em ambiente separado.

Cuidados essenciais com o kefir de leite:

- Utilize leite de origem animal, os microrganismos metabolizam a lactose.
- Faça a troca do leite com pelo menos 12 horas de fermentação. Não há limite de tempo; porém, quanto mais tempo ficar fermentando, mais ácido será o iogurte. Experimente deixar períodos diferentes para descobrir qual resultado de sabor mais lhe agrada.
- Evite lavar com água corrente, pois o kefir se multiplica em pequenas camadas, que se dissolvem com o impacto da água.
- Utilize um pote coberto com um pano e preso por um elástico.
- Deixe fora da geladeira para que haja a fermentação.
- Use recipientes de vidro, cerâmica, plástico ou inox. Nunca ferro, cobre e alumínio.

No kefir de água utiliza-se a água fermentada para fazer refrigerantes como inóculo de fermentação. Apresentaremos mais receitas na seção de refrigerantes selvagens.

O kefir de leite pode ser utilizado tanto para transformar o leite em diferentes alimentos, que apresentaremos a seguir, como para ter o soro extraído e ser utilizado como inóculo de fermentação. Ambos são ótimos inóculos para produção de *levain* (fermento natural de pão).

Na página ao lado, exemplo de grânulos de kefir de água.

Coalhada (iogurte) para o dia a dia

RENDIMENTO	DIFICULDADE	PREPARO	FERMENTAÇÃO	MATURAÇÃO
500 g	FÁCIL	10 MINUTOS	AERÓBICA	24-72 HORAS

Ingredientes

» 500 ml de leite
» 50 g de grânulos de kefir

Preparo do iogurte

1. Coloque em um recipiente o leite que quer fermentar, preferencialmente a quantidade que for consumir no próximo dia.

2. Coloque os grânulos de kefir no leite e aguarde. Experimente deixar 8, 10, 24, 30 ou até 48 horas para que possa sentir a consistência e o sabor que ele produz. Lembre-se de anotar a quantidade de horas de fermentação que resultou no sabor que mais lhe agradou.

3. Com o auxílio de uma peneira, escorra todo o conteúdo do pote. Volte os grãos ao pote com mais leite. O iogurte escorrido deve ser mantido refrigerado e consumido em até 5 dias.

Preparo de coalhada seca e soro de leite

1. Repita o processo da receita anterior, mas deixe o kefir fermentar por pelo menos 24 horas.

2. Coe o kefir, voltando os grânulos para o pote, e reserve o leite fermentado escorrido.

3. Com o auxílio de um coador de papel, coloque o leite fermentado para filtrar. Deixe escorrendo na geladeira ou cubra com um pano para evitar moscas.

4. Após 5 horas em média, ficará no coador uma pasta (a coalhada seca); o líquido amarelado escorrido é o soro do leite, que pode ser utilizado como inóculo para diversas receitas deste livro. Mantenha o soro de leite na geladeira em uma garrafa e utilize em até 2 meses.

Fermentação à Brasileira

Manteiga fermentada com kefir

RENDIMENTO	DIFICULDADE	PREPARO	FERMENTAÇÃO	MATURAÇÃO
150 g	MÉDIA	20 MINUTOS	AERÓBICA	3-7 DIAS

Ingredientes

» 500 ml de creme de leite fresco
» 15 g de grânulos de kefir
» Sal a gosto
» Pedras de gelo

Preparo

1. *Coloque o creme de leite fresco em um recipiente com tampa e adicione os grânulos de kefir.*

2. *Deixe fermentar por 72 horas fora da geladeira. Você vai perceber a mudança de textura do creme de leite.*

3. *Após a fermentação, com uma colher, misture o soro com a gordura do leite e passe por uma peneira para retirar os grânulos de kefir. Adicione o sal.*

Abaixo, 3 etapas da preparação da manteiga de kefir: filtragem, adição de cubos de gelo e a separação da manteiga do buttermilk.

4. Com uma batedeira, bata em velocidade baixa até talhar o creme de leite. Será visível a separação da gordura do creme de leite e do soro.

5. Adicione as pedras de gelo para começar a endurecer a manteiga e misture com uma colher para separar o soro do leite.

6. Quando conseguir modelar a manteiga, faça uma bola e aperte cuidadosamente a massa para retirar o excesso de líquido.

7. Transfira a manteiga endurecida para um pote e mantenha na geladeira. Consuma em até 30 dias.

Após o preparo da manteiga, a melhor forma de lavar os utensílios é com água quente. O soro que extrair da manteiga é chamada de buttermilk – um leite "azedo" com baixo teor de gordura que pode ser utilizado em muitas receitas.

Leite fermentado com kefir (Yakult® caseiro)

RENDIMENTO: 800 ml
DIFICULDADE: FÁCIL
PREPARO: 30 MINUTOS

Ingredientes

» 300 ml de leite
» 60 g de açúcar
» 500 ml de soro de kefir de leite
» 1 colher (sobremesa) de essência de baunilha
» Tiras de casca de laranja, sem a parte branca

Preparo

1. Leve ao fogo o leite e o açúcar misturados até levantar fervura. Desligue e espere esfriar.

2. Junte o soro do kefir ao leite, acrescente a baunilha e esprema a casca de laranja próximo da superfície do líquido, para extrair os óleos essenciais da casca sobre ele.

3. Misture bem e sirva gelado.

Acima, rejuvelac de quinoa

Rejuvelac

Quando deixamos os grãos de molho para germinar, a água que iríamos descartar pode ser utilizada como um inóculo de fermentação, pois há organismos provenientes dos grãos. É uma técnica rápida e fácil de fazer, porém não é uma cultura estável e previsível como o kombucha, *ginger bug* ou kefir, o que nos obriga a produzir constantemente novas culturas para a utilização.

A cultura degrada-se rapidamente, em questão de dias, o que é facilmente percebido pelo aroma desagradável. Pode ser feita com grãos que não foram processados e ainda têm capacidade de germinar, como cevadinha, trigo, centeio, amaranto, quinoa, grão-de-bico, aveia, entre outros.

Por não ser uma cultura estável, com microrganismos desconhecidos, não se deve utilizar no preparo de bebidas fermentadas, pois há altas chances de resultar em fermentados fedidos e indesejáveis ao paladar, além de haver riscos quando não temos como garantir que o pH estará ácido o suficiente para impedir a proliferação de patógenos.

Faz parte da vida do fermentador selvagem experimentar um *rejuvelac*, para então decidir se gostaria de utilizar em seus fermentados. Assim explicaremos o preparo a seguir:

1. *Em um pote de vidro, deixe 100 g de grãos de sua escolha de molho em água suficiente até cobrir (cada semente tem seu tempo de absorção de água; consulte a tabela no capítulo sobre fermentação de grãos, ver p. 204).*

2. *Escorra a água e deixe o pote tampado com um pano até que os grãos comecem a germinar (você vai observar as raízes aparecendo). Caso as sementes demorem mais de um dia para germinar, recomendamos enxaguá-las 4 vezes por dia, para que não haja muita proliferação de microrganismos do tipo bolor (mofo).*

3. *Assim que aparecerem as raízes, dê uma última enxaguada e acrescente água na proporção de 4 vezes o volume de grãos (ou seja, se você tiver 100 g de grãos, adicione 400 ml de água).*

4. *Aguarde de 1 a 2 dias, até que o líquido comece a fermentar.*

5. *A água que ficar em contato com os grãos será o rejuvelac, que poderá ser consumido puro, batido com frutas ou utilizado como inóculo para fermentações.*

Ativando fermentos comerciais

Os fermentos selvagens, como explicamos na introdução do livro, trazem maior complexidade de sabor, mas não garantem teor alcoólico elevado, como o proporcionado pelos fermentos comerciais.

Em qualquer loja de artigos para cervejaria você encontra uma enorme variedade de fermentos para os diversos fins. Eles vêm em envelopes, da mesma forma que o "primo", que serve para fazer pão (e não deve **nunca** ser utilizado para fazer bebidas, a não ser que você queira um refrigerante, um vinho ou uma cerveja com gosto de pão). Os envelopes contêm de 5 g a 10 g de leveduras liofilizadas que precisam ser ativadas (alguns envelopes são vendidos já ativados na forma líquida).

Se optar pela utilização de fermento comercial próprio para cerveja, vinho ou espumante, proceda da seguinte forma:

1. *Em uma garrafa PET sanitizada, adicione 1 litro de água previamente fervida e resfriada à temperatura ambiente.*

2. *Adicione 100 g de extrato de malte ou açúcar e o conteúdo do envelope (ou a quantidade proporcional ao volume de mosto que irá produzir, seguindo as recomendações do fabricante).*

3. *Agite de modo a oxigenar o fermento, reciclando o ar interno a cada agitada.*

4. *Repita o movimento a cada 30 minutos até a garrafa PET começar a enrijecer por fora, demonstrando a formação de gás e a atividade microbiológica. Esse processo pode levar de 1 a 12 horas, dependendo da temperatura.*

O oxigênio é muito importante neste início de processo, pois é responsável pela produção inicial de energia (respiração aeróbica), bem como pelo fortalecimento das paredes celulares, possibilitando que as leveduras cheguem multiplicadas e ativas ao mosto. Quando o fermento estiver ativo, após o preparo do mosto, já pode ser adicionado.

Para guardar o fermento pronto, mantenha-o na garrafa PET, na geladeira. Quando for utilizar, retire o fermento e alimente-o com água e extrato de malte, ou outra fonte de açúcar na proporção indicada. Agite até apresentar gás e, só então, utilize.

CAPÍTULO II

BEBIDA

Fermentação à Brasileira

Existe pouca literatura que nos ensine a fazer bebidas da mesma forma que antigamente, e nosso esforço de pesquisa foi árduo nesse âmbito. Foi um alento ter em mãos o incrível trabalho do escritor Pascal Baudar[33] sobre fermentações de bebidas selvagens, mesmo que tenha chegado num momento posterior, quando já havíamos compreendido grande parte dos processos envolvidos. Trata-se de um livro libertador, que nos tirou da solidão criativa em que os colegas cervejeiros nos colocaram, com suas leis de pureza e proibições cuja origem é obscura (e nociva), pois exclui parte da riqueza característica da diversidade histórica proveniente de erros e acertos, venturas e desventuras já vivenciadas pela humanidade. Este capítulo é inspirado em seu livro, que sugerimos para quem quiser ir mais a fundo na pesquisa de brassagens rudimentares.

Trazemos aqui uma versão tropical e atlântica inspirada no livro de Baudar, que por sua vez é baseado no clima temperado e banhado pelo oceano Pacífico.

Produzir bebidas fermentadas é pura diversão, tanto sozinho quanto em família, ou como forma de aprendizagem. Este capítulo foi dividido em duas partes: bebidas não alcoólicas e alcoólicas. Ambas contêm, quando produzidas por meio de fermentação selvagem, ou seja, com os microrganismos advindos do meio ambiente, conforme exposto na introdução deste livro, diversos metabólitos que conferem sabores característicos e devem variar a cada nova produção.

Kombucha

É uma bebida milenar fermentada com o auxílio de uma cultura de bactérias e leveduras selvagens (mãe do kombucha ou cultura, como é chamada coloquialmente) proveniente de um chá ou uma infusão, podendo ser saborizada com frutas e especiarias. De origem chinesa, há mais de 2 mil anos é utilizada na conservação de chás, bem como para transformar todo sumo doce em vinagre (assunto que será tratado no próximo capítulo), dependendo do direcionamento da fermentação. Aqueles nascidos nos anos 1970 e 1980 devem ter a lembrança de um prato fundo com chá-preto e uma camada estranha e gelatinosa na superfície que ficava na cozinha da casa das avós. Conhecida por outros nomes, como alga do Nilo e cogumelo do sol, era recomendado que se tomasse uma colher de sopa por dia, pois fazia "bem para a saúde".

Para entender mais o que vem a ser o kombucha, começamos pelo nome: *kombu* significa "alga", e chá é a infusão das folhas da *Camellia sinensis*, que tomamos nas versões de chá-branco, chá-verde, chá-preto, chá-vermelho, entre outras variações. Na Antiguidade, o hábito era manter a cultura apenas com chá-preto (e não podia ser outro), prática modificada em tempos recentes (possibilitando assim outras utilizações). O kombucha que tomamos é o chá que esteve em contato com a cultura e tem como característica o sabor levemente ácido e doce, apresentando ou não gaseificação.

---

[33] Pascal Baudar, *The Wildcrafting Brewer: Creating Unique Drinks and Boozy Concoctions from Nature's Ingredients*, 2018.

Nos últimos dez anos, essa bebida ganhou o mundo comercializada por grandes marcas, que começaram a produzir e vendê-la engarrafada, o que motivou pessoas a voltar a ter as culturas e produzi-la em casa, dada a simplicidade de mantê-las e a liberdade criativa que podemos ter com os sabores.

Para começar a fazer kombucha, é preciso conseguir a cultura, também conhecida como mãe do kombucha ou SCOBY (*Symbiotic Culture Of Bacteria and Yeast* – Cultura Simbiótica de Bactérias e Leveduras), recebendo por doação ou comprando pelo site da Companhia dos Fermentados. Independentemente da origem, certifique-se de que, junto à cultura, venha também um pouco de chá já fermentado (*starter*/inóculo).

O preparo do kombucha é relativamente simples e permite que você crie o sabor que mais agrada o seu paladar, portanto não existe a "receita certa". Se em algum momento o preparo parecer difícil, lembre-se de que no passado não existiam equipamentos como geladeira, balanças digitais, termômetros e medidores modernos, e as pessoas faziam e consumiam o kombucha com sucesso. A seguir, apresentaremos a cultura de kombucha e explicaremos alguns detalhes do seu preparo, para você fazer o melhor kombucha do mundo: o seu.

Mãe do kombucha ou SCOBY

Chamamos esta cultura de "mãe" porque ela gera outras camadas de culturas com o passar do tempo. Todas serão responsáveis por transformar o chá em kombucha pela ação dos microrganismos presentes na cultura. Seu crescimento se dá em sucessivas camadas horizontais, e a nova cultura ficará sempre no topo do pote de fermentação, podendo ou não se fundir com a cultura principal. O SCOBY necessita de um meio ácido para viver, se alimenta de tanino, sacarose, frutose, cafeína e precisa de oxigênio. Temos de ter isso sempre em mente.

O nome técnico da cultura é "zoogleia". Trata-se de uma cultura selvagem composta por mais de 20 tipos de bactérias e leveduras, podendo ter grande variação de microbiota (quantidade e qualidade de diferentes espécies), dependendo do lugar, da temperatura e da formulação, o que torna cada mãe única. Entretanto, com base em estudos acadêmicos[34], percebeu-se que em todas as colônias de kombucha são encontrados normalmente microrganismos dos gêneros *Acetobacter, Saccharomyces, Brettanomyces, Lactobacillus, Pediococcus, Gluconacetobacter kombuchae* e *Zygosaccharomyces kombuchaensis*. Observe que os últimos dois microrganismos levam o nome do kombucha, pois foram isolados inicialmente nessa cultura.

A formação de uma nova cultura sempre acontece na superfície do pote de fermentação, de forma lenta e gradual. No primeiro estágio surgem pontos esbranquiçados na superfície (do primeiro ao quarto dia), que evoluem para uma fina película transparente (do quinto ao décimo dia) e ganham mais cor e espessura com, pelo menos, mais 20 dias.

---

[34] Natalia Kozyrovska et al. "Kombucha Microbiome as a Probiotic: A View from the Perspective of Post-Genomics and Synthetic Ecology", 2012.

Cuidados básicos com a cultura

» **Mantenha sempre em temperatura ambiente:** na faixa de 16° C a 38 °C, os microrganismos do kombucha conseguem trabalhar e gerar os resíduos metabólicos responsáveis pela manutenção e defesa da cultura. Quando guardamos a cultura na geladeira, os microrganismos entram em estado de dormência, deixando seu meio vulnerável a outros microrganismos mais bem adaptados ao frio, que vivem nas geladeiras, podendo assim gerar uma contaminação indesejada. Tenha o cuidado também de não adicionar nenhum líquido em temperatura acima de 40 °C, pois isso inativa os microrganismos.

» **A cultura precisa de oxigênio!** Nunca feche o SCOBY em um pote com tampa hermética. Utilize sempre pano e elástico para cobrir. Prefira panos de algodão, *voile* ou mesmo TNT. Não utilize papel-toalha, pois costuma dar origem a contaminações (mofo).

» **Kefir de água x kombucha:** Separe as duas culturas! O kefir é facilmente dominado pelos microrganismos do kombucha, assim, se você já tiver essa cultura em casa, prepare o kombucha em outro cômodo ou até em outro endereço.

» **Açúcar:** Utilize apenas açúcar branco, cristal ou demerara. Esses açúcares passaram por um processo de refinamento e possuem estrutura molecular compatível para o metabolismo dos microrganismos. Açúcar mascavo e melado possuem estruturas moleculares maiores, o que dificulta a fermentação. Outras substâncias edulcorantes (estévia, aspartame, sorbitol etc.) que apresentem como principal característica a capacidade de adoçar alimentos e bebidas não devem ser utilizadas, pois não são ingredientes fermentáveis pelo kombucha.

» **Chás e infusões:** Utilize ervas naturais, como os chás preto, verde, branco, mate e de hibisco, para a primeira fermentação.

» **Garrafas para envase:** Não utilize garrafas de vidro para envasar o chá. A fermentação requer um controle estrito sobre todo o processo para evitar acidentes e explosão. De forma industrial é possível, através da utilização de equipamentos específicos e muito estudo. Ensinaremos aqui o envase apenas em garrafas de plástico (PET).

» **Mantenha a cultura protegida:** Não deixe nunca seu kombucha exposto sem estar coberto por um tecido e preso com elástico. As moscas de frutas adoram o kombucha e, ao entrar no pote de fermentação, colocam ovos, dando origem a uma legião de larvas na cultura.

» **Se mofar, jogue fora.**

Hotel de SCOBY

Ao produzir o kombucha com mais constância ou deixar de produzir, haverá uma frequente proliferação de mães e, portanto, a necessidade de armazenar as culturas sobressalentes (que não forem doadas ou consumidas). Para isso, deve ser criado um "hotel de descanso", onde serão mantidas bem alimentadas, em temperatura ambiente e sempre com chá suficiente para cobri-las. Uma forma fácil é ter outro pote de fermentação com a bebida adoçada, onde serão armazenadas as culturas que não estiverem em uso por até 30 dias. Ao preparar a bebida, basta escolher uma cultura e utilizar uma parte do líquido do hotel como *starter* da fermentação.

Caso o período sem produção ultrapasse 30 dias, faça um chá concentrado com açúcar e adicione ao hotel para mantê-las alimentadas. O importante é nunca deixar o líquido secar, o que deixaria as culturas expostas e sujeitas à contaminação por mofo.

Ingredientes e utensílios necessários

» **Água:** Utilize água filtrada, que você tomaria normalmente. Atente para o fato de que o kombucha vive em um meio ácido, assim, não utilize águas alcalinas (com pH acima de 7).

» **Açúcar:** Utilize açúcar branco, cristal ou demerara. Por terem passado por processo de refinamento, sua estrutura molecular está menor, o que possibilita o metabolismo pelos microrganismos. Açúcar mascavo e outros ingredientes que agregam características doces (aspartame, xilitol, esteviol) não devem ser utilizados para o início da fermentação (conhecida como primeira fermentação), mas podem ser utilizados para saborizar a bebida depois de pronta (no envase, ou segunda fermentação).

» **Chás e infusões:** Utilize apenas chás da família *Camellia sinensis* (chás branco, preto e verde, entre outros) e infusões como hibisco e mate. Chás e infusões saborizadas não devem ser utilizados na primeira fermentação, pois podem conter conservantes e óleos essenciais que prejudicam a fermentação. A saborização do kombucha acontece na garrafa, processo conhecido como segunda fermentação.

» ***Starter* ou inóculo de kombucha/chá de arranque:** É um kombucha sem saborização resultante de uma produção anterior. Por já conter microrganismos da fermentação, é um ótimo inóculo para auxiliar a tornar o meio ácido e colonizar o novo chá com os microrganismos que farão a fermentação. Deve-se utilizar na proporção de 5% a 10% de *starter* sobre o volume do novo chá a ser preparado.

» **Pote fermentador:** Escolha um recipiente que seja de fácil manuseio e limpeza. O material pode ser vidro, inox 304, plástico de uso alimentício ou cerâmica. Alumínio, ferro, cobre e outros metais, com exceção do inox (de uso alimentício), não devem ser utilizados, pois com a fermentação do chá há uma alta concentração de ácidos lático e acético, que podem extrair metais tóxicos.

Etapas: do chá ao kombucha

Para fazer um kombucha que seja agradável ao seu paladar, comece planejando como deverá ser a bebida final. A presença de gás, grau de acidez, adição de frutas e especiarias são escolhas a ser feitas. Note que os microrganismos do kombucha conseguem metabolizar o açúcar e os nutrientes do chá em temperatura ambiente, ou seja, todo o processo deve sempre ocorrer fora da geladeira, tanto a primeira quanto a segunda fermentação.

» Preparo do chá (mostura): É o momento em que infusionamos as folhas secas em água quente para o preparo do chá que vai fermentar. Nesta etapa, você pode escolher qual a intensidade desejada do chá: forte (no paladar o sabor da erva escolhida estará bem presente) ou fraco (o sabor do chá será pouco presente). Você também pode trabalhar com quantidades de 4 g até 20 g de folhas secas por litro de chá. Para saber qual a quantidade preferida ao seu paladar, tire algumas horas para preparar chás em diferentes intensidades e anote (em gramas por litro) as receitas das quais mais gostou. Chás da família *Camellia sinensis* geram diferentes resultados quando alteramos a temperatura e o tempo de infusão das folhas, por isso é recomendável estudar mais sobre as formas de extração do chá, assim como suas fases de oxidação e moagem das folhas. Na dúvida, basta seguir as instruções do produtor.

Após o preparo do chá (ou infusão) que vai fermentar, coe, deixando o líquido mais translúcido possível, e adicione o açúcar. Lembre-se de que esse é um dos principais ingredientes para o preparo e que será consumido pelos microrganismos gerando diversos resíduos metabólicos, como gás carbônico, álcool, ácido lático e ácido acético. Assim, para ter controle de todo o processo fermentativo, é necessário adicionar pouco açúcar no começo da fermentação (considere de 50 g a 80 g nas primeiras tentativas).

» Primeira fermentação (dando vida ao chá): Essa é a etapa inicial da fermentação, quando se deve juntar a cultura (SCOBY), o *starter* (± 10% da produção anterior), chá ou infusão fria e o açúcar no recipiente. Cobrimos com pano, prendemos com elástico e aguardamos o tempo de fermentação. Aqui ocorre a fermentação aeróbica (onde há troca de oxigênio), e o chá ou infusão "torna-se" kombucha, adquirindo o sabor e todas as propriedades da mãe e dos microrganismos presentes.

Essa fase pode levar de 3 a 10 dias para acontecer, e variáveis como temperatura, força da cultura, quantidade de açúcar inicial e quantidade de chá utilizado influenciam no tempo e no resultado, ao "término" do processo. O açúcar adicionado é transformado pelos microrganismos em gás carbônico (que se perde para a atmosfera), ácido lático e álcool (transformado em ácido acético devido às bactérias aeróbicas que metabolizam o álcool), entre diversos outros metabólitos.

Não existe número exato de dias para o fim da primeira fermentação; recomendamos provar o chá uma vez por dia depois do segundo dia de fermentação para melhor escolher o ponto desejado. Ao final das provas, quando o sabor e a acidez forem desejáveis ao paladar, encerra-se a primeira fermentação. Nesse momento, pode-se escolher se quer saborizar (segunda fermentação) ou apenas armazenar em garrafas PET na geladeira e consumir.

Na página ao lado, cultura de kombucha (SCOBY) em seu habitat natural.

Exemplos de infusões de frutas e especiarias para saborizar kombuchas.

» **Segunda fermentação (saborização e gaseificação):** Com o sabor do chá fermentado agradável ao paladar, pode-se fazer um segundo processo para adicionar outros aromas e sabores e gaseificá-lo. Para tanto, transfira o líquido coado do pote fermentador para uma jarra, adicione os insumos desejados e envase em garrafas PET, onde ainda ocorre a fermentação, porém em regime anaeróbico (sem oxigênio). Nesse processo, os açúcares residuais se transformam em gás carbônico (originando o gás natural), ácido lático e álcool, porém sem a formação de ácido acético (sabor de vinagre), pois as bactérias aeróbicas que se alimentam do álcool não trabalham em meio anaeróbico.

A cultura permanece no pote de fermentação para uma nova leva de kombucha ou pode ser transferida para o hotel de mães.

» **Formas de saborizar o kombucha:** Na saborização do kombucha, evite diluir o chá fermentado. Assim, ao utilizar suco de frutas ou outras infusões, dilua no máximo em 10% o seu kombucha fermentado nesses líquidos.

Por exemplo, você tem prontos 3 litros de kombucha e quer saborizar com chá de camomila. Prepare a infusão de camomila de forma que concentre todas as flores secas em apenas 300 ml de água, para então diluir nos 3 litros de kombucha pronto. Dessa forma, as características originais do kombucha serão mantidas.

SABORIZAÇÃO COM FRUTAS: *É uma opção saborosa e rápida para o kombucha. Para fazê-la, colocam-se dentro da garrafa pedaços da fruta, o suco e até mesmo uma infusão da fruta inteira em um pouco de água quente.*

VANTAGEM: *alta carbonatação devido à adição de mais frutose (açúcar), que também vai fermentar.*

DESVANTAGEM: *validade curta (entre 10 e 20 dias) e sabor de fruta passada devido à fermentação das fibras da fruta. Frutas desidratadas têm sabor concentrado e são uma ótima opção.*

SABORIZAÇÃO COM ESPECIARIAS: *Utilize cravo, canela, cardamomo, semente de coentro, cumaru, puxuri, imbiriba, pimenta-de-macaco, imburana e outros temperos infusionados ou adicionados diretamente na garrafa após o envase. Explore além das especiarias conhecidas e se surpreenda com o sabor resultante.*

>**VANTAGEM:** *mais controle da fermentação e validade maior (30 a mais dias), pois não há adição de frutose ou fibras de frutas.*

>**DESVANTAGEM:** *pode ocorrer baixa carbonatação se todo o açúcar tiver sido consumido na primeira fermentação e devido ao poder bacteriostático das especiarias (que dificultam a vida dos microrganismos).*

SABORIZAÇÃO COM OUTROS CHÁS: *Utilize outros chás saborizados como maçã, canela, limão e frutas vermelhas, de forma a concentrar o sabor do chá no mínimo de água possível, evitando assim a diluição do kombucha de primeira fermentação.*

>**VANTAGEM:** *mais controle da fermentação e validade maior (30 a mais dias), pois não há adição de frutose ou fibras de frutas.*

>**DESVANTAGEM:** *pode ocorrer baixa carbonatação se todo o açúcar tiver sido consumido na primeira fermentação.*

» **Envase (armazenando o kombucha em garrafas):** Quando a saborização na jarra estiver pronta (misturado o kombucha de primeira fermentação com a saborização), separe as garrafas PET, lave bem, sanitize e envase, até dois dedos antes do gargalo. Prefira trabalhar com garrafas PET de 500 ml, assim, ao abrir uma garrafa, consome-se todo o conteúdo. Se optar por garrafas maiores, haverá perda do gás a cada abertura (funciona bem para almoços, jantares e festas).

O período da segunda fermentação na garrafa é de 2 a 10 dias fora da geladeira (temperatura ambiente), quando será perceptível a formação do gás pela rigidez externa da garrafa. Quando isso acontecer, basta colocar as garrafas na geladeira para retardar a fermentação.

SABORIZAÇÃO	CARBONATAÇÃO	ÁLCOOL	VALIDADE
Especiarias ou outras infusões	controlada	controlado	60 dias ou mais
Pedaços de frutas	sem controle	sem controle	até 20 dias
Suco de fruta	sem controle	sem controle	até 15 dias
Infusão de fruta seca ou fresca	sem controle	sem controle	até 60 dias

Mãos à obra

Neste ponto da leitura, esperamos que você já tenha entendido o que é o kombucha, como cuidar da cultura, primeira fermentação, segunda fermentação, modos de saborização e envase. Então, vamos colocar em prática. Se for a primeira vez que vai preparar kombucha, comece pela receita básica a seguir e, após o sucesso, experimente criar suas próprias formulações.

Kombucha de chá-verde com gengibre

RENDIMENTO	DIFICULDADE	PREPARO	FERMENTAÇÃO	MATURAÇÃO
1 LITRO	MÉDIA	30 MINUTOS	AERÓBICA	2-14 DIAS

Ingredientes

» 1 litro de água
» 8 g de chá-verde seco em folhas
» 50 g de açúcar
» 100 ml de um kombucha anterior (*starter*)
» 1 SCOBY de kombucha
» 8 g de gengibre descascado

Preparo

[PRIMEIRA FERMENTAÇÃO]

1. *Aqueça a água, mas não deixe ferver.*

2. *Adicione o chá e aguarde 5 minutos.*

3. *Coe e espere esfriar até atingir a temperatura ambiente.*

4. *Acrescente o açúcar, o kombucha anterior (starter) e o SCOBY.*

5. *Feche com um pano de algodão e prenda com um elástico.*

6. *Aguarde o período da primeira fermentação. Prove o kombucha a cada 2 dias para escolher o sabor ideal ao seu paladar.*

[SEGUNDA FERMENTAÇÃO]

7. Ao atingir o sabor ideal, transfira apenas o líquido para uma jarra.

8. Utilize 300 ml do kombucha separado para bater no liquidificador com o gengibre descascado.

9. Após processar o gengibre com o kombucha, coe e adicione a quantidade coada ao restante do kombucha.

10. Envase em garrafas PET. Se desejar gás, deixe fora da geladeira até a garrafa ficar rígida externamente.

11. Coloque na geladeira e beba gelado.

Aprimorando, controlando e melhorando a produção de kombucha

O aprimoramento do preparo do kombucha consiste em controlar algumas variáveis de fermentação, o que requer experiência. O objetivo é ter grande controle do processo fermentativo e chegar à estabilidade da bebida envasada em temperatura ambiente: sem riscos de explosão ou de se obter um sabor ruim após o envase.

Controle de acidez, teor alcoólico, dulçor e carbonatação

Quando acertamos a produção de um sabor, surge o maior desafio: reproduzi-lo de forma equalizada. Acidez, dulçor, carbonatação e teor alcoólico são as variáveis mais difíceis de controlar, e todas estão relacionadas a um único ingrediente do preparo: açúcar.

O açúcar que adicionamos no começo da fermentação é metabolizado pelos microrganismos até o término e, em troca, gera resíduos metabólicos que queremos controlar. A estabilidade do kombucha é alcançada quando todo o açúcar residual após o envase for consumido pelos organismos, não havendo mais "alimento" para eles. Para melhores resultados no controle das variáveis, considere fermentar o kombucha entre 18 °C e 23 °C. Acima dessa temperatura, a fermentação se dá muito rapidamente, e o resultado é uma bebida sem profundidade de sabor e ácida.

Teor alcoólico

O álcool é gerado como resíduo metabólico da transformação do açúcar pelas leveduras. Isso ocorre nos dois processos do preparo: primeira e segunda fermentação. Na primeira fermentação (aeróbica), as bactérias aeróbicas acéticas transformam o álcool em ácido acético. Logo, quando o álcool é gerado pelas leveduras, as bactérias acéticas o transformam em ácido acético, assim o teor alcoólico do kombucha na primeira fermentação será sempre baixo, quando não inexistente.

Na segunda fermentação (fermentação anaeróbica), as bactérias aeróbicas acéticas deixam de metabolizar, portanto o álcool gerado pelas leveduras é mantido na bebida. Sendo assim, quanto mais doce for envasado o kombucha, seja pela adição de açúcar ou por frutas, mais haverá chances da presença de álcool em seu conteúdo.

Acidez

A acidez é gerada pela transformação do álcool em ácido acético por bactérias aeróbicas, logo, após o envase, o kombucha deixa de avinagrar. Para definir a acidez desejada, na etapa da primeira fermentação, prove o kombucha a cada 2 dias e interrompa o processo fermentativo quando estiver apropriado ao seu paladar.

Note que a temperatura influencia muito na definição da acidez: quanto mais quente estiver o ambiente da primeira fermentação, mais rápido e intenso será o gosto de vinagre na bebida. Por isso, prefira fermentar em ambientes mais frescos que não ultrapassem 23 °C.

Carbonatação

Assim como o álcool, o gás carbônico também é gerado como resíduo metabólico da transformação do açúcar pelas leveduras, e a carbonatação ocorre nos dois processos do preparo: primeira e segunda fermentação.

Na primeira fermentação, o gás é perdido para a atmosfera, pois o fermentador está aberto. Na segunda fermentação, ao fecharmos a entrada e a saída, o gás carbônico gerado é solubilizado no kombucha, o que gaseifica naturalmente a bebida. Sendo assim, quanto mais doce for envasado o kombucha, seja pela adição de açúcar ou por frutas, maiores serão as chances de o kombucha apresentar gaseificação excessiva e o líquido vazar da garrafa ao abrir.

Dulçor residual no paladar

Sabendo que o açúcar adicionado sempre se transforma em algum resíduo metabólico, para obter um kombucha mais doce, deve-se sempre:

- *interromper a fermentação armazenando as garrafas na geladeira;*
- *submeter o kombucha à pasteurização (inativação de microrganismos);*
- *adicionar conservantes industriais;*
- *deixar os açúcares fermentáveis acabarem e adicionar outros ingredientes, como edulcorantes.*

Ou seja, não é possível termos um kombucha estável (sem pasteurizar e sem químicos da indústria) em temperatura ambiente, sem riscos de vazamento e explosão de garrafa, que seja doce como um refrigerante convencional. Se esse for seu desejo, considere que a todo momento o kombucha deve ser refrigerado, o que é inviável para grandes produções.

Produção de extratos de frutas estáveis para a segunda fermentação

Sabendo que a adição de frutas em suco ou *in natura* na segunda fermentação do kombucha pode trazer gosto de fruta passada e supercarbonatação que impossibilita a estabilidade da bebida, criamos um método de extração do sabor da fruta de forma estável, utilizando os ácidos orgânicos (lático e acético, entre outros) do próprio kombucha. O objetivo é extrair aroma e sabor do substrato, deixando para trás fibras e massa sólida dos insumos, que são responsáveis pelos *off flavors* desagradáveis.

Para produzir esses extratos para a saborização, faça uma infusão a frio do ingrediente desejado no próprio kombucha de primeira fermentação, remova os sólidos e, após um período, utilize o extrato para saborizar o restante do kombucha a ser envasado.

PASSO A PASSO:

1) Transfira parte do kombucha de primeira fermentação bem seco (ácido, de longa fermentação) para um pote sem a cultura e adicione os ingredientes que vão saborizar todo o kombucha (frutas e/ou especiarias).

2) Feche o pote hermeticamente (para criar um ambiente anaeróbico) e deixe em infusão na geladeira. Nesse momento, não queremos que os microrganismos do kombucha fermentem o substrato adicionado.

3) O tempo de infusão pode variar de 12 a 72 horas, dependendo da intensidade do sabor desejado e do tipo de substrato escolhido. Prove o extrato após 12 horas para verificar a intensidade do sabor e adicione mais substrato se achar que estiver fraco.

4) Quando alcançar a intensidade a seu gosto, coe o kombucha e descarte os sólidos. Dependendo da concentração do sabor, você pode diluir o extrato em mais kombucha ou envasar diretamente.

5) Após a saborização com o extrato, se desejar gás, deixe as garrafas fora da geladeira para a segunda fermentação.

Para facilitar o processo de filtragem, considere utilizar um hop bag, que é um tecido inerte que funciona como uma peneira e pode ser inserido no mosto a ser fermentado, permitindo que se façam infusões temporárias sem precisar filtrar o mosto inteiro.

Adaptação de cultura para fermentar outros substratos além de chá

Até pouco tempo atrás, acreditava-se que só era possível fazer kombucha com infusões provenientes da *Camellia sinensis*. A partir de testes e pesquisas, consta-

Na página ao lado, quatro preparações de kombucha com diferentes variedades de base: hibisco, chá-preto, chá-verde e mate.

tou-se ser possível produzir a bebida a partir de outras infusões, como o brasileiro *Ilex paraguariensis*, popularmente conhecido como "mate", sem a adição de folhas da *Camellia sinensis*.

Considerando essa possibilidade, podemos adaptar e desenvolver outros SCOBYs para diferentes substratos, nos quais a grande diferença entre as culturas será a quantidade e a qualidade de bactérias e leveduras, ou seja, sua microbiota.

Ao alterar o substrato de fermentação, muitos microrganismos não conseguirão se adaptar, mas outros serão mais favorecidos, alterando assim a composição da microbiota. Entretanto, não podemos trocar o substrato de forma radical. Para adaptar a cultura a outros substratos, será necessária uma transição gradual no mosto utilizado na primeira fermentação.

Podemos adaptar com facilidade a cultura para fermentar mostos de beterraba, malte, mel (*jun*), frutas e vinho, entre outros.

Esse processo pode levar até 90 dias e não há garantias de que dará certo, o que dependerá do substrato escolhido. Sendo assim, não faça isso com seu único SCOBY.

PASSO A PASSO

Vamos supor que nosso objetivo seja trocar o açúcar cristal pelo mel, ou seja, depois de transformada, a cultura será alimentada com chá-verde e mel, também conhecido como jun. Na receita original (que sofrerá alteração), indica-se a quantidade por litro de 10 g de chá-verde e de 60 g de açúcar. Observe como será a transição:

1) Preparo do 1º mosto – 1 litro com 10 g de chá-verde:
- 75% da composição original
45 g de açúcar cristal
- 25% da composição alterada
15 g de mel

Deixe fermentar em temperatura ambiente até observar a formação de uma nova cultura na superfície, o que pode levar de 10 a 30 dias. Havendo sinais de boa fermentação (cheiro e gosto), retire 90% do volume fermentado, que pode ser utilizado como vinagre. Com os 10% restantes e a cultura, prepare o segundo mosto.

2) Preparo do 2º mosto – 1 litro com 10 g de chá-verde:
- 50% da composição original
30 g de açúcar cristal
- 50% da composição alterada
30 g de mel

Deixe fermentar em temperatura ambiente até observar a formação de uma nova cultura na superfície, o que pode levar de 10 a 30 dias. Havendo sinais de boa fermentação (cheiro e gosto), retire 90% do volume fermentado, que pode ser utilizado como vinagre. Com os 10% restantes e a cultura, prepare o terceiro mosto.

3) Preparo do 3º mosto - 1 litro com 10 g de chá-verde:
- 25% da composição original
15 g de açúcar cristal
- 75% da composição alterada
45 g de mel

Deixe fermentar em temperatura ambiente até observar a formação de uma nova cultura na superfície, o que pode levar de 10 a 30 dias. Havendo sinais de boa fermentação (cheiro e gosto), retire 90% do volume fermentado, que pode ser utilizado como vinagre. Com os 10% restantes e a cultura, prepare o kombucha regularmente com a cultura alterada, utilizando o novo substrato.

Lembre-se de anotar todos os ingredientes e forma de preparo do mosto alterado, pois, após a alteração da microbiota da cultura, não há garantias de que ela fermentará o substrato original.

Equipamentos para a medição do kombucha

Em linhas gerais, medimos a fermentação de bebidas mensurando o consumo do açúcar pelos microrganismos. Quando temos a concentração inicial de açúcar (começo da fermentação) e a concentração final de açúcar (no ato do envase), subtraindo um pelo outro, obtemos o volume de açúcar consumido, podendo assim prever a quantidade de metabólitos em que o açúcar se transformou.

Existem diversos equipamentos e formas de medir a fermentação de bebidas, como o densímetro sacarímetro e o refratômetro. Esses são equipamentos de fácil acesso e baixo custo, feitos para medir resíduos metabólicos específicos de uma fermentação alcoólica "tradicional" em que temos principalmente o álcool como resíduo metabólico.

A fermentação do kombucha gera muitos outros metabólitos além do álcool: ácido lático, ácido acético, vitaminas e enzimas. Quando fazemos a medição do kombucha nos equipamentos citados acima, a presença desses metabólitos influencia a medição, tornando os números inexatos, logo, não podemos confiar em todos os equipamentos para realizar tal controle e medição. Porém, com o tempo, teremos nossas próprias estatísticas referentes a cada uma das fermentações. Foi dessa forma que logramos, ao longo de dois anos, produzir kombuchas na Companhia dos Fermentados que sejam estáveis indefinidamente, mesmo se mantidos em temperatura ambiente.

Após longos e diversos testes, o equipamento que se mostrou mais estável para medição foi o **densímetro sacarímetro**.

Fermentação à Brasileira

Ao lado, uma mãe de kombucha em um pote de fermentação aeróbico

Saborização de kombucha

As próximas receitas utilizam a mesma base de primeira fermentação. Você pode seguir essas sugestões ou utilizar sua própria formulação, que resultará em uma base de sabor fraco do chá, o que permite maior percepção da saborização.

Kombucha à base de chá-verde fraco

RENDIMENTO	DIFICULDADE	PREPARO	FERMENTAÇÃO	MATURAÇÃO
1 LITRO	MÉDIA	30 MINUTOS	AERÓBICA	2-14 DIAS

Ingredientes

» 1 litro de água
» 6 g de chá-verde
» 50 g de açúcar
» 100 ml de um kombucha anterior (*starter*)
» 1 SCOBY de kombucha

Obs.: esta receita também pode ser utilizada para fazer o kombucha alcoólico (hard kombucha, receita na p. 119).

Preparo

1. *Aqueça a água, mas não deixe ferver.*

2. *Adicione as folhas secas e aguarde 5 minutos.*

3. *Coe e espere esfriar até atingir a temperatura ambiente.*

4. *Adicione o açúcar, o kombucha anterior (starter) e o SCOBY.*

5. *Feche com um pano de algodão e prenda com um elástico.*

6. *Aguarde o período da primeira fermentação. Prove o kombucha a cada 2 dias até que chegue ao sabor mais agradável ao seu paladar.*

7. *Ao atingir o sabor ideal, retire o líquido e siga para a segunda fermentação.*

Extrato padrão de frutas

RENDIMENTO: 1 LITRO | DIFICULDADE: FÁCIL | PREPARO: 20 MINUTOS | MATURAÇÃO: 12-24 HORAS

Ingredientes

» Frutas de sua preferência como goiaba, maracujá, uvaia, manga, abacaxi
» 1 litro de kombucha de primeira fermentação seco (fermentação longa, pouco açúcar residual)

Preparo do extrato padrão

1. Corte as frutas em pedaços pequenos.

2. Transfira para um pote hermético e deixe em infusão com o kombucha na geladeira por 12 a 48 horas. Prove a cada 12 horas até que chegue à intensidade de sabor desejada.

3. Após o período de infusão, retire os pedaços de frutas.

4. Envase.

Laranja-baía de verão

RENDIMENTO: 1 LITRO | DIFICULDADE: FÁCIL | PREPARO: 20 MINUTOS | FERMENTAÇÃO: ANAERÓBICA | MATURAÇÃO: 1-5 DIAS

Ingredientes

» 100 ml de suco de laranja-baía
» 1 ramo de tomilho fresco
» 2 g de folhas de sálvia fresca
» 900 ml de kombucha de primeira fermentação

Preparo

1. *Processe o suco de laranja, o tomilho e a sálvia no liquidificador.*

2. *Coe bem e misture ao kombucha de primeira fermentação.*

3. *Envase.*

Maracujá com pimenta-rosa

RENDIMENTO	DIFICULDADE	PREPARO	FERMENTAÇÃO	MATURAÇÃO
1 LITRO	FÁCIL	30 MINUTOS	ANAERÓBICA	1-5 DIAS

Ingredientes

» 1 maracujá inteiro, com polpa e casca
» 1 litro de kombucha de primeira fermentação
» 1 g de pimenta-rosa
» 200 ml de água
» 5 g de açúcar

Preparo

1. *Lave o maracujá, extraia a polpa e reserve a casca.*

2. *Transfira o kombucha de primeira fermentação para um pote hermético e adicione a polpa de maracujá e a pimenta-rosa. Deixe em infusão na geladeira por 24 horas.*

3. *Corte em pedaços a casca que sobrou e leve ao fogo com a água. Deixe cozinhar por 10 minutos em fogo baixo. Coe e reserve.*

4. *Após 24 horas, retire o pote da geladeira, coe o kombucha descartando a polpa e a pimenta-rosa. Adicione a água da casca de maracujá, o açúcar e envase.*

Cenoura

RENDIMENTO	DIFICULDADE	PREPARO	FERMENTAÇÃO	MATURAÇÃO
1 LITRO	FÁCIL	10 MINUTOS	ANAERÓBICA	1-5 DIAS

Ingredientes

» 100 g de cenoura
» 1 litro de kombucha de primeira fermentação

Preparo

1. Corte a cenoura em pedaços e processe no liquidificador com 500 ml do kombucha de primeira fermentação.

2. Transfira para um pote hermético e deixe em infusão na geladeira por 24 horas.

3. Após 24 horas, já se vê no pote a formação de sedimentos da cenoura. Transfira com cuidado o líquido, filtrando e descartando os sedimentos.

4. Misture com o restante do kombucha de primeira fermentação e envase.

Café

RENDIMENTO	DIFICULDADE	PREPARO	FERMENTAÇÃO	MATURAÇÃO
1 LITRO	FÁCIL	24 HORAS	ANAERÓBICA	1-5 DIAS

Ingredientes

» 1 litro de kombucha de primeira fermentação
» 10 g de pó de café

Preparo

1. Em um pote hermético, adicione o kombucha de primeira fermentação e o pó de café.

2. Deixe infusionando na geladeira por 24 horas.

3. Após 24 horas, coe o kombucha em um coador de papel ou pano.

4. Envase.

Pepino e hortelã

RENDIMENTO	DIFICULDADE	PREPARO	FERMENTAÇÃO	MATURAÇÃO
1 LITRO	FÁCIL	24 HORAS	ANAERÓBICA	1-5 DIAS

Ingredientes

» 100 g de pepino
» 1 litro de kombucha de primeira fermentação
» Folhas de hortelã

Preparo

1. Descasque o pepino e corte em pedaços.

2. Processe no liquidificador com 500 ml do kombucha de primeira fermentação e as folhas de hortelã.

3. Transfira para um pote hermético e deixe em infusão na geladeira por 24 horas.

4. Após esse período, já haverá no pote a formação de sedimentos do pepino. Transfira com cuidado o líquido, filtrando e descartando os sedimentos.

5. Misture com o restante do kombucha de primeira fermentação e envase.

Acima, diversas possibilidades de saborização de kombucha

Mate torrado com limão

RENDIMENTO	DIFICULDADE	PREPARO	FERMENTAÇÃO	MATURAÇÃO
1 LITRO	FÁCIL	30 MINUTOS	ANAERÓBICA	1-5 DIAS

Ingredientes

» 100 ml de água
» 15 g de mate torrado
» 10 g de casca de limão
» 50 ml de suco de limão filtrado
» 900 ml de kombucha de primeira fermentação

Preparo

1. Aqueça a água, mas não deixe ferver.

2. Adicione o mate e a casca de limão e aguarde 10 minutos.

3. Coe e espere esfriar até atingir a temperatura ambiente.

4. Quando estiver frio, junte com o suco de limão e junte ao kombucha de primeira fermentação.

5. Envase.

Hibisco, gengibre e pimenta-rosa

RENDIMENTO	DIFICULDADE	PREPARO	FERMENTAÇÃO	MATURAÇÃO
1 LITRO	FÁCIL	24 HORAS	ANAERÓBICA	1-5 DIAS

Ingredientes

» 1 litro de kombucha de primeira fermentação
» 8 g de hibisco seco
» 8 g de gengibre ralado
» 0,5 g de pimenta-rosa em grãos

Preparo

1. *Em um pote com fecho hermético, adicione todos os ingredientes.*

2. *Deixe em infusão na geladeira por 24 horas.*

3. *Coe e envase.*

Consumindo o SCOBY

A cultura de bactérias e leveduras que compõem a mãe do kombucha (SCOBY) tem sua estrutura formada principalmente por água e celulose. Grande parte do interesse no consumo é a ingestão dos microrganismos e sua suposta ação probiótica. Porém, mesmo nas formulações em que a massa é cozida, temos o benefício funcional da presença de celulose e fibras não digeríveis, muito importantes para o bom funcionamento do trato intestinal.

Você pode simplesmente cortar o SCOBY em formato de sashimi e temperar com shoyu, gengibre e óleo de gergelim para um impressionante "sashimi vegano". Pode cortar em tamanhos menores e temperar com pimenta, limão (pouco, o SCOBY já é bem ácido), gengibre, sal e coentro ou qualquer outra marinada de sua preferência, para um clássico ceviche.

Alguns preparos utilizam a desidratação como forma de processamento. Se você não dispõe de um forno desidratador, sugerimos que use o forno convencional na temperatura mais baixa e mantenha a porta dois dedos aberta (com o auxílio de uma rolha, por exemplo). O tempo de desidratação será menor e provavelmente a temperatura passará de 60 °C, o que vai desativar os microrganismos e as enzimas presentes nas frutas e no SCOBY. Tanto no desidratador como no forno convencional, utilizamos folhas de silicone, e, caso não disponha no momento, utilize uma fôrma antiaderente, retirando posteriormente com cuidado, ou mesmo em um papel-manteiga próprio para assar. Considere untar com um pouco de óleo vegetal.

As receitas e procedimentos estão divididos em duas frentes: pedaços inteiros ou purê.

Pedaços inteiros

Este tipo de receita consiste em recortar o SCOBY em pequenos pedaços, temperar e processar. Abaixo, temos algumas sugestões de receitas para inspirar.

SCOBY em calda

RENDIMENTO	DIFICULDADE	PREPARO
2,2 kg	MÉDIA	1 HORA

Ingredientes

» 500 g de pêssegos
» 500 g de SCOBY
» 500 g de açúcar
» 1 litro de água

Preparo

1. Lave os pêssegos, corte ao meio e retire o caroço. Descasque antes, se desejar.

2. Corte o SCOBY em tamanhos parecidos com os do pêssego.

3. Ferva o açúcar e a água por 5 minutos e adicione o restante dos ingredientes.

4. Ferva por mais 20 minutos e deixe que esfrie. Acondicione em potes esterilizados e conserve na geladeira por até 2 semanas.

Doce de banana com SCOBY (receita na p. 84)

Doce de banana com SCOBY

RENDIMENTO: 1 kg
DIFICULDADE: MÉDIA
PREPARO: 1 HORA

Ingredientes

» 100 ml de água
» 300 g de açúcar
» 350 g de SCOBY cortado em pequenos pedaços
» 350 g de banana em rodelas

Preparo

1. Ferva a água com o açúcar.

2. Adicione os demais ingredientes e cozinhe em fogo baixo até que a banana se dissolva.

3. Acondicione em potes esterilizados e conserve na geladeira por até 2 semanas.

Você pode substituir a banana por qualquer outra fruta e transformar o SCOBY em um purê para obter uma geleia homogênea.

Charque vegetariano de SCOBY
(jerked beef vegano)

RENDIMENTO: 250 g
DIFICULDADE: DIFÍCIL
PREPARO: 20 MINUTOS
MATURAÇÃO: ATÉ 3 DIAS

Ingredientes

» 80 ml shoyu
» 50 g de gengibre
» 2 dentes de alho
» 5 g de gergelim torrado
» 1 fio de óleo de gergelim (opcional)
» 2 kg de tiras de SCOBY

1. Bata todos os temperos no liquidificador.

2. Adicione ao SCOBY e deixe marinar por 24 horas.

3. Coloque no forno para desidratar a 42 °C por 20 a 40 horas, até alcançar a textura desejada.

Dica: substitua os temperos orientais por páprica doce, picante ou defumada, alho, cebola e cenoura desidratados para uma versão húngara.

Bala de gengibre

RENDIMENTO	DIFICULDADE	PREPARO	DESIDRATAÇÃO
250 g	DIFÍCIL	20 MINUTOS	ATÉ 3 DIAS

Ingredientes

» 500 g de SCOBY cortado em cubos de 3 cm x 3 cm
» 30 g de gengibre ralado
» 50 g de açúcar

Preparo

1. Misture os ingredientes e deixe marinando por 24 horas.

2. Desidrate a 42 °C por 20 a 40 horas, até alcançar a textura e o tamanho desejados.

Dica: adicione 50 g de polpa de maracujá batida, hortelã ou outras especiarias a gosto.

Consumindo o SCOBY batido (purê)

Ao processar o SCOBY, poderemos acrescentá-lo nas receitas usuais, tanto cruas como cozidas. Assim como a biomassa de banana verde cozida, você pode pensar no purê de SCOBY como uma "microbiomassa", cuja principal característica a ser levada em conta é a acidez. Considere adicionar a microbiomassa a sopas, risotos, massa de pão e macarrão, cookies, recheios de tortas, cremes, sorvetes, brigadeiro funcional etc.

A seguir, indicamos algumas de nossas receitas de folhas de frutas desidratadas com microbiomassa. Em inglês, costuma-se chamar de *fruit roll* (rolo de fruta) ou mesmo *fruit leather* (couro de fruta).

Folha de goiaba

RENDIMENTO: 80 g
DIFICULDADE: DIFÍCIL
PREPARO: 20 MINUTOS
DESIDRATAÇÃO: ATÉ 3 DIAS

Ingredientes

» 400 g de goiaba
» 400 g de SCOBY
» 50 g de açúcar cristal (opcional)

Preparo

1. Bata todos os ingredientes em um liquidificador ou processador.

2. Adicione água se achar necessário, lembrando que, quanto mais água, mais tempo levará para desidratar.

3. Espalhe a mistura em uma folha de silicone e desidrate a 42 °C por 20 a 40 horas, até alcançar o ponto em que pode ser retirada com facilidade sem quebrar. Enrole a folha e corte em tamanhos menores, fracionando para acondicionar em potes ou sacos selados a vácuo. Embalados a vácuo, os pedaços podem durar até 6 meses.

Dica: *adicione especiarias e ervas para enriquecer suas folhas de frutas. Para tanto, tenha em mente que o peso final será aproximadamente dez vezes menor e faça um cálculo para que a quantidade de especiarias adicionadas não ultrapasse 1%. Por exemplo, no caso desta receita, temos uma massa inicial de 800 g, que resulta em 80 g desidratados. Portanto, a quantidade de especiarias não deve ultrapassar 0,8 g.*

Ao lado, diferentes etapas da produção de folhas de frutas e SCOBY desidratadas

Folha de cupuaçu

RENDIMENTO	DIFICULDADE	PREPARO	DESIDRATAÇÃO
300 g	DIFÍCIL	20 MINUTOS	ATÉ 3 DIAS

Ingredientes

» 400 g de cupuaçu
» 400 g de SCOBY
» 50 g de açúcar cristal (opcional)

Preparo

Proceda como descrito na receita Folha de goiaba (p. 87).

Folha de banana

RENDIMENTO	DIFICULDADE	PREPARO	DESIDRATAÇÃO
250 g	DIFÍCIL	20 MINUTOS	ATÉ 3 DIAS

Ingredientes

» 500 g de banana
» 500 g de SCOBY
» 80 g de açúcar cristal (opcional)
» 1 g de canela em pó

Preparo

Proceda como descrito na receita Folha de goiaba (p. 87).

CAPÍTULO II | BEBIDA

Folha de maracujá

RENDIMENTO	DIFICULDADE	PREPARO	DESIDRATAÇÃO
150 g	DIFÍCIL	20 MINUTOS	ATÉ 3 DIAS

Ingredientes

» 300 g de polpa de maracujá batida e peneirada
» 350 g de casca de maracujá cozida 15 minutos na pressão
» 700 g de SCOBY
» 5 g de folhas de capim-limão deixadas em infusão em 50 ml de água

Preparo

*Proceda como descrito na receita **Folha de goiaba** (p. 87).*

Refrigerantes selvagens

Embora historicamente refrigerantes tenham sido criados a partir de suco de frutas, a maioria de nós cresceu consumindo refrigerantes que não têm praticamente nenhum componente de origem natural (vegetal) em sua composição. Alguns deles são pretos, e os fabricantes se vangloriam do fato de que tanto as formulações quanto o procedimento de produção são secretos. Pensando em retrocesso, ficamos espantados como pudemos, por tanto tempo, achar admirável ingerir algo que não fazíamos ideia alguma de sua origem e forma de produção. Como pode (ainda hoje) a lei ser tão branda nesse sentido? Pensamos sobre as forças que atuam sobre as instituições públicas reguladoras, que ditam o que pode ser considerado uma bebida, dando o nome técnico de refrigerante.

Hoje, percebemos um crescimento significativo da conscientização da população sobre a importância da alimentação, e os refrigerantes industrializados passaram a figurar na lista dos grandes vilões (tendo as crianças como principais vítimas). Se um sujeito deseja uma bebida gaseificada, não alcoólica e sem aditivos químicos, infelizmente não é mais nos supermercados que ele encontra. Tão comum até apenas há algumas décadas, agora só existem versões industriais ultraprocessadas, que não guardam nenhuma característica probiótica, nutritiva ou terapêutica.

Fica a questão: o refrigerante é uma invenção recente, oriundo de uma indústria capaz de criar rios de ácido fosfórico (ótimos desentupidores de pia) saborizados e adoçados artificialmente que levam minutos para ficar prontos, ou existe desde uma época anterior, em uma forma rudimentar que levava dias para ser preparada e visava também à conservação de frutas?

A resposta, o leitor já desconfia: "refrigerantes" – aqui tomamos a liberdade de ir além da definição que consta na lei brasileira[35], para abarcar o que não está previsto nela, mas que sempre existiu – são bebidas gaseificadas consumidas em diversas culturas, que perpassam o tempo e o espaço. São saborosas e saudáveis, além de extremamente interessantes e divertidas de produzir entre amigos, como forma de fortalecer o relacionamento entre pais e filhos e mesmo como método de ensino, dado que existe uma parte técnica sobre a microbiologia dos processos cuja profundidade de compreensão pode ser explorada em diversos níveis, de uma criança no ensino fundamental até o pesquisador que está surfando na crista da onda biotecnológica.

Dividiremos o processo de produção de refrigerantes em três etapas básicas:

1) Escolha de insumos e processamento para obtenção do mosto

Escolha uma fruta, infusão ou especiaria que mais lhe agrada para fazer o refrigerante, coe e filtre bem para evitar fibras e partículas sólidas na bebida. Você pode também optar por vegetais, como pepino, batata-doce, milho, entre outros.

2) Escolha do fermento, como apresentado na introdução deste livro

- *selvagem;*
- *fermento comercial (ativar conforme descrito na p. 55);*
- *kombucha;*
- *ginger bug;*
- *kefir de água;*
- *soro de kefir de leite;*
- *rejuvelac;*
- *uma fração de refrigerante selvagem feito anteriormente.*

Utilize de 5% a 10% de fermento em relação ao volume do refrigerante que for fermentar.

Experimente fazer o mesmo suco ou infusão com diferentes fermentos, para descobrir a diferença entre eles.

3) Inoculação e fermentação

Misture o mosto (suco de frutas ou infusão) ao fermento, envase em uma garrafa PET própria para bebidas gaseificadas (de água com gás ou mesmo de refrigerante comercial) e aguarde a fermentação fora da geladeira. A fermentação do refrigerante é sempre em meio anaeróbico (sem a presença de oxigênio).

Com o passar de horas e dias, você vai perceber pelo tato que a pressão interna da garrafa aumentou (a garrafa fica rígida) e a bebida já pode ser refrigerada e consumida. Não se devem utilizar garrafas de vidro, pois não se consegue inferir a pressão interna desses recipientes, além do grave risco de explosão que apresentam e suas perigosas consequências.

---

[35] Brasil. Ministério da Agricultura, Pecuária e Abastecimento. Disponível em: www.agricultura.gov.br/assuntos/ vigilancia-agropecuaria/ivegetal/bebidas. Acesso em: 18 jun. 2018.

Refrigerante de beterraba

RENDIMENTO	DIFICULDADE	PREPARO	FERMENTAÇÃO	GASEIFICAÇÃO
500 ml	MÉDIA	20 MINUTOS	ANAERÓBICA	1-3 DIAS

Esmiuçando

Em nossas aulas de refrigerante, algumas vezes fizemos o exercício de reproduzir a mesma receita de suco de beterraba, porém com diferentes fermentos. É um ótimo estudo para compreender as diferenças que as diversas culturas de microrganismos podem trazer para o resultado e ilustra bem a importância da saúde, bem como da escolha, do fermento utilizado. A beterraba é uma grande fonte de açúcar e rende um refresco saboroso e nutritivo. Sugerimos este exercício para ganhar intimidade com os diferentes tipos de fermento: selvagem, kefir de água, soro de kefir de leite, kombucha e fermento comercial. Prepare uma grande quantidade de suco de beterraba e faça diversas garrafas de uma só vez, para poder apreciá-las ao mesmo tempo e anotar os resultados.

Ingredientes

» 1 beterraba média
» 1 pitada de sal
» 350 ml de água
» 50 ml de fermento

Preparo

1. *Bata a beterraba com água no liquidificador e coe. Se desejar um refrigerante translúcido, sugerimos ralar e ferver a beterraba, ou simplesmente ralar e deixar em infusão a frio durante algumas horas, refrigerada.*

2. *Adicione os outros ingredientes na garrafa e faça o procedimento básico de fermentação.*

Dica: *faça o mesmo exercício substituindo a beterraba por cenoura e por laranja.*

Fermentação à Brasileira

Refrigerante de abacaxi com hortelã

RENDIMENTO	DIFICULDADE	PREPARO	FERMENTAÇÃO	GASEIFICAÇÃO
500 ml	FÁCIL	10 MINUTOS	ANAERÓBICA	1-3 DIAS

Ingredientes

» 100 ml de água
» 500 g de abacaxi descascado e picado
» 20 g de gengibre descascado (opcional)
» 2 ramos de hortelã
» 2 g de semente de coentro
» 50 ml de fermento de sua escolha

Preparo

1. Bata no liquidificador a água, o abacaxi, o gengibre, o hortelã e a semente de coentro.

2. Com a ajuda de um funil, verta o líquido em uma garrafa PET de 1 litro, devidamente sanitizada. Deixe 3 dedos de altura de espaço livre (head space). Você pode coar ou deixar como está, para uma versão mais fibrosa.

3. Adicione o fermento de sua escolha.

4. Aperte a garrafa de modo que saia todo o ar, então tampe. Ela ficará retorcida e sem ar, inicialmente, no interior, o que vai garantir a fermentação anaeróbica (sem presença de oxigênio).

5. Deixe fermentar em temperatura ambiente (fora da geladeira). Em algumas horas ou dias, a garrafa começará a se expandir, por conta da produção de gás carbônico pelos microrganismos, até eventualmente ficar rígida como uma garrafa de água com gás.

6. Nesse momento seu refrigerante estará pronto e já poderá ser consumido. Leve à geladeira para retardar o processo de fermentação. Mantido refrigerado, deve durar até um mês.

Refrigerante de abacaxi com hortelã (receita na p. 92).

Refrigerante de camu-camu

RENDIMENTO	DIFICULDADE	PREPARO	FERMENTAÇÃO	GASEIFICAÇÃO
800 ml	FÁCIL	10 MINUTOS	ANAERÓBICA	1-3 DIAS

Essa fruta amazonense é típica de terras alagadas e propicia um refrigerante maravilhoso. Na última vez que estivemos em Novo Airão (AM), trabalhando na cervejaria Sarapó, dos nossos primos Tati e Zé Alves, fizemos também uma cerveja *sour*, que levou o refrigerante como inóculo, além do fermento de cerveja.

Ingredientes

» 500 g de camu-camu
» 500 ml de água
» 50 ml de fermento

Preparo

*Siga o modo de preparo básico do **Refrigerante de abacaxi com hortelã** (receita na p. 92).*

Refrigerante de batata-doce

RENDIMENTO	DIFICULDADE	PREPARO	FERMENTAÇÃO	GASEIFICAÇÃO
1,5 LITRO	MÉDIA	20 MINUTOS	ANAERÓBICA	1-3 DIAS

Não é só de frutas que se faz refrigerante. Também ficam deliciosos com os açúcares de raízes e tubérculos. A receita original da Guiana inglesa leva casca de ovo para neutralizar a acidez característica de qualquer bebida fermentada, o que não é obrigatório.

Ingredientes

» 200 g de batata-doce (se encontrar a variedade boliviana, que é laranja, estará mais próximo da receita original)
» 5 a 10 g de gengibre
» 1 colher (café) de canela ou noz-moscada
» 4 colheres (sopa) de mel
» 1,4 litro de água mineral (ou sem cloro)
» 50 ml de fermento de sua escolha

Preparo

1. *Lave, descasque e rale a batata-doce. Enxague brevemente, a fim de retirar o excesso de amido. Reserve.*

2. *Rale o gengibre e adicione junto com as batatas e a canela em uma garrafa PET de 2 litros devidamente sanitizada.*

3. *Bata o mel e a água no liquidificador. Esse procedimento serve para saturar o líquido de oxigênio, fundamental no início do processo. Adicione a mistura na garrafa, devidamente higienizada.*

4. *Deixe fermentar em temperatura ambiente até a garrafa pegar pressão.*

5. *Quando for servir, coe para evitar as fibras.*

Dica: *a receita aceita variações. Você pode aumentar ou diminuir a quantidade de gengibre, adicionar outras especiarias (cravo, cardamomo, zimbro, noz-moscada, casca de limão, frutas em geral), jambu (fica emocionante), bem como reduzir ou aumentar o mel (que também pode ser substituído por açúcar). Experimente substituir a batata-doce por mandioquinha (batata-baroa).*

Refrigerante de pepino, cidreira e limão

RENDIMENTO: 500 ml | DIFICULDADE: FÁCIL | PREPARO: 10 MINUTOS | FERMENTAÇÃO: ANAERÓBICA | GASEIFICAÇÃO: 1-3 DIAS

Ingredientes

» 1 pepino médio
» 1 limão
» 400 ml de chá de cidreira frio (ou cidreira batida no liquidificador e coada)
» 50 ml de fermento selvagem

Preparo

*Siga o modo de preparo básico do **Refrigerante de abacaxi com hortelã** (receita na p. 92).*

Refrigerante de laranja com acerola

RENDIMENTO: 500 ml | DIFICULDADE: FÁCIL | PREPARO: 10 MINUTOS | FERMENTAÇÃO: ANAERÓBICA | GASEIFICAÇÃO: 1-3 DIAS

Ingredientes

» 450 ml de suco de laranja com acerola
» 50 ml de fermento

Preparo

*Siga o modo de preparo básico do **Refrigerante de abacaxi com hortelã** (receita na p. 92).*

Dica: *se não for época de acerola, substitua por seriguela, polpa de açaí ou outra fruta de sua preferência.*

CAPÍTULO II | BEBIDA

Refrigerante de melão com chá-verde

RENDIMENTO	DIFICULDADE	PREPARO	FERMENTAÇÃO	GASEIFICAÇÃO
700 ml	MÉDIA	30 MINUTOS	ANAERÓBICA	1-3 DIAS

Ingredientes

» ½ melão maduro com sementes (funciona com melancia também)
» 500 ml de chá-verde frio (Sugestão: 5 g de chá desidratado para 500 ml de água)
» 50 ml de fermento
» 50 g de açúcar (opcional, se o melão não estiver doce)

Preparo

*Siga o modo de preparo básico do **Refrigerante de abacaxi com hortelã** (receita na p. 92).*

Ginger ale

RENDIMENTO	DIFICULDADE	PREPARO	FERMENTAÇÃO	GASEIFICAÇÃO
1 LITRO	FÁCIL	20 MINUTOS	ANAERÓBICA	1-3 DIAS

Ingredientes

» 45 g de gengibre descascado
» 1 cardamomo
» 800 ml de água
» 50 g de açúcar (ou mel)
» 50 ml de fermento

Preparo

1. *Bata o gengibre e o cardamomo com 500 ml de água no liquidificador e coe. Se desejar uma bebida mais limpa, ferva a mistura por 5 minutos, deixe esfriar e coe.*

2. *Misture o açúcar e complete com o restante da água e o fermento, seguindo a receita do **Refrigerante de abacaxi com hortelã** (p. 92).*

Ginger ale
(receita na p. 97).

Refrigerante de gengibre

RENDIMENTO	DIFICULDADE	PREPARO	FERMENTAÇÃO	GASEIFICAÇÃO
1 LITRO	MÉDIA	20 MINUTOS	ANAERÓBICA	1-3 DIAS

Ingredientes

» 160 g de gengibre
» 900 ml de água
» 80 g de mel
» 100 ml de vinagre de kombucha

Preparo

1. *Bata o gengibre com 500 ml de água no liquidificador e coe. Se desejar uma bebida mais limpa, ferva a mistura por 5 minutos, deixe esfriar e coe.*

2. *Adicione o mel e o vinagre.*

3. *Complete com o restante da água e o fermento, seguindo a receita do* **Refrigerante de abacaxi com hortelã** *(p. 92).*

Vinagre

No Brasil não temos cultura de consumir bons vinagres, ainda mais de insumos diversos. Cremos que vinagre vem apenas do vinho ou de um álcool neutro, porém podemos produzi-lo a partir de muitos insumos diferentes, e é um dos processos mais estáveis de conservar frutas em geral[36].

Além disso, a maioria dos vinagres é produzida industrialmente pelo método rápido, no qual há injeção de oxigênio no mosto e as bactérias ficam em suspensão. Essa técnica permite que o produto chegue rapidamente ao que é exigido por lei (acidez de no mínimo 4%), porém não confere toda a complexidade de aroma e sabor que resulta de uma fermentação lenta (conhecida como método francês ou d'Orleans), a qual abordaremos neste capítulo.

A produção de vinagre é muito parecida com a do kombucha, sendo que a quantidade de açúcar é maior e o tempo de fermentação é mais longo. Em cada uma das formulações sugeridas, vamos produzir um mosto que será fermentado com auxílio da mãe do kombucha (sugerimos que leia a seção sobre kombucha [pp. 58-89], para se familiarizar com os procedimentos). Note que, por utilizarmos uma cultura

---

[36] Oscar Maldonado et al. "Wine and Vinegar Production from Tropical Fruits", 1975.
Sara P. F. Carvalho, *Desenvolvimento de Vinagres a partir de Chás e Infusões*, 2016.

de kombucha, adicionamos sempre um pouco de chá-verde para garantir os nutrientes mínimos à sobrevivência da cultura.

Existem métodos que orientam a, primeiramente, realizar uma fermentação alcoólica com o mosto em um meio estritamente anaeróbico, para depois mudar o regime para aeróbico, inoculando bactérias que farão a fermentação acética. É assim que se faz industrialmente.

Já fizemos o processo das duas maneiras, tendo sucesso de ambas as formas. Aqui, vamos proceder de forma análoga à que fazemos com o kombucha, tendo em mente que os dois processos principais (fermentação alcoólica e acética) vão ocorrer em paralelo na etapa que chamamos de primeira fermentação do kombucha.

Com o tempo, o açúcar vai se converter em álcool, e este, em ácido acético. O processo em temperatura ambiente costuma levar de 2 a 3 meses, dependendo do tipo de mosto. Quando cessa a conversão de açúcar em álcool e deste em ácido acético, é o momento do nível máximo de ácido acético no mosto.

Com o passar do tempo, se deixado exposto (continuamente em contato com o oxigênio), o ácido acético se degrada, perdendo o sabor de vinagre; portanto, ao final do processo, é necessário engarrafá-lo e deixá-lo repousando por no mínimo 4 meses. Passado esse período, o vinagre se apresenta ainda mais saboroso, aparadas suas afiadas arestas acéticas. Se você fizer seu vinagre e achar que ele já está muito bom ao final dos primeiros meses, tenha em mente que ele ainda pode melhorar bastante com a maturação.

Na Companhia dos Fermentados, medimos a concentração de ácido (acidez) ao longo do tempo, por meio de um processo chamado "titulação", cujo escopo está fora deste livro. Não é um procedimento necessário quando falamos em produção caseira. Nesse caso, basta ir provando, e quando achar que o sabor está bom e que não há mais açúcar, envasar e aguardar.

Dependendo do vinagre que for fazer, antes de começar o preparo, considere transformar um SCOBY de kombucha para o substrato que for fermentar, visando garantir o sucesso da fermentação. Faça a alteração gradual do mosto conforme explicado no capítulo de bebida (pp. 72-73).

Vinagre de chá-verde

RENDIMENTO	DIFICULDADE	PREPARO	FERMENTAÇÃO	REPOUSO
3 LITROS	MÉDIA	1 MÊS	AERÓBICA	1-6 MESES

Ingredientes

» 2,5 litros de água
» 20 g de chá-verde
» 250 g de açúcar cristal
» 1 mãe de kombucha
» 300 ml de kombucha de chá-verde ou outro vinagre previamente feito (inóculo)

Preparo

1. *Aqueça 500 ml de água até 90 °C e adicione o chá.*

2. *Aguarde 5 minutos, adicione o restante da água e coe.*

3. *Quando alcançar a temperatura ambiente, adicione o açúcar e mexa bem até dissolver completamente.*

4. *Adicione a mãe do kombucha e o inóculo.*

5. *Mantenha em um local fresco e arejado, imperturbado, por pelo menos 1 mês até a primeira prova.*

6. *Após 1 mês, ao provar, se ainda estiver doce, aguarde mais 1 semana, provando semanalmente até que esteja ácido e seco (zero açúcar).*

7. *Envase, adicione especiarias se desejar e deixe em repouso por um período de 4 meses a 2 anos.*

Dica: *esta é a receita básica de vinagre de chás e infusões. Substitua o chá-verde por hortelã, mate, hibisco, malva, cidreira, flor de sabugueiro, rosas, boldo, camomila, folhas de pitanga etc.*

Vinagre de maçã

RENDIMENTO	DIFICULDADE	PREPARO	FERMENTAÇÃO	REPOUSO
3 LITROS	MÉDIA	1 MÊS	AERÓBICA	1-6 MESES

Ingredientes

» 5 kg de maçã
» 200 ml de água
» 5 g de chá-verde ou preto
» 300 ml de kombucha de chá-verde ou outro vinagre previamente feito (inóculo)
» 1 mãe de vinagre de fruta (ou de kombucha adaptada)

Preparo

1. Processe a maçã em uma suqueira ou centrífuga, em prensa a frio ou em um liquidificador, com o mínimo de água necessário para liquefazer.

2. Coe bem, utilizando um chinois ou voile. Reserve.

3. Aqueça a água a 90 °C e adicione o chá. Aguarde 5 minutos e coe, misturando ao suco.

4. Adicione o inóculo e a mãe do kombucha.

5. Mantenha em um local fresco e arejado por pelo menos um mês, sem mexer, até a primeira prova.

6. Após um mês, se ainda estiver doce, aguarde mais uma semana. Se necessário, vá provando, semanalmente, até que esteja ácido e seco (zero açúcar).

7. Envase, com a ajuda de um sifão, descartando as células mortas e fibras que se depositaram no fundo. Adicione especiarias se desejar e deixe maturar por 4 meses a 2 anos.

Dica: você pode adicionar um pouco de limão no suco de maçã para que não escureça por conta da oxidação. Experimente também com pera, cenoura, salsão, melão, maracujá, carambola, jabuticaba, pitanga, camu-camu, umbu, cajá, seriguela ou outra fruta de sua preferência. Note que algumas frutas que produzem sucos densos e com muita fibra – como a manga – não resultam em um vinagre translúcido. Outras não terão açúcar suficiente, e será necessário adicionar. Para quem já adquiriu um densímetro ou refratômetro, o ideal é iniciar o processo com 10 BRIX de açúcar = 100g de açúcar/litro.

Vinagre de beterraba

RENDIMENTO	DIFICULDADE	PREPARO	FERMENTAÇÃO	REPOUSO
3 LITROS	MÉDIA	1 MÊS	AERÓBICA	1-6 MESES

Ingredientes

» 2 beterrabas grandes (funciona também com abóbora ou salsão)
» 2,5 litros de água
» 5 g de chá-verde ou preto
» 250 g de açúcar cristal
» 1 mãe de vinagre de fruta (ou de kombucha adaptada)
» 300 ml de kombucha de chá-verde ou outro vinagre previamente feito (inóculo)

Preparo

1. *Rale a beterraba e ferva em 2 litros de água por 10 minutos.*

2. *Adicione os 500 ml de água restantes, mexa e adicione o chá. Aguarde 5 minutos e coe a infusão.*

3. *Adicione o açúcar e mexa bem até dissolver completamente.*

4. *Espere que a temperatura do mosto entre em equilíbrio com o ambiente e adicione a mãe do kombucha e o inóculo.*

5. *Adicione mais água se for necessário até completar 2,5 litros (talvez parte da água tenha evaporado no processo).*

6. *Mantenha em um local fresco e arejado por pelo menos um mês, sem mexer, até a primeira prova.*

7. *Após um mês, se ainda estiver doce, aguarde mais uma semana, provando semanalmente até que esteja ácido e seco (zero açúcar).*

8. *Envase, com a ajuda de um sifão, descartando as células mortas e fibras que se depositaram no fundo. Adicione especiarias se desejar e deixe maturar por 4 meses a 2 anos.*

Vinagre de limão-galego

RENDIMENTO	DIFICULDADE	PREPARO	FERMENTAÇÃO	REPOUSO
3 LITROS	MÉDIA	1 HORA	AERÓBICA	1-6 MESES

Ingredientes

» 150 ml de água
» 5 g de chá-verde ou preto
» 2,5 litros de suco de limão-galego (ou outra fruta cítrica)
» 250 g de açúcar cristal
» 1 mãe de vinagre de fruta (ou de kombucha adaptada)
» 300 ml de kombucha de chá-verde ou outro vinagre previamente feito (inóculo)

Preparo

1. *Aqueça a água a 90 °C. Adicione o chá, aguarde 5 minutos e coe.*

2. *Misture o chá coado com o suco e o açúcar.*

3. *Adicione a mãe do kombucha e o inóculo.*

4. *Mantenha em um local fresco e arejado, sem mexer, por pelo menos um mês, até a primeira prova.*

5. *Após um mês, se ainda estiver doce, aguarde mais uma semana. Se necessário, vá provando, semanalmente, até que esteja ácido e seco (zero açúcar).*

6. *Envase, com a ajuda de um sifão, descartando as células mortas e fibras que se depositaram no fundo. Se desejar, adicione especiarias e deixe maturar por 4 meses a 2 anos.*

Vinagre de malte

RENDIMENTO	DIFICULDADE	PREPARO	FERMENTAÇÃO	REPOUSO
3 LITROS	MÉDIA	1 HORA	AERÓBICA	1-6 MESES

Ingredientes

» 250 g de extrato de malte (pode ser encontrado em lojas de artigos para cervejeiros)
» 2,5 litros de água
» 200 g malte belga *black castle* ou outro de sua preferência (malte torrado garante mais corpo ao vinagre)
» 5 g de chá-preto
» 1 mãe de kombucha
» 300 ml de kombucha de chá-preto ou outro vinagre previamente feito (inóculo)

Preparo

1. Adicione o malte escuro em uma panela com 500 ml de água e aguarde 1 hora para hidratar.

2. Ferva por 10 minutos. Aguarde esfriar, bata no liquidificador e coe passando por um voile.

3. Misture aos demais ingredientes e ao restante da água.

4. Mantenha em um local fresco e arejado por pelo menos um mês, sem mexer, até a primeira prova.

5. Após um mês, se ainda estiver doce, aguarde mais uma semana. Se necessário, vá provando, semanalmente, até que esteja ácido e seco (zero açúcar).

6. Envase, com a ajuda de um sifão, descartando as células mortas e fibras que se depositaram no fundo. Se desejar, adicione especiarias e deixe maturar por 4 meses a 2 anos.

Bebidas alcoólicas

As bebidas alcoólicas provavelmente surgiram antes da agricultura. As leveduras estão presentes em qualquer insumo vegetal que não tenha sido submetido a tratamento térmico, químico ou radiação, principalmente em cascas de frutas, flores e mesmo nos insetos. Basta deixar o sumo de uma fruta em um recipiente que em horas se observa atividade microbiológica: o sabor e o aroma mudam e perceberemos a produção de gás, visível na superfície através de bolhas. Essa prática já constitui um lindo experimento a ser feito com as crianças, para demonstrar a transformação da matéria. No caso, por seres vivos.

Se não houver aplicação de nenhuma técnica particular, deixado à sorte, o processo de fermentação vai rapidamente se degenerar, e o resultado será o que chamamos de putrefação: sem nenhum atrativo gastronômico e possivelmente tóxico para o consumo.

Desde o fim do século XIX vimos nos especializando, buscando produzir bebidas fermentadas cada vez melhores, no sentido de controle dos processos, pureza e reprodutibilidade. As bebidas alcoólicas consumidas ao longo dos últimos milênios não eram ingeridas "estupidamente geladas", muito menos "desciam redondas", como a moderna indústria insiste em tentar nos fazer engolir.

Desde o estudo seminal de Pasteur em 1876, aprendemos que existe uma espécie de levedura ideal para a produção de vinhos, cervejas e demais bebidas alcoólicas: *Saccharomyces cerevisiae*. Aprendemos a isolá-la e transformá-la de acordo com o produto que se deseja desenvolver. Assim como existem diferentes raças de cachorros que foram desenvolvidas (de forma perversa, hoje sabemos, à custa da diminuição da diversidade de genes e consequente degradação do genoma) especialmente para corrida, caça, afabilidade, puxar trenós, estética (língua azul!), extremamente grandes ou pequenos, há variedades de leveduras para vinhos brancos, tintos e diversas cervejas que foram aprimoradas para suportar mais ou menos concentrações alcoólicas, diferentes faixas de temperatura etc.

Antes do estudo de Pasteur, não faria sentido escrever um livro sobre fermentação selvagem, já que não existiam fermentações com inoculação de microrganismos específicos. Hoje em dia, as fermentações de bebidas devem ser meticulosamente controladas a fim de evitar contaminações por microrganismos selvagens; pois, se por um lado nossas leveduras "domesticadas" fazem muito bem seu trabalho, por outro não suportam lutar por espaço e perdem rapidamente a luta para suas primas vira-latas (imagine quantos minutos um histérico cão da raça chihuahua sobreviveria perdido na Mata Atlântica).

Nos últimos 150 anos, foram feitas descobertas e pesquisas diversas sobre a *S. cerevisiae*, deixando de lado seus companheiros não menos interessantes *Brettanomyces*, *Lactobacillus*, *Pediococcus*, entre tantos outros que foram selecionados pela humanidade, ainda que não de forma consciente, nos primeiros milênios de aprimoramento das técnicas de fermentação de bebidas.

É muito gratificante ver em nossos cursos sobre kombucha uma presença cada vez maior de cervejeiros que, tendo esgotado (ou cansado) de procurar variações em suas formulações apenas por meio dos insumos (o que por si só já traz

Fermentação à Brasileira

possibilidades infinitas), desejam fazer alguma mudança nos tipos de microrganismos presentes no processo fermentativo. Adicionar kombucha ou outra cultura selvagem de microrganismos bem estabelecida é uma forma de conferir mais emoção e riqueza de sabores e textura à brassagem, sem o risco de contaminá-la com patógenos (microrganismos nocivos à saúde).

É interessante notar que algumas cervejarias resistiram às pressões normativas da grande indústria e da sociedade (o que é a lei da pureza se não uma forma de normatizar e facilitar a cobrança de taxa de imposto?[37]), notadamente na Bélgica, e continuam produzindo cerveja da forma como sempre foi feita (lambics). Temos nossos amigos da Zalaz, fazendo cervejas com fermentação em barricas de madeira e culturas selvagens da Serra da Mantiqueira, no sul de Minas. Já com o vinho, temos no Sul muitos ativistas que desejam garantir o direito de produzir de acordo com a tradição secular. Trata-se da produção biodinâmica, que respeita o solo, os tempos da agricultura e fermentação. Não há adição de leveduras comerciais, muito menos de conservantes químicos (como os sulfitos que vivem nos trazendo dor de cabeça, literalmente).

As técnicas de fermentação de bebidas alcoólicas vêm sendo lapidadas há muito tempo, tendo sido provavelmente desenvolvidas muitas vezes. Nesse sentido, preparar bebidas fermentadas em casa não deve depender de equipamentos sofisticados, fermentos selecionados produzidos em bancada de laboratório e insumos que não são encontrados no mercado, dado que existem antes mesmo de aprimorarmos as técnicas de agricultura. Isso, no entanto, não significa que devamos reinventar a roda e negar os aparatos disponíveis hoje em dia. Nossa ideia é utilizá-los, mas com insumos naturais (na medida do possível) e com metodologias e procedimentos que não dependam do aparato de grandes laboratórios ou indústrias: que sejam acessíveis a todos.

No próximo subcapítulo, vamos tratar de fermentações alcoólicas de hidromel (bebida à base de mel), vinho, sidra, cerveja e kombucha alcoólico. Para todas as bebidas, a lógica de produção é muito parecida. A seguir, apresentaremos o material e as etapas envolvidas nas fermentações alcoólicas e, depois, cada uma das bebidas e suas receitas. Quanto aos itens requisitados mais específicos, podem ser adquiridos em boas lojas de artigos para cervejaria ou pela internet.

---

[37] A história da regulamentação da cerveja como *commodity* é tenebrosa e se inicia no Ocidente na era medieval, com a tomada das mãos das mulheres (detentoras dessa sabedoria e então tachadas como bruxas) pelos homens e seus meios de produção intensivos. Para saber mais: Judith M. Bennett, *Ale, Beer and Brewsters in England: Women's Work in a Changing World*, 1300-1600, 1996.

Materiais e insumos necessários

① GARRAFA PARA ENVASE: *garrafas PET de água com gás; se tiver certeza e controle pleno do que estiver fermentando, também pode ser utilizada uma garrafa de vidro.*

CUBA FERMENTADORA E ② TORNEIRA COM RETENÇÃO DE RESÍDUOS: *pote com saída superior para um airlock e, se possível, uma torneira inferior para extração do líquido. Durante os processos fermentativos, temos de transferir o mosto mais de uma vez. Assim, considere investir em um fermentador cônico – com uma terceira saída no fundo para retirada do material que decanta (a lama).*

③ ERLENMEYER: *usado para a diluição e aquecimento de líquidos.*

④ VOILE E ⑤ CHINOIS: *filtros bem finos para auxiliar na filtragem do mosto.*

⑥ BALANÇAS DIGITAIS: *a primeira, para medidas de 0,1 g até 10 g, como de especiarias e fermentos; a segunda, para medidas a partir de 1 g.*

⑦ PIPETA: *conta-gotas.*

⑧ TERMÔMETROS DE PONTA ANALÓGICO E ⑨ DIGITAL: *alguns fermentados necessitam de temperatura específica durante o preparo.*

⑩ DENSÍMETRO SACARÍMETRO E ⑪ REFRATÔMETRO: *equipamentos para medir a densidade (açúcar) de um mosto. Necessários para calcular a concentração alcoólica de sua bebida.*

⑫ TAMPAS METÁLICAS E ⑬ ARROLHADOR: *para envasar em garrafas que tenham fechamento com tampinhas de metal.*

⑭ FUNIL COM COADOR: *para envase.*

⑮ SELO D'ÁGUA (AIRLOCK): *acoplado em diferentes tampas, garante o meio anaeróbico, impedindo a entrada de oxigênio.*

⑯ AUTOSSIFÃO: *para transferência do mosto (trasfega) com mais facilidade.*

⑰ HOP BAG: *para coar ou fazer infusão.*

Você também precisará de:

ÁLCOOL 70 PARA SANITIZAÇÃO: *utilize-o nessa graduação, pois o álcool 90 é muito concentrado e evapora antes do tempo de ação necessário, e a versão 46 INPM apresenta-se muito diluída, sem eficácia para a higienização.*

NUTRIENTE PARA LEVEDURAS: *para algumas bebidas, sua adição evita off flavors.*

PANELAS: *para fervura do mosto.*

FOGÃO: *a gás ou elétrico.*

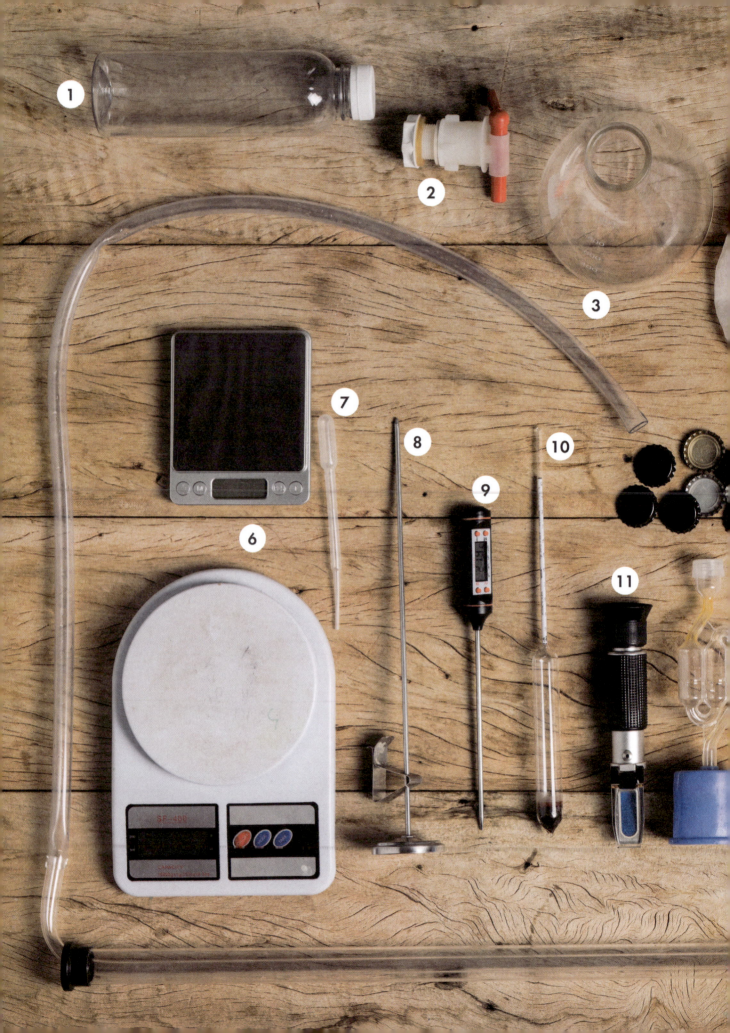

Projetando a bebida

Antes de iniciar o preparo da sua bebida, tire um tempo para anotar a receita, verificar se possui todos os ingredientes e ferramentas que serão utilizadas durante todo o processo. Crie um cronograma com datas previstas e etapas que devem ser cumpridas. Às vezes, a fermentação leva um grande tempo, e acabamos esquecendo as próximas etapas. Ter um bom planejamento garantirá uma bebida de qualidade.

Escolha e ativação do fermento

Dependendo da bebida que for preparar, você terá que fazer a ativação do fermento ou da coleção das leveduras selvagens. Leia os tópicos sobre coleção de microrganismos (p. 40) e ativação de leveduras (p. 55).

Mostura e pasteurização

Toda bebida alcoólica nasce de um mosto doce e, dependendo do seu objetivo, será necessário submetê-lo à pasteurização, processo térmico que inativa qualquer organismo do mosto para que a fermentação ocorra apenas pelas leveduras escolhidas.

A pasteurização não é obrigatória, mas, se você optar por fazer sua bebida sem pasteurizar, considere que o resultado será um pouco diferente do esperado, devido à ação dos outros microrganismos presentes no mosto original. Essa é a grande diversão em preparar bebidas alcoólicas que chamamos de "semisselvagens", afinal, além dos microrganismos do mosto, adicionamos leveduras comerciais para garantir o teor alcoólico na bebida, mas sem perder a graça que as primas selvagens da *Saccharomyces* e bactérias proporcionam.

Para pasteurizar o mosto, coloque todo o líquido em uma panela e suba a temperatura a 65 °C. Com a ajuda do termômetro de ponta, mantenha essa temperatura por 30 minutos. Em um fogão caseiro, será necessário ligar e desligar o fogo diversas vezes. Temperaturas maiores comprometem o aroma e o sabor dos ingredientes naturais.

Após 30 minutos de pasteurização, o mosto estará sem microrganismos ativos e vulnerável a contaminações. Para evitar esse problema, você terá que resfriar o mosto o mais rápido possível, com o objetivo de atingir a temperatura ambiente. Uma dica é submergir metade da panela em uma bacia com água gelada. Outra possibilidade é utilizar *chillers*, disponíveis em lojas de artigos para cerveja.

Quando o mosto esfriar e alcançar temperatura ambiente, verta-o no pote fermentador junto com o fermento. Tire uma amostra para medir a densidade inicial do mosto (chamaremos de **og** – sigla do termo inglês *original gravity*) e feche com o selo d'água (*airlock*) logo em seguida. Deixe fermentar em um local de temperatura amena (de 18 °C a 24 °C).

Fermentação

O processo de fermentação se inicia em até 48 horas, embora possa demorar mais tempo em temperaturas mais baixas ou se o fermento não foi corretamente ativado. Você vai notar a atividade microbiológica com as borbulhas no selo d'água.

Lembre-se de que a temperatura de fermentação não deve superar os 25 °C para a maioria dos fermentos comerciais e selvagens. Embora o fermento aguente tranquilamente uma temperatura de até 40 °C, o aroma mais complexo final da fermentação se dá devido à formação de ésteres (moléculas aromáticas) que acontece em temperaturas mais baixas (em torno de 20 °C).

Dependendo do fermentado que for fazer, além do mosto nutritivo que vamos disponibilizar às leveduras, será necessário adicionar outros nutrientes que não estão presentes em todos os mostos. Encontramos nas lojas de artigo de cervejaria compostos em pó que contêm nitrogênio e tiamina (vitamina B1).

O tempo de fermentação varia conforme o tipo de bebida em preparo:

- *hidromel: 3 meses;*
- *vinho e sidra: 1 mês;*
- *cerveja e kombucha alcoólico: de 1 semana a 1 mês.*

Se utilizar 100% de leveduras selvagens, o tempo de fermentação poderá dobrar.

A fermentação está chegando ao fim quando o selo d'água diminui as borbulhas ou deixa de borbulhar. Finalizada essa etapa, aguarde mais uma ou duas semanas para ter certeza de que todo o açúcar foi convertido em álcool. No hidromel, por exemplo, a fermentação do mosto pode levar meses e contar com diversas trasfegas, devido à complexidade dos açúcares presentes no mel. Já no caso de cervejas, vinhos e sidra, a fermentação é mais rápida, e a trasfega é feita apenas no envase. Nas receitas apresentadas a seguir, indicaremos a trasfega conforme a necessidade.

Maturação – retirando resíduos do mosto por decantação e pela temperatura

Durante a fermentação, leveduras e fibras estarão em constante suspensão no líquido; se as mantivermos na bebida pronta, ela desenvolverá cheiros e gostos desagradáveis (*off flavors*).

Como solução simples e eficaz, a maturação consiste em retirar o selo d'água e colocar o fermentador na geladeira por 7 a 15 dias. Em baixas temperaturas, as leveduras ficam inativas e decantam, assim como boa parte dos sólidos do mosto, clarificando toda a bebida. Além disso, parte dos metabólitos que trazem aromas indesejados é reabsorvida, melhorando muito o resultado.

Trasfega – transferindo o mosto

A trasfega serve para descartar todo o material em suspensão que decantou, como fibras e leveduras, seja na fermentação, seja na maturação.

Para trasfegar o líquido, você pode utilizar uma mangueira atóxica colocando uma ponta no mosto e sugando na outra com a boca (menos recomendável), pode simplesmente verter o líquido do pote fermentador inclinando-o para o outro pote (mais simples, menos eficaz) ou utilizar um autossifão (mais recomendável e mais eficaz), equipamento que faz o processo de sifão sem a necessidade de sugar a mangueira com a boca. Se você estiver utilizando um balde com torneira, basta apenas descartar o líquido inicial e passar a coletar assim que clarificar.

Exemplo de trasfega manual, feita para separar resíduos sólidos da fermentação.

Priming – correção do açúcar para gaseificação

A fermentação tem como objetivo consumir todo o açúcar disponível. Se isso de fato acontecer e seu objetivo for ter uma bebida gaseificada, será necessário adicionar um pouco mais de açúcar para gerar o gás após o envase.

Para tanto, recomendamos a adição de 3 a 6 gramas de açúcar cristal por litro após a trasfega e instantes antes do envase. Certifique-se de que o açúcar esteja bem dissolvido, misturando-o previamente com um pouco do mosto que será envasado.

Envase

Antes de começar o envase, lembre-se de fazer uma nova medição da densidade do mosto se desejar saber o teor alcoólico final. Lave bem e sanitize suas garrafas apropriadamente para evitar a contaminação do seu mosto – esse é um dos momentos mais delicados relacionados à contaminação. Já perdemos muitas bebidas por causa de garrafas mal sanitizadas. Gaste tempo limpando as garrafas e garantindo o período necessário de ação do sanitizante.

Com o mosto misturado ao *priming*, envase até a 2 dedos do gargalo e feche bem as garrafas. Deixe em temperatura ambiente.

O tempo para a gaseificação é de 5 a 10 dias em temperatura ambiente. Após gaseificado, leve todo o lote para a geladeira ou para envelhecimento.

Teor alcoólico

A concentração final de álcool por volume depende de diversos fatores. Os mais importantes, a que devemos ficar atentos e saber controlar, são: quantidade de açúcar e tipo de fermento. A quantidade de açúcar é medida em densidade ou brix – duas unidades diferentes para a mesma medida. Existem dois tipos de medidores de brix e densidade: densímetro sacarímetro e refratômetro (manual ou eletrônico).

Para calcular o teor de álcool no produto final, utilizamos os dados da densidade inicial (*og*), no começo da fermentação, e da densidade final (*fg*), no ato do envase. O teor alcoólico aproximado é calculado através da seguinte fórmula:

$$abv = (og - fg) * 131.25$$

Onde: ***abv*** é a graduação alcoólica;

   og é a gravidade inicial (*original gravity*);

   fg é a gravidade final (*final gravity*).

Note que, se você utilizar um refratômetro, o álcool produzido também vai alterar o índice de refração do meio, e uma correção deve ser feita. A melhor forma de fazer a medição é utilizando o densímetro ou um aplicativo de celular que faça automaticamente a conta contemplando a correção.

A densidade final dependerá também do tipo de fermento que foi adicionado, porque as variedades de *S. cerevisiae* possuem tolerâncias diferentes para gerar álcool. Enquanto variedades selvagens dificilmente conseguem ultrapassar uma graduação alcoólica de 5%, existem variedades de laboratório que chegam a gerar e suportar um meio com mais de 20%!

Seguindo essa lógica, existe uma quantidade máxima de açúcar que pode ser metabolizada pelas leveduras e, consequentemente, a concentração de álcool que elas são capazes de suportar. Assim, a fermentação vai eventualmente cessar antes de terminado todo o açúcar, e a bebida continuará doce por ter atingido o limite das leveduras.

Existe uma classificação de dulçor de vinhos que considera a gravidade final para sua definição:

SECO: 990 a 1.006 (sim, ele pode terminar abaixo de 1.000, pois o álcool é menos denso do que a água);
DEMI SEC: 1.006 a 1.015;
SUAVE: 1.012 a 1.020;
SOBREMESA: 1.020+.

O cálculo apresentado é utilizado para fermentações que utilizam estritamente fermentos comerciais em um mosto pasteurizado. Nas fermentações selvagens e semisselvagens, há diversos outros metabólitos produzidos que influenciam na leitura dos equipamentos. Portanto, se fizermos essa conta para uma bebida de fermentação selvagem, provavelmente chegaremos a um resultado maior ou menor do que o real.

Para bebidas gaseificadas, é preciso fazer o priming (ajuste na quantidade de açúcar) no período depois da maturação e antes do envase. O processo é demonstrado na foto da página ao lado.

A sanitização correta das garrafas antes do envase é essencial para evitar a contaminação do mosto.

Kombucha alcoólico *(hard kombucha)*

Além do convencional kombucha que ensinamos a fazer, a partir de um procedimento que evite a formação excessiva de álcool e resulte em uma bebida para toda a família consumir, podemos adicionar mais uma etapa ao processo de fermentação para que seja de fato uma bebida alcoólica e possamos decidir qual será o teor alcoólico aproximado da bebida.

Sabemos que os principais metabólitos produzidos pelo SCOBY são: gás carbônico, álcool, ácido lático e ácido acético. Na primeira fermentação, ou seja, em regime aeróbico, todos os microrganismos trabalham, portanto temos produção de todos os metabólitos.

Porém, ao mudarmos para um regime anaeróbico, a atividade microbiológica das *Acetobacter* e *Gluconacetobacter* (estritamente aeróbicas) cessa e não ocorre a produção de ácido acético (nem ácido glucônico e outros metabólitos da família *Acetobacteraceae*), mas o gás carbônico e o álcool continuam sendo produzidos.

O kombucha alcoólico nasce de uma primeira fermentação regular do mosto, em que iremos decidir a intensidade da acidez. Em seguida, em vez de levar para a segunda fermentação na garrafa, transportamos o mosto para o fermentador anaeróbico com o selo d'água, adicionamos os sabores desejados, açúcar e leveduras. Quando a fermentação alcoólica cessa, é feita a primeira trasfega para um pote limpo e o mosto vai para maturação refrigerado, seguida por uma segunda trasfega, *priming* (para quem deseja gás no final) e envase – todos os métodos que acabamos de explicar.

Qualquer receita convencional de kombucha com frutas, especiarias ou puro pode ser submetida ao processo alcoólico. Ao todo, as seis etapas devem levar de 20 a 30 dias.

Fermentação à Brasileira

Kombucha alcoólico de açaí (5% vol)

RENDIMENTO	DIFICULDADE	PREPARO	FERMENTAÇÃO	REPOUSO
2 LITROS	DIFÍCIL	30 MINUTOS	ANAERÓBICA	1-3 MESES

Ingredientes

» 2 litros de kombucha de primeira fermentação
» 200 g de polpa de açaí sem açúcar
» 200 g de açúcar para a fermentação alcoólica
» Fermento de cerveja tipo *ale* (para fermentar em temperatura ambiente)

Preparo

1. Faça o kombucha de primeira fermentação seguindo a receita de base de chá-verde fraco (p. 74).

2. Quando a primeira fermentação atingir o nível desejado de acidez, transfira o líquido para a cuba de fermentação com airlock.

3. Faça o procedimento de ativação de leveduras comerciais (p. 55).

4. Adicione ao kombucha de primeira fermentação, na cuba de fermentação, a polpa de açaí, o açúcar e o fermento ativo e misture bem. Em seguida, feche o recipiente e acople o airlock. Lembre-se de medir a densidade inicial para saber o teor alcoólico.

5. Deixe fermentar por 14 dias em temperatura ambiente, sempre observando as borbulhas do airlock.

6. Quando as borbulhas cessarem, faça a primeira trasfega e coloque o pote na geladeira, sem o airlock, para maturar por 10 dias.

7. Faça a segunda trasfega e meça o volume final para envase.

8. Adicione o equivalente a 5g de açúcar por litro (priming). Misture suavemente (evitando incorporar oxigênio ao mosto) e envase.

9. Aguarde gaseificar e deixe repousar por 1 mês.

Lembre-se de fazer as medições de densidade inicial (no início da fermentação alcoólica) e final (no envase) para saber o teor alcoólico final. Substitua a polpa de açaí por qualquer outra fruta ou especiaria e, se quiser gás, faça o priming no ato do envase.

Hidromel

Trata-se de um fermentado alcoólico de água e mel, considerado como uma das bebidas mais antigas da humanidade (provavelmente mais que o vinho e a cerveja) e, portanto, uma das primeiras técnicas de fermentação de bebidas com produção de álcool para fins alimentícios, recreativos e espirituais. Foi desenvolvida e refinada ao longo da história a ponto de ser considerada o néctar dos deuses em diversas cosmogonias, entre elas, na milenar mitologia nórdica, em que consta que o hidromel seria um presente de Odin (o deus da sabedoria, da magia, da poesia e da guerra) para os homens.

A bebida esteve presente na Grécia e Roma antiga, em todo Leste Europeu e no Sudeste Asiático, e há evidências arqueológicas de que também na América Central, entre os povos maias. As técnicas de produção foram provavelmente criadas e reinventadas muitas vezes, dado que uma solução doce e cheia de nutrientes inicia rapidamente um processo fermentativo, para isso sendo necessário apenas aprimorar certos cuidados e técnicas que impeçam o apodrecimento do mosto. Hoje em dia, o hidromel está em evidência quando o assunto são povos antigos, aparecendo tanto na literatura quanto no cinema e cada vez mais na mesa das pessoas que o provam e o apreciam.

Tipos de hidromel

Existem diversos tipos de hidromel, que podem variar em corpo (persistência do sabor), graduação alcoólica (de 4% a 16%), coloração, intensidade de taninos (adstringência no paladar). Com a adição de outros ingredientes além do mel, recebem outros tipos de denominação:

- **capsicumel** *(com pimentas do gênero* Capsicum*)*;
- **melomel** *(com frutas)*;
- **metheglin** *(com ervas)*.

No Brasil, a bebida é regulamentada pelo MAPA (Decreto nº 6.871 de 5 de junho de 2009), cuja definição é:

"hidromel é a bebida com graduação alcoólica de quatro a quatorze por cento em volume, a 20 °C, obtida pela fermentação alcoólica de solução de mel de abelha, sais nutrientes e água potável".

Ou seja, não há previsão nem espaço para a riqueza da adição de frutas ou ervas, que vamos ensinar a seguir.

Hidromel clássico

RENDIMENTO	DIFICULDADE	PREPARO	FERMENTAÇÃO	REPOUSO
2,5 LITROS	DIFÍCIL	3 MESES	ANAERÓBICA	6 MESES A 4 ANOS

Ingredientes

» 1 kg de mel
» 2 litros de água mineral
» 0,3 g de fermento para hidromel
» Nutriente para levedura (de acordo com instruções do fabricante)

Preparo

1. *Aqueça o mel e a água a 70 °C durante 25 minutos (opcional).*

2. *Deixe esfriar e verta na cuba de fermentação junto com o fermento devidamente ativado e parte do nutriente para levedura, seguindo as instruções do fabricante.*

3. *Após 1 mês de fermentação, faça a primeira trasfega e adicione mais nutriente para levedura seguindo as instruções do fabricante.*

4. *Após 3 meses, retire o airlock, coloque na geladeira e aguarde por 1 a 2 semanas para a maturação.*

5. *Faça a última trasfega, tendo o cuidado de descartar os sedimentos decantados no fundo.*

6. *Engarrafe e deixe em repouso por pelo menos 6 meses.*

Dica: *o hidromel pode ter diversas graduações alcoólicas. Isso será definido pela diluição do mel na água. Para ter um hidromel menos alcoólico, adicione mais água do que o indicado acima. Isso deixa a densidade inicial menor e, consequentemente, a bebida terá menos álcool.*

Metheglin tupiniquim

Existem infinitas receitas de metheglin. Reunimos aqui as ervas mais emblemáticas da culinária brasileira. Fique à vontade para suprimir ou adicionar especiarias, tendo esta receita apenas como guia para suas experiências.

Ingredientes

- 1 kg de mel
- 2 litros de água mineral
- 1 colher (sopa) de alecrim picado
- 1 ramo de folhas de pitanga
- 1 ramo de folhas de erva-de-santa-maria
- 1 ramo de folhas de mentrasto
- 2 folhas de sálvia
- 3 g de menta
- 1 folha de louro
- 3 sementes de pimenta-da-jamaica
- 4 g de gengibre ralado
- 2 cravos
- 1 colher (café) de casca de laranja-lima ralada
- 1 colher (café) de casca de limão-galego ralada
- 1 colher (sopa) de chá-preto
- 0,3 g de fermento para hidromel
- Nutriente para levedura (de acordo com instruções do fabricante)
- Suco de ½ limão + 1 laranja

Preparo

1. Aqueça o mel e a água a 70 °C por 20 minutos. Opcional: você pode pasteurizar o mel e fermentá-lo apenas com leveduras de laboratório.

2. Adicione as ervas e especiarias e espere esfriar.

3. Nesse meio-tempo, faça a infusão do chá-preto com 100 ml de água e verta no mosto.

4. *Quando os ingredientes chegarem à temperatura ambiente, verta a mistura na cuba de fermentação, junto com o fermento ativado, o nutriente para levedura (de acordo com instruções do fabricante) e o suco das frutas.*

5. *Feche a cuba de fermentação, instale o airlock e aguarde a fermentação.*

6. *Após um mês de fermentação, faça a primeira trasfega, adicionando o restante do nutriente para levedura.*

7. *Após 3 meses, retire o airlock, coloque na geladeira e aguarde por 1 a 2 semanas para a maturação.*

8. *Faça a última trasfega, tendo o cuidado de descartar os sedimentos decantados no fundo.*

9. *Engarrafe e deixe de repouso por, pelo menos, 6 meses, até maturar.*

Melomel de jabuticaba

RENDIMENTO	DIFICULDADE	PREPARO	FERMENTAÇÃO	REPOUSO
2,5 LITROS	DIFÍCIL	3 MESES	ANAERÓBICA	1-6 MESES

Ingredientes

» 1 kg de jabuticaba
» 1 kg de mel
» 1,5 litros de água mineral
» Suco de ½ limão (opcional)
» 0,3 g de fermento para hidromel
» Nutriente para levedura (de acordo com instruções do fabricante)

Preparo

1. *Esmague as jabuticabas com as mãos e cozinhe por 10 minutos. Deixe esfriar e esprema para obter o sumo, separando-o do bagaço. É preciso obter meio litro de sumo. Caso isso não aconteça, acrescente mais água ao sumo obtido até chegar ao peso total indicado. Se desejar um melomel com mais tanino (e mais escuro), separe algumas cascas para adicionar à fermentação.*

2. *Aqueça o mel, a água e o sumo da jabuticaba (e algumas cascas, se desejar) a 70 °C durante 25 minutos.*

3. Deixe esfriar e verta na cuba de fermentação junto com o fermento ativado e o nutriente para levedura (de acordo com instruções do fabricante).

4. Após 2 semanas de fermentação faça a primeira trasfega, removendo as cascas de jabuticaba (se usadas), e adicione o restante do nutriente para levedura.

5. Após 3 meses, retire o airlock, coloque o preparado na geladeira e aguarde de 1 a 2 semanas para a maturação.

6. Faça a última trasfega, descartando os sedimentos decantados no fundo.

7. Engarrafe e deixe de repouso por, pelo menos, 6 meses.

Dica: substitua a jabuticaba por outras frutas tânicas, como jambo-rosa, goiaba vermelha, gabiroba, araçá, açaí, caju, cereja-do-rio-grande, ameixa ou qualquer outra de sua preferência.

Cervejas selvagens

Nós somos árduos fermentadores de cervejas convencionais, e existe uma extensa literatura sobre o assunto, porém a produção de cevada e lúpulo em nosso país é ainda muito incipiente e não dá conta da demanda. Isso significa que a cerveja produzida no Brasil, mesmo de forma caseira, tem um grande impacto ambiental (pense na pegada de carbono do malte belga que cruza o oceano), além do cultural.

Assim, nossas pesquisas nos levaram à produção de cerveja a partir de ingredientes brasileiros, ou seja, que não levam nem malte nem lúpulo em sua formulação. Desse modo, tecnicamente, nem poderia ser chamada de cerveja, dado que, pela legislação vigente, a cerveja deve conter necessariamente malte e lúpulo em sua formulação. Mas essa intrépida troca não impede que nossa cerveja selvagem tenha as mesmas características esperadas de uma autêntica: álcool, sabores amargo, doce e azedo, corpo e aroma.

Além da troca dos ingredientes básicos pelos nacionais, podemos utilizar nossos microrganismos selvagens coletados para a fermentação, para assim nos aproximarmos da forma original de se fazer cerveja.

Todas as receitas a seguir levam açúcar mascavo como fonte de energia, cor e corpo (no lugar do malte); e madeiras e folhas como fonte de aroma e amargor (no lugar do lúpulo). E todas elas têm o mesmo modo de preparo: ferva a água com o açúcar mascavo por 10 minutos, acrescente os demais ingredientes e ferva por mais 30 minutos. Coe o mosto, deixe esfriar e siga os passos básicos (descritos nas pp. 112-117), iniciando pela fermentação.

Cervejas feitas com botânicos nacionais, como jatobá, sucupira, angico e pimenta-de-macaco

Cerveja de jatobá e quinaquina

RENDIMENTO: 2,5 LITROS
DIFICULDADE: DIFÍCIL
PREPARO: 2 HORAS
FERMENTAÇÃO: ANAERÓBICA
GASEIFICAÇÃO: 10 DIAS

Estas são apenas sugestões dentro da vasta gama de botânicos brasileiros. A pesquisa nessa área é muito profícua; basta visitar uma casa de ervas e fazer suas próprias misturas. Guardamos um caderno com as características de cor, aroma e sabor de diversas delas, bem como a quantidade ideal para a mostura.

Ingredientes

» 2,5 litros de água
» 290 g de açúcar mascavo
» 25 g de quinaquina
» 150 g de cipó-cravo
» 18 g de jatobá em pó
» 5 sementes de jatobá
» 40 g de casca do fruto jatobá

Root beer tupiniquim

RENDIMENTO: 2,5 LITROS
DIFICULDADE: DIFÍCIL
PREPARO: 2 HORAS
FERMENTAÇÃO: ANAERÓBICA
GASEIFICAÇÃO: 10 DIAS

Ingredientes

» 2,5 litros de água
» 250 g de açúcar mascavo
» 10 g de mate torrado
» 20 g de sassafrás em pau
» 50 g de cipó-cravo
» 9 g de quinaquina
» 10 g de gengibre

Preparo

1. Ferva a água com o açúcar mascavo por 10 minutos.

2. Acrescente os demais ingredientes e ferva por mais 30 minutos.

3. Coe o mosto, deixe esfriar e siga os passos básicos descritos na introdução deste capítulo, iniciando pela fermentação.

Cerveja de ipê-roxo

RENDIMENTO	DIFICULDADE	PREPARO	FERMENTAÇÃO	GASEIFICAÇÃO
2,5 LITROS	DIFÍCIL	2 HORAS	ANAERÓBICA	10 DIAS

Ingredientes

» 2,5 litros de água
» 250 g de açúcar mascavo
» 400 g de casca de ipê-roxo
» 22 g de mentrasto seco

Sugestões de botânicos nacionais *(fotos nas pp. 130-131)*

#	NOME POPULAR	NOME CIENTÍFICO
1	Catuaba	*Anemopaegma arvense*
2	Ipê-roxo	*Handroanthus impetiginosus*
3	Paratudo	*Simba cedron*
4	Cipó-cravo	*Tynnanthus fasciculatus*
5	Angico	*Anadenanthera colubrina*
6	Jurubeba (raiz)	*Solanum paniculatum*
7	Imburana	*Commiphora leptophloeos*
8	Canela-sassafrás	*Ocotea sassafras*
9	Jurubeba (folhas)	*Solanum paniculatum*
10	Mentrasto (erva-de-são-joão)	*Ageratum conyzoides*
11	Mastruz (erva-de-santa-maria)	*Dysphania ambrosioides*
12	Erva-mate (torrada)	*Ilex paraguariensis*
13	Jatobá	*Hymenaea courbaril*
14	Sucupira	*Pterodon emarginatus*
15	Imbiriba	*Xylopia xylopioides*
16	Pimenta-de-macaco	*Xylopia aromática*
17	Guaraná	*Paullinia cupana*
18	Chuva-de-ouro	*Cassia fistula*
19	Urucum	*Bixa orellana*

Fermentação à Brasileira

Vinhos e sidras

Fazer vinhos e sidras é mais uma forma de conservar frutas através da fermentação. O nome "vinho" é usualmente dado aos fermentados de uva, e "sidra", aos fermentados de maçã. Porém, ao analisarmos o processo de fermentação de ambos, vimos que o procedimento básico é parecido e que essa técnica pode ser aplicada também a outras frutas, inclusive as brasileiras, gerando resultados surpreendentes.

Pela lei brasileira, vinho é proveniente de um mosto de uva fermentado, com graduação alcoólica entre 8% e 14%. Já sidra é o fermentado de maçã, com graduação alcoólica entre 4% e 8%. A diferença entre vinho e sidra é basicamente a graduação alcoólica, já que o processo de preparo é o mesmo. Como estamos falando sobre produção caseira e não de legislação, tomamos a liberdade de usar esses nomes para designar nossos fermentados, seja qual fruta for utilizada.

A fermentação de vinhos e sidras leva bem mais tempo que a das cervejas, considerando que o teor alcoólico será maior e que eles passam por um processo de envelhecimento. O tempo adicional ao engarrafamento é necessário para que processos químicos posteriores à fermentação ocorram, arredondando as arestas pontiagudas do sabor, conferindo características únicas a essas bebidas. Descartamos diversas, inadvertidamente, e até hoje nos arrependemos por não termos deixado envelhecer. Assim, saiba que os vinhos e sidras que fizer a partir de hoje deverão ser "esquecidos" por um tempo para então ser relembrados com muita glória e sabor.

Sidra de caju

RENDIMENTO	DIFICULDADE	PREPARO	FERMENTAÇÃO	GASEIFICAÇÃO E REPOUSO
2,5 LITROS	DIFÍCIL	3 SEMANAS	ANAERÓBICA	2 MESES

Ingredientes

» 2,5 litros de suco integral de caju ou cajuína (sem adição de água) bem filtrado
» 1 g de fermento para sidra ou espumante, ativado

Preparo

1. Prepare suco de caju, batendo as frutas com o mínimo de água possível e filtrando com auxílio de um chinois ou voile para separar o líquido das fibras.

2. Depois de filtrar, adicione o fermento e deixe fermentar por três semanas ou até que o airlock deixe de borbulhar.
Faça a primeira trasfega.

CAPÍTULO II | BEBIDA

Para bebidas gaseificadas, é preciso fazer o priming (ajuste na quantidade de açúcar) antes do envase.

3. *Deixe fermentar por mais 1 semana e leve à maturação.*

4. *Envase com priming (correção do açúcar) se desejar uma sidra gaseificada.*

5. *Deixe envelhecer por, pelo menos, 2 meses.*

Dica: *substitua o suco de caju por seriguela, jambo-rosa, mangaba, carambola, amora, mel de cacau ou qualquer outra fruta que não seja viscosa. A receita não funciona bem com manga, cupuaçu ou outra fruta que produza um suco fibroso e espesso.*

Vinho seco de jabuticaba

RENDIMENTO	DIFICULDADE	PREPARO	FERMENTAÇÃO	REPOUSO
2,5 LITROS	DIFÍCIL	3 SEMANAS	ANAERÓBICA	6 MESES-2 ANOS

Ingredientes

» 2,5 kg de jabuticaba
» 400 g de açúcar cristal orgânico
» 1,5 g de fermento para espumante ativado

Preparo

*Esprema as jabuticabas com as mãos. Se desejar um vinho rosé, filtre e descarte as cascas (onde se encontra o tanino). Para um vinho tinto, misture todos ingredientes e deixe fermentar por no máximo 2 semanas. Decorrido o tempo, faça uma primeira filtragem, descartando o bagaço. Siga os passos da receita de **Sidra de caju** (pp. 132-133).*

Vinho de sobremesa de jabuticaba
(Receita de Paulo de Tarso Carvalhaes, pai do Fernando)

RENDIMENTO	DIFICULDADE	PREPARO	FERMENTAÇÃO	REPOUSO
2,5 LITROS	DIFÍCIL	3 SEMANAS	ANAERÓBICA	3 MESES-4 ANOS

Essa é uma receita caipira que não leva nenhum fermento, desde que feita com jabuticabas frescas e orgânicas. Você pode seguir a mesma lógica para qualquer fruta, lembrando que o resultado será um vinho doce licoroso de mesa.

Ingredientes

» 2 kg de jabuticaba
» 600 g de açúcar cristal orgânico ou rapadura

Preparo

1. Esprema as jabuticabas com as mãos e, em seguida, acondicione-as em um pote de fermentação, intercalando camadas da fruta e de açúcar.

2. Feche o pote, acople o airlock e deixe fermentar por 7 dias.

3. Uma semana depois que parar de borbulhar, coe o líquido e descarte o bagaço.

4. Recoloque o líquido no pote de fermentação, feche com o airlock e deixe fermentar por mais 2 semanas.

5. Leve à geladeira para maturar de 10 a 15 dias.

6. Faça uma trasfega, descartando os sedimentos decantados no fundo e envase.

7. Aguarde o envelhecimento por, no mínimo, 3 meses, para consumir.

Dica: se desejar um vinho menos tânico, faça a primeira trasfega com 1 ou 2 semanas, no máximo, após o início do processo.

Vinho de mate

RENDIMENTO	DIFICULDADE	PREPARO	FERMENTAÇÃO	REPOUSO
2,5 LITROS	DIFÍCIL	3 SEMANAS	ANAERÓBICA	2 MESES-2 ANOS

Ingredientes

» 2,5 litros de água
» 50 g de mate não torrado em folhas
» 500 g de açúcar cristal orgânico
» 1,5 g de fermento para espumante ativado

Preparo

1. Aqueça a água à temperatura de 90 °C. Adicione o mate em folhas e deixe esfriar, até que chegue a 40 °C.

2. Filtre e adicione o açúcar, misturando-o bem para dissolver.

3. Siga os passos da **Sidra de caju** (pp. 132-133).

CAPÍTULO III

COMIDA

Fermentação à Brasileira

"Todo vegetal pode ser fermentado." É com essa frase que o pesquisador Sandor Katz abre suas apresentações para o público em geral. Seguindo passos simples que remontam às técnicas antigas, podemos transformar qualquer vegetal. Algumas técnicas produzem fermentados que podem ser conservados por muitos anos, outros têm vida mais breve e devem ser pensados como uma transformação rápida que trará gosto, aroma e digestibilidade, porém a curto prazo.

A dinâmica microscópica de sucessão de diferentes espécies de microrganismos que se inicia a cada nova fermentação dentro de um recipiente reflete a dança do início da vida na Terra numa escala espacial menor e mais rápida. Cada novo chucrute que você produz pode ser pensado como um pequeno planeta onde irrompe um caldo primordial no qual a vida aflora e o processo de mutação e seleção ocorre em escala temporal vertiginosa (dias, semanas, meses, e não bilhões de anos).

Assim como as bactérias cianofíceas conseguiram transformar a atmosfera terrestre ao longo de pelo menos 1 bilhão de anos, produzindo oxigênio (inexistente na atmosfera original), nossas bactérias e leveduras transformam os vegetais em saborosos pratos, devorados em alguns dias ou semanas.

Um astronauta observa do espaço este plácido e pálido ponto azul e enxerga uma superfície impassível que pouco diz respeito à intensa euforia de mares, vulcões, plantas e animais. Da mesma forma, ao observarmos um copo cheio de água, não temos capacidade de perceber a essência da violenta euforia molecular das partículas, que se movimentam a mais de 2.000 km/h. Ao analisarmos uma conserva apenas visualmente, não temos capacidade de perceber que, mesmo após o momento inicial de produção de gás carbônico, ainda há muita transformação ativa, além da produção de outros metabólitos que garantem a estabilidade do produto.

Dito isso, este capítulo tratará das diferentes formas de se trabalhar com vegetais, iniciando com as conservas láticas, nas quais se encontram o chucrute e o *kimchi*, incluindo também versões brasileiras.

Conservas láticas de vegetais

Uma vez, na feira Naturebas[38], organizada pela chef Lis Cereja, em São Paulo, estávamos ofertando nossas conservas quando um sujeito grande e loiro com cara de gringo se aproximou e, com olhar desconfiado, provou nosso chucrute. A reação dele foi de EURECA! Dava para ver em seus olhos a sensação sinestésica de ser transportado no tempo e no espaço para a mesa de casa, no colo da avó. Ele falou, com seu sotaque carregado: "Caramba! Estou há dois anos no Brasil e ainda não tinha encontrado um chucrute como o do meu país!".

Não adianta procurar, pois você não encontrará nada assim nas prateleiras dos supermercados brasileiros. Nenhuma indústria hoje em dia está interessada em investir tempo no processo original de um produto, que leva meses, quando tem a opção de fazê-lo em horas, mesmo que com detrimento da qualidade e desprezo à tradição. As

---

[38] Feira que reúne diversos pequenos produtores que pensam alimentação de forma sustentável, a maioria produtores de vinhos biodinâmicos (fermentação selvagem e atenção com a agricultura). Para saber mais: www.saintvinsaint.com.br/feira. Acesso em: 6 set. 2019.

conservas de vegetais comercializadas hoje são apenas simulacros e perderam, já há algumas décadas aqui no Brasil, as qualidades que as originais possuíam.

Antigamente, o processo era lento e respeitava o tempo necessário para o processo fermentativo, responsável pela acidificação do meio, além de propiciar toda a profundidade de sabor e paladar original. Com a compreensão de que a acidez do meio é uma premissa que garante segurança alimentar, os processos industriais foram pensados de forma a reproduzir artificialmente essa condição, visando acelerar o processo natural, que ocorre com a fermentação. Isso se dá por meio do tratamento térmico (pasteurização) e da acidificação artificial do meio, seja com adição de ácido acético, ascórbico ou cítrico.

Esse processo, além de descaracterizar completamente o produto original, elimina a flora de microrganismos ali existente, que hoje sabemos ser necessária para o bom funcionamento do metabolismo e complementar às características nutritivas dos vegetais, conforme argumentamos anteriormente.

Além do ácido acético, do lático e de outros produzidos pela indústria química, muitas vezes são acrescentados conservantes, estabilizantes e demais produtos que também descaracterizam a formulação original. Esse fato reforça de maneira perversa o movimento dos ultraprocessados, que acaba sendo responsável pelo aniquilamento desse patrimônio cultural presente há milênios em diversas culturas.

Nesta seção, vamos discorrer sobre a técnica básica que garante o sucesso das conservas láticas. O ácido lático, como vimos na introdução, é um metabólito proveniente da atividade microbiológica, ou seja, é um subproduto do processo fermentativo.

Tendo isso em conta, não há adição prévia ou posterior dessa substância nos modos de preparo aqui apresentados. O resultado é uma formulação cujo sabor é complexo e harmonioso, em comparação às feitas de forma artificial, pela adição de vinagre (ácido acético) ou outros acidulantes. Apresentaremos releituras de receitas de diversas culturas, a partir das quais você estará apto a fazer suas criações.

Por último, o nome "conserva lática" vem do fato de conterem ácido lático e nada tem a ver com lactose (açúcar do leite), como é sugerido pelo nome. É também chamada aqui no Brasil de "lactofermentado", porém trata-se de uma tradução direta do inglês (em que ácido lático escreve-se *lactic acid*), entre outras que vão empobrecendo nossa língua[39]. Evite utilizar esse termo.

Adição inicial de microrganismos selecionados

Encontramos na internet (e mesmo na literatura atual) diversas receitas que recomendam a utilização de inóculos (*starters*) para iniciar a fermentação lática de vegetais.

Vimos receitas que demandam adição da salmoura de uma conserva anterior, soro de leite, kombucha, kefir e até fermento de pão para acelerar o processo. Podemos sempre fazer isso, tendo a tranquilidade de que também garante o sucesso, em termos de segurança alimentar, desde que feito com um inóculo sabidamente saudável.

---

[39] Pense nas traduções diretas que ficaram registradas em nossa língua, como por exemplo "salvar um arquivo" no computador, que vem do termo "save", mas que deveria ser traduzido como "gravar" ou "registrar".

Porém, na literatura científica e em publicações acadêmicas, esse tipo de acréscimo é desencorajado porque, ao inocular uma quantidade de microrganismos ativos e em maior número (como num transplante de microbioma), eles dominam e sobrepujam a biota naturalmente presente nos vegetais, o que não necessariamente será melhor para o paladar. A flora característica, nativa, que se desenvolve sem a adição de inóculos, mostrou-se insuperável na construção e complexidade do sabor das conservas láticas.

Os estudos sobre a microbiota da fermentação de vegetais para processos industriais se iniciaram em 1950[40] e, como esperado, com viés para tornar mais eficientes (rápidos e baratos) os processos industriais. Foram feitos ensaios de adição de diferentes tipos de microrganismos naturalmente presentes no exterior das hortaliças, de endofíticos (que habitam o interior das plantas), bem como daqueles não encontrados em vegetais, em diversas linhas de pesquisa, que visavam agilizar e baratear a produção industrial.

A parte mais interessante dessa busca é que todas as tentativas de melhoria biotecnológica falharam. Os cientistas e técnicos das grandes indústrias e universidade tiveram de dar o braço a torcer para o processo original, milenar e rudimentar em que há uma sucessão natural de microrganismos que se intercalam, subordinados à mudanças nas condições do meio (pH, concentrações de ácidos e outras substâncias), que por sua vez são devidas a eles, numa dança dinâmica não linear e caótica, como ocorre em qualquer interação de organismos com o ecossistema.

Dessa forma, a elaboração de uma conserva de vegetais com microrganismos inoculados não terá a mesma profundidade de aromas e sabores que outra feita apenas com água e sal e temperatura amena (abaixo de 21 °C). Para quem tem costume de fazer conservas com inóculos há muitos anos e aprendeu assim, fica aqui o convite para experimentar: faça dois potes com exatamente os mesmos ingredientes, porém em um utilize seu inóculo e no outro siga a técnica que passaremos adiante. Nós já fizemos diversas vezes para atestar, e a diferença é brutal.

Para quem está interessado em compreender mais a fundo, o personagem principal que faz a magia da produção de ésteres aromáticos é o *L. mesenteroides*, apresentado na introdução. Ele produz diversos metabólitos, além de gás carbônico e ácido lático, porém não suporta pH abaixo de 6. Portanto, multiplica-se rapidamente na salmoura, logo que se inicia o processo de fermentação (garantindo o meio anaeróbico), prevalecendo sobre os microrganismos aeróbicos em algumas horas, porém para de metabolizar em alguns dias, quando é limitado pela própria acidez que produziu. Nesse momento, surgem outros microrganismos, produzindo principalmente ácido lático.

Portanto, para garantir que sua conserva tenha complexidade de sabor, nada de acidificar o meio ou adicionar uma bomba de microrganismos (*starter*) para acelerar o processo. Se adicionar um inóculo, você perde toda a sofisticação que o *L. mesenteroides* e seus colegas podem conferir à conserva.

Usar ou não inóculos de uma fermentação anterior influencia na complexidade de sabores e aromas de uma conserva.

---

[40] Para quem deseja conhecer mais detalhes técnicos sobre o tema, trazemos algumas referências na seção Fermentação Industrial das Referências Bibliográficas (*ver p. 227*).

Procedimento básico

O sucesso da fermentação de hortaliças é respeitar dois pontos básicos: salga e regime anaeróbico (ou seja, garantir que não haja contato com oxigênio durante o processo). A seguir, vamos detalhar esses dois pontos.

Salga – salmoura

Ao falarmos de salga, estamos nos referindo a uma determinada concentração de sal, ou seja, na razão entre o sal e a quantidade de vegetais + salmoura. Por exemplo, uma salga de 1% significa 1 grama de sal para cada 100 gramas de conserva (vegetais + líquidos).

Você pode salgar os vegetais a gosto, tendo em mente que uma concentração de 0,6 g/kg é o limite da percepção humana para o sal (ou seja, até essa concentração, não percebemos sua presença na mistura). Para grande parte da população, a concentração palatável é de 2% (20 g/kg).

Portanto, será necessário calcular o sal sobre o peso dos vegetais e sobre o líquido (água) que será adicionado a eles. Isso porque o processo de difusão é responsável pela migração do sal para o interior dos vegetais, e, se você desejar que os vegetais terminem com 2% de sal, precisa pensar que essa concentração deverá ser a mesma que a da salmoura que o envolve.

Por exemplo: você tem 1 kg de rabanete para fermentar em uma salmoura e planeja uma salga de 2%. Você calcula que, para essa quantidade, serão necessários 20 g de sal, adiciona o rabanete no pote de fermentação e acrescenta mais 1 litro (1 kg) de água para encobri-lo. Depois de fermentado, prova sua conserva e nota que ela não está suficientemente salgada. Qual foi o problema que ocorreu?

O problema é que a água adicionada diluiu a concentração do conjunto, precisamente pela metade no caso, pois o peso total é 2 kg (1 kg de rabanete + 1 kg de água) que, adicionado a 20 g de sal, leva a uma concentração final de 1%, metade dos 2% desejados.

De maneira geral, na maioria das receitas, utilizaremos o valor de 2%, número que vale tanto para a salmoura quanto para a salga dos vegetais:

- *20 g de sal para cada litro de água;*
- *20 g de sal para cada quilo de vegetais.*

Se você ainda não tem uma balança digital (o que é recomendado), pode chegar a esta salinidade aproximada utilizando 4 colheres (chá) de sal para cada litro de água.

Importante: quanto mais sal, mais crocantes ficarão os vegetais, dado que o sal reforça as paredes celulares. A indústria costuma fazer uma salmoura inicial de 5% a 8% e, no final do processo, descarta parte do líquido, adicionando água para diluir e tornar palatável o produto. O problema é que, junto com a salmoura descartada, perde-se também parte do aroma, sabor, vitaminas e minerais. Vegetais ricos em tanino também são responsáveis pelo enrijecimento celular e consequente crocância, que é o caso da folha de uva, hibisco, shissô, maçã, casca de maracujá, cravo, canela, café (casca), taioba, abacaxi (folhas).

O cálculo da salga de hortaliças deve levar em consideração tudo o que é colocado dentro do pote, não apenas a salmoura.

Note que, ao fazer a conserva, antes de fermentar, você provavelmente vai achar que está salgada, porém tenha em mente que o resultado será sempre mais ameno, pois os vegetais liberam água e, na média final, a salinidade diminui.

Para folhagens (repolho, acelga, talos em geral), o simples ato de adicionar sal e amassar é suficiente para obter a água necessária para cobrir os vegetais. Mas, caso não se forme água suficiente no esmagamento das folhas, ou caso utilize vegetais mais sólidos (cenoura, alho, nabo, rabanete etc.), será necessário acrescentar uma salmoura para garantir que tudo fique submerso.

Por último, sobre qual sal utilizar, testamos diversos tipos, inclusive iodados, tendo sucesso com todos. Prefira sal marinho, rico em minerais benéficos para os microrganismos, porém, na falta dele, utilize qualquer um sem grandes prejuízos para o resultado.

Meio anaeróbico (sem oxigênio)

A melhor forma de garantir um meio sem oxigênio é utilizar um pote fermentador, idêntico ao que usamos para fazer as bebidas alcoólicas apresentadas no capítulo anterior: uma cuba com um selo d'água que permite a saída do gás carbônico produzido e impede a entrada de oxigênio. Você pode fazer um ou comprar no site da Companhia dos Fermentados.

Caso não tenha um pote com *airlock* (a exemplo de nossos ancestrais), não há problema. Basta garantir que todas as hortaliças fiquem permanentemente submersas. O gás carbônico produzido no processo de fermentação vai saturar rapidamente o meio aquoso, expulsando o oxigênio. Além disso, ele reage com a água e forma ácido carbônico, baixando o pH e garantindo que não haja proliferação de patógenos.

Durante o processo, o pH baixa a níveis inferiores a 4,5. Se desejar acompanhar a variação do pH e controlar a evolução da fermentação, sugerimos que adquira uma fita de medição de pH ou mesmo um pHmetro eletrônico para esse indicador. Note que as medições não são necessárias, dado que estamos falando de técnicas antigas (e seguras) desenvolvidas numa época em que não havia nem o conceito de pH, muito menos medidores. Os vegetais devem sempre permanecer submersos com ajuda de um peso, que pode ser um objeto de vidro (bolas de gude ficam lindas), cerâmica ou mesmo uma pedra sanitizada. Lembre-se de não fechar hermeticamente o pote; cubra apenas com um pano para evitar a entrada de insetos, pois a produção de gás carbônico pode eventualmente fazer com que o recipiente exploda.

Em todas as conservas feitas sem a utilização de um pote de fermentação apropriado, a atenção deve ser redobrada, pois há sempre o risco de contaminação se houver contato das hortaliças com o oxigênio atmosférico. Caso isso ocorra, o problema é facilmente detectado; você vai sentir um aroma desagradável e a conserva vai mofar. Se isso ocorrer, descarte e recomece o processo.

O pote com a conserva não deve ser fechado hermeticamente. A pressão causada pela produção de gás carbônico pode fazer com que o recipiente exploda.

Quanto tempo de fermentação?

Essa é uma questão simples de responder: o tempo de fermentação é a gosto do freguês. Muitas culturas (notavelmente a japonesa) fazem conservas rápidas, de um ou dois dias. Outras requerem mais tempo, como é o caso de alguns *kimchis* coreanos que passam anos enterrados.

Para que possamos envasar e deixar fora da geladeira (um produto estabilizado), costumamos deixar no mínimo dois meses, de forma que a produção de gás cesse. Isso não quer dizer que a fermentação se encerrou, apenas que não há mais produção desse metabólito específico.

Conforme esclarecemos anteriormente, a princípio a redução de pH se dá sobretudo pela produção de gás carbônico, que reage com a água, originando ácido carbônico. Esse ácido é instável: trata-se de uma reação reversível, e, caso a conserva seja aberta, o ácido se dissocia em seus componentes iniciais e o gás escapa para a atmosfera. Isso significa que o pH volta a subir, podendo chegar eventualmente acima de 4,5 – faixa em que podem ocorrer problemas com botulismo, por exemplo.

Por trás disso, está a diferença entre pH e acidez: apenas o dado sobre o pH (ou seja, a quantidade de íons H+ presentes na solução) não é suficiente para informar quais ácidos estão presentes e em qual concentração. Portanto, é necessária paciência se desejarmos uma conserva que se torne estável.

Uma vez que sua conserva estiver fermentando e você estiver satisfeito com o resultado alcançado, para desacelerar o processo de fermentação e guardar as características de textura e sabor, basta levá-la à geladeira. Em baixas temperaturas, o metabolismo dos microrganismos tende a ficar mais lento, e, portanto, será possível estabilizar o processo. Note que, ao retirar a conserva da geladeira, uma vez em temperatura ambiente, os microrganismos voltam a trabalhar.

Outra possibilidade de parar a fermentação é pasteurizar a conserva. Para tanto, envase os vegetais em potes de vidro deixando um espaço de 3 cm de altura até a boca. Feche hermeticamente o pote, envolva-o com pano de prato para evitar choques (atenção ao colocar diversos potes na panela, os vidros não podem encostar diretamente uns nos outros, mantenha sempre um pano entre eles) e cozinhe em uma panela de pressão por 45 minutos. Deixe esfriar naturalmente. Dessa forma, suas conservas, se mantidas fechadas, vão durar até 2 anos.

Note que o processo de pasteurização aniquila toda vida existente na conserva, bem como as enzimas produzidas pelos microrganismos.

Posso adicionar outras hortaliças à minha conserva depois de pronta?

Certa vez fomos chamados a um dos mais importantes restaurantes do Brasil para ensinar os cozinheiros a fazer pimenta em conserva. Tudo ocorreu bem, porém alguns meses depois fomos chamados novamente, pois havia um problema: os molhos estavam apodrecendo. Revimos o processo, o molho ficava fermentando por um mês, mais do que o suficiente para produção de ácido lático, além do carbônico, enfim, um mistério. Foi quando perguntamos como

se dava o processo de envase, e o cozinheiro nos informou que adicionava ervas frescas, alho e diversas outras hortaliças para "temperar" o molho. Pronto, o mistério estava resolvido, e aprendemos mais uma coisa que deve ser ensinada: não adicione hortaliças frescas à conserva depois de pronta se não for consumi-la imediatamente! A adição de hortaliças frescas contamina a conserva, aumenta o pH e sai da zona de segurança alimentar.

A seguir, apresentaremos receitas que podem ser fermentadas com mais segurança e facilidade utilizando o pote de fermentação com *airlock* e que dispensa a folha para fechamento interno. Caso não vá utilizar o pote, tenha uma folha de acelga ou repolho para fazer o fechamento interno, impedindo que os vegetais flutuem e encostem na atmosfera externa.

Na foto acima, foi usada a técnica de nukazuke (receita na p. 213) para a preservação do nabo. O vegetal ficou cerca de um ano em maturação antes de ser consumido.

Chucrute tradicional

RENDIMENTO: 1 kg
DIFICULDADE: FÁCIL
PREPARO: 5 DIAS-3 MESES
FERMENTAÇÃO: ANAERÓBICA

Ingredientes

- 1 kg de repolho
- 20 g sal (2% sobre o peso do repolho)
- 10 g de sementes de mostarda (ou outra especiaria de sua preferência)
- Salmoura a 2%, se necessário, para garantir que as folhas fiquem completamente submersas

Preparo

1. Retire as primeiras folhas externas do repolho, escolha 2 ou 3 folhas inteiras e reserve.

2. Lave o repolho, corte-o pela metade e retire o talo central, pois ele origina um aroma desagradável durante o processo de fermentação.

3. Lave e corte as folhas na espessura desejada, que pode ser bem fininha ou grossa, com até 2 cm de largura.

4. Adicione o sal e comece a amassar as folhas, esfregando umas às outras, de modo a machucá-las, facilitando a desidratação.

5. Após alguns minutos de manuseio, você vai notar que as folhas começam a soltar água. Quanto mais água soltar, mais macia (menos crocante) sua conserva vai ficar ao final do processo.

6. Incorpore as sementes de mostarda, misturando bem.

7. Acondicione a mistura em seu pote de fermentação, cobrindo com uma folha que você reservou. Ela servirá como cobertura interna para garantir que tudo permaneça submerso durante toda a fermentação. Se houver necessidade, acrescente a salmoura a para garantir que todas as folhas fiquem submersas.

8. Recomendamos a fermentação de pelo menos 15 dias para atingir as características do fermentado.

Todas as etapas do processo tradicional do preparo de chucrute.

Dica: *faça suas variações com outras folhagens: acelga, ora-pro-nóbis, bertalha, capuchinha, caruru, almeirão, catalonha, azedinha, endívias, serralha, picão, folhas de hibisco, dente-de-leão, tanchagem etc., bem como misturas delas. Evite alface, rúcula, agrião e espinafre, por serem folhagens finas e perderem completamente a estrutura no processamento inicial e na fermentação posterior – a não ser que você esteja interessado em uma pasta de folhas fermentadas, o que também é muito interessante.*

Chucrute de couve-manteiga

RENDIMENTO	DIFICULDADE	PREPARO	FERMENTAÇÃO
300 g	FÁCIL	2-4 MESES	ANAERÓBICA

A couve contém muito mais enxofre que o repolho. O elemento está presente nos glucosinolatos, compostos que são quebrados no processo de fermentação em isotiocianatos, conhecidos por serem anticancerígenos[41]. Embora seja boa para a saúde, a fermentação da couve também gera compostos muito fedidos, o que vai fazer você desejar descartar seu fermentado nos primeiros dias. Não o faça. Aguarde 2 meses para que as coisas entrem nos eixos, tendo em mente que os compostos do enxofre são voláteis e, aos poucos, vão deixando o pote e tornando a couve novamente palatável. Outra hortaliça que precisa de tempo para ser devidamente apreciada, pelo mesmo motivo, é a couve-flor.

Ingredientes

» 300 g de couve-manteiga
» 6 g de sal (2% sobre o peso da couve)
» Salmoura a 2%, se necessário
» Opcionais: sementes de mostarda ou de erva-doce

Preparo

Siga as instruções da receita de **Chucrute tradicional** *(p. 150), retirando o máximo que conseguir dos talos e veios das folhas, onde há maior concentração de enxofre, que podem ser consumidos* in natura *ou refogados.*

---

[41] Ross Grant, "Fermenting Sauerkraut Foments a Cancer Fighter", 2002.

Conserva de cenoura

RENDIMENTO: 300 g | DIFICULDADE: FÁCIL | PREPARO: 5 DIAS-3 MESES | FERMENTAÇÃO: ANAERÓBICA

Uma receita simples, leve e extremamente saborosa para iniciar suas pesquisas sobre fermentação de vegetais que não soltam água no processo de salga. Ela servirá de base para criar infinitas novas formulações a seu gosto, bastando para isso variar os insumos. Pode-se fermentar da mesma maneira maxixe, pepinos, jiló, quiabo, berinjela, miniabobrinhas (todos eles inteiros, para não se desfazerem), alho, cebola, banana verde com casca, espigas de milho imaturo, beterraba, abóboras, pimentão, pimentas etc.

Ingredientes

» Salmoura a 2%, para cobrir
» Opcionais: gengibre ralado, alho, endro, sementes de mostarda, sementes, raiz ou folhas de coentro, cheiro-verde e outras ervas frescas ou desidratadas, pimenta-de-macaco, pimenta-da-jamaica, louro, cominho, pimenta-do-reino, páprica, tomilho, alfavaca, sementes de capuchinha, chicória etc.
» 300 g de cenoura descascada (caso não seja orgânica) e cortada em palitos
» 6 g de sal (2% do peso da cenoura)
» 1 folha de repolho para o fechamento interno

Preparo

1. *Prepare a salmoura e reserve. Dependendo do tamanho do pote que for utilizar, serão necessários de 300 a 600 ml.*

2. *Adicione no pote de fermentação as especiarias no fundo, seguidas da cenoura, do sal e da salmoura.*

3. *Acomode a folha de repolho de modo que cubra toda a superfície.*

4. *Os ingredientes devem ficar submersos durante todo o processo. Se necessário, adicione mais salmoura até cobrir tudo, inclusive a folha interna.*

5. *Deixe fermentar por 5 dias a 3 meses, preferindo locais mais frescos, onde a temperatura não ultrapasse 21 °C.*

Conserva de cabotiá e erva-doce

RENDIMENTO	DIFICULDADE	PREPARO	FERMENTAÇÃO
600 g	FÁCIL	5 DIAS-1 MÊS	ANAERÓBICA

Ingredientes

» 600 g de cabotiá cortada em fatias finas
» 1 bulbo pequeno de erva-doce inteiro
» 8 g de sal
» 1 folha de repolho para o fechamento interno
» Salmoura a 2%, para cobrir

Dica: *acrescente alho e/ou cebola picados para uma mudança radical no resultado. Nesse caso, também considere substituir a erva-doce por cominho.*

Preparo

1. *Acondicione todos os ingredientes na cuba de fermentação.*

2. *Cubra com a folha de repolho e adicione a salmoura até cobrir tudo.*

3. *Deixe fermentar por 5 dias a 1 mês.*

Fermentação à Brasileira

Conserva de nabo e cenoura ralados

RENDIMENTO	DIFICULDADE	PREPARO	FERMENTAÇÃO
1 kg	FÁCIL	5 DIAS-3 MESES	ANAERÓBICA

Nesta conserva, os vegetais são ralados e, portanto, soltam água com mais facilidade. Caso a quantidade de água produzida não seja suficiente para cobrir os vegetais, adicione salmoura na mesma concentração de salinidade. Para tanto, adicione 5 g de sal para 250 ml de água (aproximadamente 1 colher de chá para 1 copo de água).

Ingredientes

» 500 g de cenoura ralada
» 500 g de nabo ralado
» 20 g de sal (2% sobre o peso da cenoura + nabo)
» 1 folha de repolho para o fechamento interno
» Salmoura a 2%, para cobrir

Dica: *na Companhia dos Fermentados sempre adicionamos masala (curry), e o resultado é impressionante.*

Preparo

1. *Misture bem a cenoura, o nabo e o sal em uma vasilha e acondicione-os na cuba de fermentação.*

2. *Cubra com a folha de repolho e adicione a salmoura até cobrir tudo.*

3. *Deixe fermentar por 5 dias a 3 meses.*

Limão-galego em conserva

RENDIMENTO	DIFICULDADE	PREPARO	FERMENTAÇÃO	MATURAÇÃO
1 kg	MÉDIA	30 MINUTOS	ANAERÓBICA	15 DIAS-2 ANOS

De origem marroquina, essa receita extremamente simples transformará para sempre sua maneira de encarar a fruta. Com ela, você enriquecerá molhos, saladas, cozidos e aproximará seu cuscuz marroquino da receita original, na qual sua presença é fundamental. Diferentemente das outras conservas, a salinidade para esta é de 15%. Quando pronta, normalmente se despreza a polpa e lava-se a casca, que é então picada em pedaços bem pequenos. Nós não descartamos nada.

Ingredientes

» 6 limões-galegos (experimente fazer também com limão-cravo, taiti ou a clássica conserva com limão-siciliano)
» Sal a 15% do peso do limão
» Salmoura a 15%, se necessário
» Especiarias opcionais a gosto: cominho, coentro, endro, mostarda, pimenta-vermelha, gengibre, cebola, funcho, pimenta-do-reino, zimbro, gengibre, erva-cidreira etc. (a receita original não leva nenhuma delas, e sugerimos não colocar na primeira vez que fizer, para sentir o sabor do limão fermentado).

Preparo

1. *Corte os limões em 4 partes (ou 8, se eles forem grandes) na longitudinal, ou seja, na direção em que ele é mais comprido.*

2. *Empane os limões com o sal e acondicione-os na cuba de fermentação, pressionando-os de forma que não fiquem bolhas de ar.*

3. *Ao pressionar os limões, o suco sai também. Verifique se há líquido suficiente para cobrir os limões e, se necessário, adicione a salmoura até cobrir.*

4. *Feche a cuba de fermentação e deixe fermentar em temperatura ambiente (15 °C a 25 °C) por, no mínimo, 15 dias. Após esse período, ele se conserva por até 3 anos, se refrigerado. E fica cada vez mais gostoso!*

Limões-galegos e cravo em conserva (receita na p. 157).

Vinagrete de limão em conserva

RENDIMENTO: 1 kg
DIFICULDADE: MÉDIA
PREPARO: 20 MINUTOS

Ingredientes

» 5 tomates grandes
» 1 cebola grande
» Cebolinha
» ½ maço de coentro (ou salsinha se preferir)
» 1 dente de alho
» Sumo de 2 limões
» ½ limão em conserva
» Sal e azeite a gosto

Preparo

Pique os tomates e a cebola em cubinhos. Pique a cebolinha e o coentro e misture. Descasque e amasse o dente de alho. Lave meio limão em conserva e retire a polpa. Corte a casca em pequenas tiras e misture aos demais ingredientes. Deixe marinar por 30 minutos na geladeira e sirva.

Kimchi

O *kimchi* é uma paixão coreana, assim como a feijoada é para os brasileiros. Sua principal característica é contar com uma grande mistura de vegetais, que podem variar conforme disponibilidade na região onde o *kimchi* é feito. Podem-se usar acelga, repolho, nabo, pepino, rabanete, cebolinha, gengibre, alho, pimenta, molho de peixe, shoyu e o que mais estiver sobrando na geladeira.

Existem mais de 900 tipos de *kimchi* pelo mundo, que variam em método e fórmula de elaboração conforme as estações do ano e sazonalidade dos ingredientes. Em nosso site (www.ciadosfermentados.com.br), temos uma publicação em que apresentamos a história do *kimchi* e diversas receitas com variações das hortaliças.

Kimchi de verão

RENDIMENTO	DIFICULDADE	PREPARO	FERMENTAÇÃO
3 kg	MÉDIA	5 DIAS-1 MÊS	ANAERÓBICA

Ingredientes

» 1 kg de acelga japonesa
» 20 a 30 g de sal (a 2% para salga da acelga)
» 20 g de alho pequenos picados
» 20 g de gengibre fresco descascado e fatiado fino
» 50 g de pimenta-vermelha coreana (ou outra)
» 50 ml de molho de peixe (nam pla)
» 50 ml de shoyu comum
» 120 g de cebolinha cortada em pedaços de 3 centímetros
» 60 g de cenoura cortada em bastões de 3 centímetros
» 60 g de nabo cortado em bastões de 3 centímetros
» 100 g de pimentão cortado em tiras

Preparo

1. *Lave bem a acelga e corte em 4 no sentido do comprimento.*

2. *Polvilhe bem o sal entre as folhas, coloque um peso em cima e deixe marinando durante 1 hora. Reserve o caldo da acelga para utilizar como salmoura.*

3. *Acondicione tudo no pote de fermentação e, se precisar, mais salmoura até cobrir tudo.*

4. *Deixe fermentar de 5 dias a 1 mês.*

Kimchi de frutas

RENDIMENTO	DIFICULDADE	PREPARO	FERMENTAÇÃO
3 kg	MÉDIA	2-7 DIAS	ANAERÓBICA

Essa é uma receita de rápida fermentação, saborosa e versátil. Por conter alta concentração de frutose, proveniente das frutas, sugerimos a adição de um inóculo para garantir uma boa quantidade de bactérias à fermentação lática, em maior número das leveduras responsáveis pela fermentação alcoólica.

Conservas láticas de frutas com alto teor de frutose (ou seja, maduras, doces) não são propriamente conservas, no sentido de durar mais do que a própria fruta duraria se deixada imperturbada. A dica aqui é deixar a fruta à temperatura ambiente (18 °C a 25 °C) durante 2 a 7 dias (até iniciar a fermentação, que é facilmente observável por conta da produção de gás) e depois manter refrigerada, consumindo-a em até 20 dias.

Ingredientes

- » 350 g de maçãs cortadas em cubos
- » 140 g de ameixas vermelhas cortadas em cubos
- » 270 g de nectarinas cortadas em cubos
- » 350 g de uvas inteiras
- » 50 g de castanha-de-caju
- » 500 g de abacaxi descascado e cortado em cubos
- » Suco de 1 limão
- » 10 g de pimenta dedo-de-moça cortada em rodelas
- » 8 g de alho cortado bem fino
- » 100 g de cebola ralada
- » 40 g de coentro
- » 60 g de gengibre
- » 38 g de sal (2% sobre o peso total)

Modo de preparo

1. Lave bem e corte todas as frutas, deixando apenas a uva inteira.

2. Esprema o limão para retirar seu suco.

3. Misture bem todos os ingredientes e acondicione no pote de fermentação. Se necessário, adicione mais salmoura até cobrir.

Kimchi tropical

RENDIMENTO	DIFICULDADE	PREPARO	FERMENTAÇÃO
3 kg	MÉDIA	5 DIAS-1 MÊS	ANAERÓBICA

Eis a nossa sugestão para um *kimchi* com ingredientes tipicamente brasileiros. Por ser uma conserva com muitos vegetais e que por tradição respeita a sazonalidade dos insumos, fique à vontade para substituir o que desejar e mudar a quantidade. Atente apenas à quantidade de sal, que, como em toda conserva, deve ser calculada a partir do peso total dos ingredientes, incluindo a água (excluindo da conta shoyu, molho de peixe e outros eventuais que já contenham sal na formulação).

Ingredientes

» 1 kg de acelga picada com 4 dedos de largura
» 50 g de maxixe cortado ao meio
» 120 g de nabo cortado em palito
» 100 g de quiabos pequenos inteiros
» 50 g de manga verde descascada e fatiada
» 20 g de folhas e flores de capuchinha
» 20 g de jurubeba
» 100 g de beterraba descascada e cortada em fatias
» 50 g de caju maduro cortado em 4
» 20 g de alho picado
» 20 g de gengibre fatiado
» 70 ml de shoyu
» 40 ml de molho de peixe
» 50 g de cebola fatiada
» 60 g de cebolinha cortada
» 70 g de catalônia ou almeirão inteiros
» 100 g de pimenta cambuci ou pimentão em quadrados de 2 dedos
» 10 g de pimenta dedo-de-moça picada
» 20 g de pimenta murupi doce
» Salmoura a 2% para cobrir

Preparo

1. *Corte e prepare todos os ingredientes.*

2. *Misture todos em uma vasilha e acondicione-os na cuba de fermentação. Adicione salmoura para cobrir se for necessário.*

3. *Deixe fermentar de 5 dias a 1 mês.*

Chutney de manga

Aprendi a fazer *chutney* com minha avó, que preparava a versão clássica como forma de conservar as mangas do sítio. Aqui apresento minha versão fermentada, em sua homenagem.

Ingredientes

» 300 g de manga em cubos
» 1 cebola média fatiada
» 2 dentes de alho picados
» 20 g de gengibre ralado
» 1 pimenta dedo-de-moça picada, sem sementes
» 50 g de uva-passa ou figo seco
» 100 ml de inóculo de fermentação: kombucha, kefir de água, salmoura de uma conserva prévia ou soro de kefir de leite
» 12 g de sal (2% de sal sobre o peso total dos ingredientes)
» Especiarias recomendadas: pimenta-do-reino, cardamomo, cominho, sementes de mostarda, coentro, cravo e canela.

Preparo

1. *Corte e prepare todos os ingredientes.*

2. *Misture todos em uma vasilha e acondicione-os na cuba de fermentação.*

3. *Adicione salmoura para cobrir se for necessário*

4. *Siga as recomendações dadas para a fermentação do* **Kimchi de frutas** *(receita na p. 163).*

Relish de abacaxi e abobrinha

RENDIMENTO: 1 kg | DIFICULDADE: MÉDIA | PREPARO: 2-7 DIAS | FERMENTAÇÃO: ANAERÓBICA

Mais uma receita versátil que transforma as conservas, como as conhecemos, em algo completamente novo, por meio da fermentação.

Ingredientes

- 500 g de abobrinha em cubos
- 300 g de abacaxi em cubos
- 50 g de cebola fatiada
- 1 pimenta dedo-de-moça fatiada
- 100 ml de inóculo de fermentação: kombucha, kefir de água, salmoura de uma conserva prévia ou soro de kefir de leite
- 20 g de sal (2% de sal sobre o peso total dos ingredientes)
- Especiarias recomendadas: pimenta-do-reino, noz-moscada, aipo e cúrcuma

Preparo

1. Corte e prepare todos os ingredientes.

2. Misture todos em uma vasilha e acondicione-os na cuba de fermentação.

3. Adicione salmoura para cobrir se for necessário.

4. Siga a recomendação de fermentação do **Kimchi de frutas** (receita na p. 163).

Dica: experimente substituir a abobrinha por berinjela ou abóbora, e o abacaxi por carambolas, em suas próximas receitas.

Conserva de jabuticaba

RENDIMENTO	DIFICULDADE	PREPARO	FERMENTAÇÃO
1 kg	FÁCIL	7 DIAS-1 MÊS	ANAERÓBICA

É uma das mais impressionantes que provamos e muito fácil de fazer. Como resultado, temos a fruta sem nenhum dulçor residual e extremamente crocante, podendo ser consumida inteira, inclusive o caroço, que muita gente costuma descartar.

Ingredientes

» 1 kg de jabuticabas frescas
» 25 g de sal (2,5% de sal sobre o peso da jabuticaba)
» Salmoura a 2,5%, para cobrir

Preparo

1. *Acondicione as frutas inteiras e o sal na cuba de fermentação.*

2. *Adicione salmoura para cobrir.*

3. *Deixe fermentar por 7 dias a 1 mês.*

Dica: *sirva como entrada, no lugar de azeitonas, mas não avise os convidados do que se trata essa iguaria. Deixe que eles descubram sozinhos, se conseguirem.*

Seguindo passos simples, podemos fazer conservas de qualquer vegetal.

Conserva de bacupari

RENDIMENTO	DIFICULDADE	PREPARO	FERMENTAÇÃO
1 kg	FÁCIL	7 DIAS-1 MÊS	ANAERÓBICA

Semelhante à de jabuticaba, o resultado será mais ácido e muito aromático, com mais personalidade.

Ingredientes

» 1 kg de bacupari
» 25 g de sal (2,5% de sal sobre o peso do bacupari)
» Salmoura a 2,5%, para cobrir

Preparo

1. *Acondicione as frutas inteiras e o sal na cuba de fermentação.*

2. *Adicione salmoura para cobrir.*

3. *Deixe fermentar por 7 dias a 1 mês.*

Dica: *sirva como entrada, no lugar de azeitonas.*

Conserva de azeitona-do-ceilão

RENDIMENTO	DIFICULDADE	PREPARO	FERMENTAÇÃO
1 kg	FÁCIL	14 DIAS-1 MÊS	ANAERÓBICA

Para nós, essa é a melhor forma de processar as frutas dessa frondosa árvore muito abundante nas cidades e nos pomares do país, mas que não se pode comer crua, pois o gosto é muito ruim, assim como ocorre com as azeitonas verdadeiras. Diferentemente das azeitonas que conhecemos, estas não pedem diversas trocas de salmoura durante os meses e podem ser apreciadas em duas semanas.

Ingredientes

» 1 kg de azeitonas-do-ceilão
» 20 g de sal (2% sobre o peso das azeitonas)
» Salmoura a 2%, para cobrir

Preparo

1. *Acondicione as azeitonas inteiras e o sal na cuba de fermentação.*

2. *Adicione salmoura para cobrir.*

3. *Deixe fermentar por 14 dias a 1 mês.*

Dica: *sirva como entrada, no lugar de azeitonas comuns.*

Conserva de manga verde

Por todo o Sudeste Asiático é comum comer mangas verdes com sal e pimenta. Em cada barraquinha nas ruas encontramos a fruta, quando é época. É uma ideia genial, dado que, quando as comemos apenas maduras, temos uma curta janela e há muito desperdício (quem tem uma mangueira no quintal ou pomar sabe bem do que estamos falando). Para nós, servir manga verde para comensais incautos é certeza de assombro e sucesso.

Esses picles de manga verde são uma ótima opção para quem tem acesso a grandes quantidades da fruta e, eventualmente, tem perdas. Após o período de fermentação, que se dá em temperatura ambiente (15 °C a 25 °C), a conserva pode durar até 1 ano, se mantida refrigerada, e ser apreciada com queijos, em uma torta (enriquecendo o recheio) ou mesmo como acompanhamento de outros pratos principais numa refeição.

Ingredientes

» 4 mangas bem verdes, lavadas, descascadas e cortadas em palitos
» 2,5% de sal sobre as mangas (25g para cada kg de manga)
» Salmoura a 2,5%, para cobrir (25 g para cada litro de água)
» Pimenta-vermelha, galanga e folhas de limão kaffir a gosto (opcionais)

Preparo

1. *Prepare a manga e acondicione na cuba de fermentação.*

2. *Adicione o sal e a salmoura para cobrir.*

3. *Deixe fermentar por 7 dias a 1 mês.*

Cambuboshi, umbuboshi, figoboshi e bilimboshi

RENDIMENTO	DIFICULDADE	PREPARO	FERMENTAÇÃO
1 kg	FÁCIL	1 MÊS-1 ANO	ANAERÓBICA

Já nos divertimos muito fazendo *umeboshi* (a conserva de ameixa emblemática da cozinha japonesa) e a seguir vamos apresentar as nossas versões com frutas brasileiras. O processo é o mesmo, o que varia são as frutas.

Uma versão brasileira que nos trouxe muito sucesso foi com o umbu, fruta típica do Cerrado brasileiro. Já da Mata Atlântica, fizemos com o cambuci, e o resultado foi ótimo. Por último, fizemos com o bilimbili, muito comum na Amazônia (embora de origem sul-asiática). São *tsukemonos* tupiniquins que podem ser consumidos da mesma forma que seu primo japonês, com *gohan* (arroz no vapor), óleo de gergelim e alga nori torrada, ou como acompanhamento em geral, trazendo o azedo, o sal e o umami.

Ingredientes

» 1 kg de cambuci, umbu ou bilimbili, ou outra fruta pequena de sua preferência
» 100 g de sal (10% de sal sobre o peso total dos ingredientes)
» 5 g de hibisco em infusão em 100 ml de água (opcional para emprestar cor, no lugar das folhas de shisô presentes na formulação original)
» Salmoura a 10%, se necessário, para cobrir

Preparo

1. *Misture as frutas e o sal e coloque um peso durante 2 horas. Reserve o líquido que sair da fruta.*

2. *Faça a infusão do hibisco, deixe esfriar e adicione às frutas salgadas.*

3. *Acondicione a mistura no pote de fermentação e adicione salmoura até cobrir, se preciso.*

4. *Deixe fermentar por no mínimo 30 dias.*

Molho de pimenta fermentada

RENDIMENTO	DIFICULDADE	PREPARO	FERMENTAÇÃO
1 kg	MÉDIA	7 DIAS-1 MÊS	ANAERÓBICA

Mais uma receita versátil que transforma as conservas, como as conhecemos, em algo completamente novo, por meio da fermentação.

Ingredientes

» 800 g de pimentas à sua escolha (biquinho, fidalga, cumari, murupi, bode, jiquitaia etc.)
» Alho a gosto
» Especiarias
» 200 ml de água
» 25 g de sal (2,5% de sal sobre o peso total dos ingredientes, incluindo a água)

Preparo

1. *Bata todos ingredientes e verta-os com a ajuda de um funil no pote fermentador ou numa garrafa PET.*

2. *No caso da garrafa, sugerimos deixar um espaço livre de 3 dedos na altura da boca. Aperte a garrafa de forma a zerar o ar interno e feche-a. Dessa forma, você garante um meio anaeróbico inicial. Logo nos primeiros dias, pode-se notar a formação de gás carbônico, que deve ser gerado com intensidade na primeira semana (período em que é apropriado deixar a tampa semiaberta, apenas o suficiente para o gás escapar).*

3. *Deixe fermentar por 20 dias, mas vale lembrar que a Tabasco® fermenta por 2 anos em barris de madeira.*

Dica: *experimente adicionar especiarias, tomate ou mesmo um pouco de frutas em seus molhos (abacaxi, por exemplo). O resultado é sempre impressionante. Se desejar, depois de cessada a produção de gás (ao menos 1 mês de fermentação em temperatura ambiente), bata o molho com um pouco de óleo de girassol ou azeite. Costumamos colocar de 10% a 30% do volume, ou seja, para cada litro de pimenta, entre 100 ml e 300 ml de óleo para emulsificar.*

Fermentação à Brasileira

Molho de salada fermentado

RENDIMENTO: 1 kg | DIFICULDADE: MÉDIA | PREPARO: 2-5 DIAS | FERMENTAÇÃO: ANAERÓBICA

Ingredientes

» 4 tomates caqui sem pele
» 1 cebola pequena
» 1 dente de alho
» 1 pimenta dedo-de-moça (opcional)
» Pimenta-do-reino a gosto
» Cheiro-verde e/ou coentro fresco
» 13 g de sal (2% de sal sobre o peso total dos ingredientes)

Preparo

Pique todos os ingredientes como num vinagrete tradicional e acondicione no pote de fermentação, ou faça de forma análoga ao molho de pimenta: bata tudo no liquidificador. Note que o tempo de fermentação é muito curto, como nas conservas de fruta. Deixe fermentar por 2 a 5 dias e depois refrigere.

Achar (conserva de pimenta típica de Moçambique)

RENDIMENTO: 800 g | DIFICULDADE: MÉDIA | PREPARO: 1-3 MESES | FERMENTAÇÃO: ANAERÓBICA

Ingredientes

» 250 g de pimenta dedo-de-moça picada (ou outra de sua preferência)
» 500 g de limão-taiti fatiado (com galego fica maravilhoso também. Experimente variar os limões, ou misturá-los se quiser).

» Alho, gengibre e cúrcuma frescos a gosto (ou desidratados)
» 2% de sal sobre o peso total dos ingredientes (sem contar o óleo)
» Óleo de girassol

Preparo

Misture todos os ingredientes, acondicione em um pote de vidro e cubra com o óleo. Deixe fermentar por pelo menos 2 meses.

Dica: *sementes de mostarda, de coentro e de cominho vão muito bem com essa conserva, porém recomendamos fazer uma primeira vez apenas com os ingredientes indicados para sentir o poder do limão e da pimenta fermentados em conjunto. É impressionante.*

La Jiao Jiang

RENDIMENTO: 700 g
DIFICULDADE: MÉDIA
PREPARO: 1 MÊS-1 ANO
FERMENTAÇÃO: ANAERÓBICA

Inspirados pela série documental *A Journey through the People's Republic of Fermentation* (2017), que narra a visita de Sandor Katz e Mara King à China, em busca do registro da produção de alimentos preparados por fermentação, reproduzimos aqui nossa versão da conserva de pimenta e especiarias que faz muito sucesso na Companhia dos Fermentados.

Ingredientes

» 600 g de pimentas frescas de sua preferência (costumamos utilizar *aji amarillo* e murupi)
» 24 g de sal (4% de sal sobre o peso das pimentas)
» 1 colher (sopa) de pimenta sichuan
» 1 folha de louro
» 3 bagas de cardamomos trituradas
» 20 g de gengibre ralado (a receita original pede galanga, raiz da mesma família)
» 3 dentes de anis-estrelado triturados
» 1 colher (sopa) de mostarda em grãos
» Óleo de girassol, apenas para cobrir a conserva (será misturado no final do processo de fermentação)

Nossa versão de La Jiao Jiang (receita nas pp. 177-179).

Preparo

1. *Corte as pimentas em rodelas ou passe em um processador. Adicione o sal e misture bem para incorporar.*

2. *Coloque um peso em cima da mistura e deixe por 6 a 12 horas de forma que a água saia das pimentas. Escorra e descarte o excesso.*

3. *Adicione as especiarias e o gengibre, passe para uma fôrma de modo a ficar uma camada fina, e deixe no sol por 3 a 5 dias, até que a mistura fique bem seca (nós utilizamos o desidratador para acelerar o processo).*

4. *Adicione óleo até cobrir completamente e ainda sobrar pelo menos um dedo de óleo acima da parte sólida. Acondicione no pote de fermentação, tomando cuidado para que não restem bolhas de ar.*

5. *Fermente por ao menos 1 mês. Ficará deliciosa com 1 ano de idade.*

Dica: *fique à vontade para substituir ou suprimir quaisquer especiarias sugeridas, de modo a criar um molho a seu gosto.*

Mandioca

Foi a fonte mais importante de carboidratos em nosso território por milhares de anos, até ser gradativamente substituída pelo trigo, introduzido pelos colonizadores, e mais recentemente por arroz e milho.

Quem planta e colhe mandioca sabe que ela se degrada rapidamente a partir do momento que sai da terra. Ao longo dos últimos milênios os indígenas desenvolveram técnicas para sua conservação, baseadas em processos de fermentação. Essas técnicas são utilizadas até hoje, ainda que não tenhamos conhecimento nem lhe atribuamos o devido valor.

Entre os subprodutos da mandioca, oriundos dos processos de fermentação, podemos citar a farinha-d'água, o polvilho azedo (sem o qual não temos pão de queijo), a puba, o tucupi, o caxiri, o cauim e diversos tipos de farinha, onipresentes nas mesas de todo o território norte e nordeste do país.

No caso, a técnica rudimentar desenvolvida consiste tão simplesmente em submergir as raízes na água, seja no rio, dentro de canoas que afundam com o peso, seja em cercados. No caso da mandioca-brava, o processo de fermentação auxilia na quebra dos compostos cianogênicos, responsáveis pela produção de cianeto, cuja ingestão pode ser mortal.

Fermentação à Brasileira

Etapas da separação dos componentes da mandioca fermentada. O primeiro passo é ralar a mandioca **1** *e batê-la no liquidificador. Em seguida, fazemos a prensagem* **2** *do material, obtendo uma parte líquida (manipueira) e uma sólida (puba)* **3**; *depois de decantada a manipueira, é possível separar* **4** *a fécula (amido não solúvel em água) para obter polvilho doce; O caldo restante é o principal ingrediente da base do tucupi (ver fotos na página ao lado).*

O processo de submersão da mandioca em água chama-se "pubagem", e o resultado é muitas vezes uma massa de aroma pungente, pouco convidativa, que passa então por um processo de lavagem, perdendo parte considerável do material.

Se fizermos o processo em um pote de fermentação que garanta um meio anaeróbico (o que felizmente não acontece em um rio, onde o oxigênio está presente e sem o qual não haveria peixes nem outras formas de vida que dependem de metabolismo aeróbico), poderemos utilizar 100% das raízes e mesmo a água da fermentação (que no caso não leva sal) para produzir bolos, pães, farinhas, entre outras receitas.

Para entender a origem dos diferentes produtos da mandioca, o melhor exercício é processá-la, ralando-a e espremendo seu suco. Se você tem um liquidificador, pode picá-la em pequenos pedaços e bater, adicionando o mínimo de água possível. Nós fazemos isso utilizando uma centrífuga (suqueira), que separa o líquido da polpa com facilidade. Uma prensa a frio também faz bem o serviço.

O líquido de cor amarelo-leitosa que se separa da massa é chamado de manipueira. Coloque-o em um pote de fermentação e observe que em poucas horas ele deixa de ser turvo, e parte da farinha que estava em suspensão decanta. Trata-se da fécula da mandioca, amido não solúvel em água. Seco, é também chamado de polvilho doce, e, quando cozido com água, numa espécie de mingau, é chamado de goma, base do tacacá, um dos pratos indígenas mais importantes da culinária do norte brasileiro.

A fécula, o líquido e o bagaço são oriundos do processo da fermentação da mandioca, que será apresentado nas receitas a seguir.

Note que todos os nossos testes foram feitos com mandioca mansa, também chamada de macaxeira ou aipim. Embora existam diversos estudos[42] que atestem a segurança alimentar do processo de fermentação seguido de cocção ou assamento na diminuição do cianeto presente na mandioca-brava, não recomendamos trabalhar com ela.

---

[42] Ver, por exemplo: Renan Campos Chisté e Kelly de Oliveira Cohen, "Teor de Cianeto Total e Livre nas Etapas de Processamento do Tucupi", 2011.

Arranca a mandioca
Coloca no aturá
Prepara a sororoca
Tem mandioca pra ralar
Oh, prepara a peneira
Joga na masseira
Pega no tipiti
Pra tirar o tucupi
Fiz meu retiro na beira do Igarapé
Fica melhor pro poço da mandioca
Fiz meu retiro na beira do Igarapé
Fica melhor pro poço da mandioca
De arumã ou tala de miriti
Mandei descer o famoso tipiti
De arumã ou tala de miriti
mandei descer o famoso tipiti
Tipiti, piti, piti, piti, piti, piti
De arumã ou tala de miriti
Pega no ralo, moreno!
Na mandioca, morena!
Pega na massa
Espreme no tipiti
No balanço da peneira
No jogo do tipiti
Sai a crueira
E o gostoso Tucupi
Farinha-d'água, farinha de tapioca
Tem vitamina na raiz da mandioca

Dona Onete
"Tipiti"

Mandioca pubada

RENDIMENTO	DIFICULDADE	PREPARO	FERMENTAÇÃO
1 Kg	FÁCIL	10 MINUTOS	ANAERÓBICA

Ingredientes

» 1 kg de mandioca descascada
» Água suficiente para cobrir a mandioca

Preparo

1. *Adicione a mandioca e a água ao pote de fermentação e tampe com o airlock. Se você não tiver um pote de fermentação, use um outro qualquer e certifique que ela fique submersa.*

2. *Aguarde de 1 semana a 2 meses, até que ela fique macia e mole.*

Tucupi

RENDIMENTO	DIFICULDADE	PREPARO	FERMENTAÇÃO
1 LITRO	MÉDIA	3-15 DIAS	ANAERÓBICA

Ingredientes

» 5 kg de macaxeira (mandioca mansa)
» 1,5 litro de água (caso não conte com uma prensa a frio ou centrifuga de frutas)
» 4 dentes de alho cortados ao meio
» 2 maços de chicória (coentrão)
» 1 maço de alfavaca
» 30 g de pimenta murupi ou outra de sua preferência
» 20 g de sal

Preparo

1. Pique a macaxeira e passe pela prensa ou centrífuga, de forma a separar a parte líquida da sólida. Reserve a massa para a próxima receita.

2. Caso não disponha desses utensílios, bata a mandioca picada ou ralada com água no liquidificador, coando e reutilizando o líquido a cada vez. Quanto menos água conseguir utilizar, melhor: o resultado será um molho menos diluído, com mais intensidade de sabor. Como última opção, rale a mandioca bem fina e esprema com a mão ou pano de algodão ou voile para retirar o suco. Os indígenas prensam a mandioca ralada no instrumento impressionante chamado tipiti.

3. Filtre bem o líquido (manipueira) com auxílio de um voile ou pano de algodão. A massa sólida que sobra compõe também a próxima receita.

4. Deixe o líquido decantar em um pote de 4 a 12 horas.

5. Verta o líquido sobrenadante no pote de fermentação com airlock próprio para fermentação anaeróbica. Reserve a fécula que decantou.

6. Deixe fermentar por 3 a 15 dias, de acordo com seu gosto. Quanto mais tempo, mais azedo vai ficar.

7. Depois do período desejado de fermentação, cozinhe o líquido com o restante dos ingredientes.

8. A massa sólida e a fécula que sobraram desta receita serão utilizadas nas duas próximas receitas.

Polvilho azedo

RENDIMENTO	DIFICULDADE	PREPARO	FERMENTAÇÃO
250 g	MÉDIA	15-40 DIAS	ANAERÓBICA

Se desidratarmos a fécula que decanta da manipueira na receita anterior, teremos prontamente o polvilho doce, base de muitas receitas da cozinha brasileira. Basta cozinhar este polvilho com um pouco d'água para obtermos a massa transparente chamada de goma, que figura nas cuias de tacacá, por exemplo. Para obtermos o polvilho azedo, devemos fermentá-lo.

Ingredientes

» Fécula de mandioca da receita anterior

Preparo

1. *Coloque a fécula (ainda hidratada) em um pote de fermentação.*

2. *Aguarde de 15 a 40 dias.*

Massa de mandioca pubada (carimã)

RENDIMENTO: 4 KG | DIFICULDADE: MÉDIA | PREPARO: 5 DIAS-2 MESES | FERMENTAÇÃO: ANAERÓBICA

Ingredientes

» Massa sólida (bagaço) da mandioca que sobrou da receita de Tucupi (p. 183)

Preparo

1. *Coloque a fécula (ainda hidratada) em um pote de fermentação.*

2. *Aguarde de 5 dias a 2 meses.*

3. *Após o tempo de fermentação que traga a acidez desejada, você pode levar a massa à geladeira para retardar o processo ou mesmo secá-la em um desidratador, ao sol ou no forno (o ideal é que atinja umidade de 9%).*

Blinis de puba

RENDIMENTO	DIFICULDADE	PREPARO
200 g	FÁCIL	15 MINUTOS

Ingredientes

» 150 g de mandioca pubada (carimã)
» 1 ovo
» 50 ml de água de puba (ou água ou leite de coco)

Preparo

1. *Bata todos os ingredientes no liquidificador.*

2. *Aqueça uma frigideira com um pouco de manteiga.*

3. *Despeje a mistura formando pequenas panquecas de 10 cm de diâmetro.*

4. *Vire-as de lado assim que enrijecerem. Sirva com geleias ou patês.*

Sorvete de tucupi
(receita de Fumie Sakai, confeiteira)

RENDIMENTO	DIFICULDADE	PREPARO
3 kg	FÁCIL	2 HORAS

Ingredientes

» 800 g de açúcar
» 1 litro de água
» 1,2 kg de tucupi

Preparo

1. *Misture o açúcar e a água e cozinhe em fogo médio até ferver. Ferva por mais 2 minutos e apague o fogo.*

2. *Espere a calda esfriar, acrescente o tucupi e leve à sorveteira.*

Bolo de mandioca pubada

RENDIMENTO: 850 g
DIFICULDADE: MÉDIA
PREPARO: 2 HORAS

Ingredientes

» 400 g de mandioca pubada (carimã)
» 200 ml de leite de coco
» 150 g de açúcar
» 100 g de coco ralado
» 50 g de óleo de girassol
» 10 g de fermento químico para bolo (opcional)

Preparo

1. Preaqueça o forno a 180 °C.

2. Bata no liquidificador a mandioca pubada, o leite de coco, o açúcar e o óleo até obter uma massa lisa e homogênea.

3. Transfira para uma tigela e incorpore o coco ralado.

4. Minutos antes de colocar o bolo no forno, adicione o fermento e misture bem.

5. Asse por 50 minutos ou até o topo ficar dourado.

6. Retire do forno, deixe esfriar e desenforme.

Dica: O fermento químico é opcional. Caso queira, deixe fermentar em temperatura ambiente por 6 horas antes de assar.

Pão de queijo

(receita do Instituto Brasil a Gosto)

RENDIMENTO: 30 UNIDADES
DIFICULDADE: MÉDIA
PREPARO: 1 HORA

Ingredientes

» 480 ml de leite
» 240 ml de óleo de milho
» 240 ml de água
» 40 g de sal
» 1 kg de polvilho azedo
» 300 g de queijo meia-cura ralado
» 5 ovos

Preparo

1. Preaqueça o forno a 180 °C.

2. Aqueça o leite, o óleo e a água numa panela. Desligue antes de ferver.

3. Misture o sal e o polvilho azedo numa tigela e escalde com os líquidos quentes, formando uma farofa rústica. Deixe esfriar.

4. Adicione o queijo à massa e, por último, os ovos.

5. A massa ficará um pouco mole, deixe descansar por 15 minutos.

6. Unte as mãos com óleo de milho e molde os pães de queijo.

7. Asse por 20 minutos, ou até que os pãezinhos estejam corados.

Fermentação à Brasileira

Cuscuz de uarini com tucupi e camarão
(receita do Instituto Brasil a Gosto)

RENDIMENTO: 6 PORÇÕES
DIFICULDADE: MÉDIA
PREPARO: 2 HORAS

Ingredientes

» 1 kg de camarão grande e limpo
» 2 limões
» 2 dentes de alho picados
» 50 g de azeite extravirgem
» 1 cebola picada
» 300 g de farinha uarini ovinha
» 350 ml de tucupi
» 140 g de castanha-do-pará torrada
» 1 manga cortada em cubos
» 3 tomates, sem sementes, cortados em cubos
» 20 g de conserva de limão-galego em conserva (p. 157) cortada em cubos pequenos
» ½ maço de folhas e talos de coentro picados
» Sal e pimenta-do-reino a gosto

Preparo

1. Tempere o camarão com o limão, o alho, duas colheres de azeite e sal. Reserve.

2. Hidrate a farinha de uarini com o tucupi, coloque uma pitada de sal e deixe descansar por meia hora.

3. Torre as castanhas-do-pará e triture-as, formando uma farofa grossa.

4. Misture a manga, o tomate, a conserva de limão e o coentro com a farinha. Separe algumas folhas do coentro para finalização.

5. Em uma frigideira grande, aqueça o azeite restante e refogue a cebola. Adicione os camarões e sele de todos os lados.

6. Tire do fogo e coloque a farinha com os legumes na frigideira. Adicione as castanhas e misture bem.

7. Acerte o tempero com sal e pimenta-do-reino e finalize com as folhas de coentro.

Biscoito de polvilho com óleo de urucum e semente de abóbora

(receita do Instituto Brasil a Gosto)

RENDIMENTO: 2 UNIDADES
DIFICULDADE: MÉDIA
PREPARO: 1 HORA

Ingredientes

» 15 g de semente de urucum
» 120 ml de óleo de milho
» 120 ml de água
» 5 g de sal
» 20 g de açúcar
» 225 g de polvilho azedo
» 75 g de polvilho doce
» 80 ml de leite
» 1 ovo
» 20 g de sementes de abóbora descascadas
» Óleo de milho, para untar

Preparo

1. Preaqueça o forno a 160 °C.

2. Numa panela pequena, aqueça as sementes de urucum no óleo durante 3 minutos. Passe por uma peneira de metal e reserve o óleo pigmentado.

3. Misture ½ xícara de óleo de urucum com a água, o sal e o açúcar e leve ao fogo até começar a ferver. Desligue.

4. Enquanto aquece, misture os polvilhos numa tigela.

5. Adicione os líquidos quentes na mistura de polvilho, escaldando a massa.

6. Acrescente o leite aos poucos, misturando bem, e depois o ovo.

7. Use uma manta siliconada (silpat) ou unte uma assadeira com óleo e cubra com papel-manteiga. Espalhe a massa formando uma camada bem fina.

8. Espalhe as sementes de abóbora e asse por 20 minutos ou até que estejam crocantes. Armazene em recipiente fechado.

Fermentação à Brasileira

Escondidinho de carne-seca com puba

(receita do Instituto Brasil a Gosto)

RENDIMENTO: 4 PORÇÕES
DIFICULDADE: MÉDIA
PREPARO: 4 HORAS

Ingredientes

» 800 g de carne-seca dessalgada
» 800 g de mandioca pubada ralada (ver receita na p. 183)
» 3 dentes de alho picados
» 100 g de manteiga sem sal
» 700 ml de leite
» 350 ml de água
» 40 g de manteiga de garrafa
» 1 cebola média cortada em tiras
» 300 g de queijo de coalho ralado
» Sal a gosto
» Cebolinha picada, para finalizar

Preparo

1. Cozinhe a carne-seca já dessalgada; desfie e reserve.

2. Rale a mandioca pubada, caso você tenha fermentado inteira. Refogue o alho na manteiga; junte a puba ralada, o leite, a água e cozinhe por alguns minutos, tempere com sal e bata no processador, para formar um purê liso.

3. Em uma frigideira, refogue a carne-seca na manteiga de garrafa e adicione a cebola; tempere com a cebolinha.

4. Monte o prato em uma travessa ou em cumbucas individuais, na seguinte ordem: uma camada de purê, uma de carne-seca, outra de purê e finalize com uma de queijo de coalho.

5. Leve ao forno a 180 °C por 15 minutos, até dourar.

Rabada no tucupi

(receita do Instituto Brasil a Gosto)

RENDIMENTO	DIFICULDADE	PREPARO
4 PORÇÕES	MÉDIA	4 HORAS

Ingredientes

» 1 kg de rabada
» 3 dentes de alho picados
» 40 g de azeite de oliva
» 1 litro de tucupi
» ½ maço de jambu
» Sal e pimenta-do-reino a gosto

Preparo

1. Corte a rabada nas juntas e tempere com sal, pimenta-do-reino e alho. Reserve por pelo menos 2 horas, para marinar.

2. Aqueça o azeite e sele a carne.

3. Cubra com água dois dedos acima da carne e cozinhe por 1 hora na panela de pressão.

4. Tire toda a pressão, abra a panela e, em fogo médio, deixe reduzir o caldo até quase secar.

5. Quando faltarem cerca de 30 minutos para o final do cozimento, aqueça o tucupi e cozinhe as folhas de jambu até ficarem macias.

6. Junte à rabada e termine o cozimento. Acerte o tempero e sirva com arroz branco e farinha-d'água.

Fermentação à Brasileira

Mingau de carimã com cumaru e castanha-do-brasil

(receita do Instituto Brasil a Gosto)

RENDIMENTO: 1 PORÇÃO
DIFICULDADE: FÁCIL
PREPARO: 15 MINUTOS

Ingredientes

» 80 g de mandioca pubada (carimã; *ver receita na p. 185*)
» 40 g de açúcar
» 120 ml de leite de coco
» 120 ml de leite de vaca
» 80 g de castanha-do-brasil torrada e quebrada
» Cumaru e canela a gosto

Preparo

1. Bata todos os ingredientes no liquidificador, exceto as castanhas, a canela e o cumaru.

2. Leve para o fogo baixo, mexendo sempre.

3. Desligue quando engrossar.

4. Polvilhe canela e cumaru ralado.

5. Sirva com castanhas torradas ou nibs de cacau fermentado.

Grãos e sementes

Há atualmente uma crescente conscientização da população sobre a importância da alimentação na melhoria da qualidade de vida e na prevenção de diversos tipos de doenças. Ao mesmo tempo, os problemas de saúde pública relacionados à má qualidade da alimentação vêm sendo evidenciados e motivam preocupação. Um exemplo disso é o fato de que o abuso da ingestão de farinhas de trigo altamente processadas resultou no aumento de pessoas intolerantes ao glúten, proteína presente em todos os produtos preparados com farinha de trigo (pães, biscoitos, macarrão etc.). Esse fato desencadeadou uma grande procura por alternativas saudáveis de alimentos que contenham carboidratos sem glúten.

É possível fermentar todos os tipos de grãos, não apenas o trigo. A fermentação de grãos é feita há milênios e consta de registros desde o Egito antigo, Índia, África, Japão, América e Leste Europeu, onde se transformam diversos tipos de arroz, soja, lentilhas, feijão, grão-de-bico, quinoa, amaranto e milho em faláfel, acarajé, *idlis e dosas*, entre outros pratos étnicos tradicionais.

A fermentação torna os grãos mais digeríveis, nutritivos e saborosos. Com ela, obtemos massas naturalmente aeradas para cocção, assamento, vapor ou fritura, sem necessidade de adição de bicarbonato de sódio ou outro químico, ou seja, da forma mais saudável, como tradicionalmente é feito.

Todo o processo é rápido e fácil. Opcionalmente, os grãos podem ser germinados para tornar seus nutrientes e enzimas mais disponíveis no consumo.

Escolha dos grãos

Escolha sempre grãos e sementes de fornecedores confiáveis, de preferência orgânicos, selecionados e frescos. Grãos que passaram pelo processo de irradiação não germinarão. Fazemos a divisão de grãos e sementes em 3 categorias:

1) Oleaginosas (*contêm mais elementos oleosos na composição*).
Exemplos: semente de girassol, gergelim, linhaça, amêndoas, nozes e soja.
Melhor forma de consumo: in natura, *processadas a frio ou em baixa temperatura.*

2) Amiláceas (*contêm mais amido na composição*).
Exemplos: arroz, quinoa, aveia, cevada e trigo.
Melhor forma de consumo: cozidas ou assadas.

3) Proteicas (*contêm mais aminoácidos e proteínas na composição*).
Exemplos: feijões, ervilhas, lentilhas e soja.
Melhor forma de consumo: cozidas ou assadas.

Misturar e fermentar grãos das três categorias pode ser divertido e saboroso; atente-se apenas para o fato de que alguns grãos necessitam do cozimento ou assamento para o consumo, e isso deve ser respeitado para evitar a ingestão de toxinas indesejáveis. Caso tenha dúvidas se após fermentado deve ser cozido, lembre-se de como o grão é consumido normalmente e siga a mesma regra.

Molho de mostarda
(receita na p. 213).

Hidratação

Todas as sementes contam com uma estratégia natural de defesa contra o mundo externo. Suas cascas rígidas ou fitatos (substâncias inibidoras) têm o papel de proteger da melhor forma possível o conteúdo interno contra bactérias e outros microrganismos. Para "quebrar" essa defesa, precisamos submeter os grãos a um processo de hidratação através de reações químicas naturais possibilitadas por enzimas presentes em sua composição (hidrólise).

O processo é simples e fácil e consiste em deixar os grãos de molho em água mineral e potável por um tempo determinado. É importante trocar a água de hidratação pelo menos duas vezes para que as substâncias indesejáveis que se desprendem durante o processo sejam descartadas.

Escolha um recipiente de plástico, inox, louça ou vidro, adicione a medida dos grãos e despeje o dobro da quantidade de grãos em água. Ou seja: se você demolhar 1 xícara (chá) de arroz integral, utilize 2 xícaras, da mesma medida, de água.

Castanhas, amendoim, macadâmia e outras oleaginosas em particular não possuem as substâncias de defesa indesejáveis (como os feijões e outros grãos proteicos), pois são protegidas por cascas impenetráveis em um ambiente natural e, quando compramos, na maioria das vezes já estão descascadas.

O tempo médio de hidratação para os grãos é de 12 a 24 horas.

Hidratação e germinação

Sementes	Hidratação	Germinação
Alpiste	6 a 10 horas	2 a 3 dias
Abóbora	10 a 16 horas	2 a 3 dias
Agrião	4 a 6 horas	7 dias
Alfafa	4 a 6 horas	5 a 7 dias
Coentro	4 a 6 horas	1 a 2 dias
Feno-grego	4 a 6 horas	3 a 5 dias
Gergelim	4 horas	1 a 2 dias
Girassol	6 a 10 horas	2 a 3 dias
Linhaça	4 horas	1 a 2 dias
Mostarda	4 a 6 horas	2 a 3 dias
Painço	6 a 10 horas	2 a 3 dias
Rúcula	6 a 10 horas	7 dias

Castanha	Hidratação	Germinação
Amêndoa	6 a 12 horas	-
Avelã	6 a 10 horas	-
Castanha-do-pará	1 a 2 horas	-
Nozes	1 a 2 horas	-
Noz pecã	1 a 2 horas	-
Macadâmia	-	-
Pistache	-	-

Cereais	Hidratação	Germinação
Arroz branco	4 horas	-
Arroz integral	12 horas	-
Aveia	4 horas	1 dia
Centeio	6 a 10 horas	5 a 7 dias
Cevada	6 a 10 horas	5 a 7 dias
Cevadinha	4 horas	1 a 2 dias
Quinoa	3 horas	1 dia
Trigo	6 a 10 horas	2 a 3 dias
Trigo-sarraceno	apenas umedecer	2 a 3 dias

Leguminosas	Hidratação	Germinação
Amendoim	6 a 10 horas	1 a 3 dias
Ervilha	6 a 10 horas	1 a 3 dias

Feijão-azuqui	6 a 10 horas	3 a 5 dias
Feijão moyashi	6 a 10 horas	3 a 5 dias
Grão-de-bico	6 a 10 horas	1 a 3 dias
Lentilha	6 a 10 horas	1 a 3 dias
Soja	6 a 10 horas	2 a 3 dias

Frutas secas	Hidratação	Germinação
Ameixa	2 a 6 horas	-
Banana	2 a 6 horas	-
Damasco	2 a 6 horas	-
Tâmara	2 a 6 horas	-
Uva-passa	2 a 6 horas	-

Germinação

Opcionalmente, após a demolhagem, alguns grãos podem ser levados à germinação. Esse processo, além de promover maior quebra do ácido fítico, torna disponíveis vitaminas que a semente utilizaria para crescer.

O processo consiste em deixar os grãos sempre úmidos (mas não submersos), permitindo que o ar passe por entre eles. Com períodos de 1 a 3 dias, nota-se o surgimento das pequenas raízes saindo dos grãos. Não deixe as raízes crescerem mais que 1 cm, ou o grão pode ficar levemente amargo.

O tempo de germinação pode levar de 4 horas a 3 dias, dependendo do grão.

Processamento dos grãos

Após o tempo de demolhagem e germinação (se for submetido), escorra toda a água e bata os grãos no liquidificador ou processador. Esse processo deve ser feito com os equipamentos em baixa velocidade, desligando para mexer os grãos com uma colher de madeira e, conforme a necessidade, adicionar água aos poucos para processar com mais facilidade.

Não adicione muita água, pois os resultados devem ser pastosos. Nesse momento, temperos e outros ingredientes, como cebola e alho, podem ser adicionados para processar junto.

Fermentação

Após a obtenção da pasta de grãos, transfira para um pote de vidro lavado e sanitizado, tampe e deixe em temperatura ambiente. Em poucas horas, a massa vai se mostrar aerada (com bolhas). Deixe fermentar por 12 a 24 horas ou até que ela dobre de tamanho.

Se fermentar por muito tempo, a massa voltará a se condensar, e você verá marcas de onde atingiu o seu crescimento. Nesse instante, ela já pode ser utilizada, ou guardada na geladeira.

Fermentação à Brasileira

Bolinho de feijão fradinho fermentado – variação do acarajé

(receita do Instituto Brasil a Gosto)

RENDIMENTO	DIFICULDADE	PREPARO	FERMENTAÇÃO	MATURAÇÃO
3 UNIDADES	MÉDIA	2 DIAS	ANAERÓBICA	2 DIAS

Ingredientes

» 200 g de feijão-fradinho
» ½ cebola
» Óleo vegetal, para fritar
» 1 colher (sopa) de azeite de dendê, para fritar

Preparo

1. *Demolhe o feijão por 8 horas. Bata no liquidificador ou processador com a cebola. O processo para bater é lento, e você deve desligar diversas vezes o aparelho e rearranjar a massa com o auxílio de uma colher.*

2. *Coloque a mistura em um pote e deixe fermentar por pelo menos 1 dia, ou até que você veja as bolhas se formando.*

3. *Com o auxílio de uma colher ou com as mãos, faça bolinhos e frite-os no azeite de dendê ou asse-os.*

4. *Recheie com tudo de bom que leva um acarajé ou um recheio à sua escolha.*

Faláfel fermentado
(bolinho de grão-de-bico)

RENDIMENTO	DIFICULDADE	PREPARO	FERMENTAÇÃO
15 UNIDADES	MÉDIA	2 DIAS	ANAERÓBICA

Ingredientes

- 600 g de grão-de-bico
- 150 g de cebola
- 20 g de alho
- 50 g de salsinha
- 30 g de coentro
- 1 colher (sopa) de cominho
- 1 colher (sopa) rasa de sal
- 130 g de água
- Pimenta-do-reino a gosto

Preparo

1. Demolhe apenas o grão-de-bico por 1 a 2 dias, trocando a água duas vezes durante esse período.

2. No liquidificador ou processador, triture os grãos com os outros ingredientes.

3. Coloque em um pote de vidro e aguarde ao menos 1 dia, para que apareçam as bolhas de gás e a massa fique aerada.

4. Faça bolinhos e frite-os ou asse-os no forno.

Dica: muitas receitas falam em retirar as cascas do grão-de-bico, que seriam indigestas, porém, no processo de fermentação, os microrganismos fazem esse trabalho para você. Portanto, experimente não tirar para ver o resultado (além de render mais e ser muito menos trabalhoso).

Pasta de castanha-de-caju fermentada

RENDIMENTO: 200 g
DIFICULDADE: MÉDIA
PREPARO: 2 DIAS
FERMENTAÇÃO: ANAERÓBICA

Ingredientes

» 200 g de castanha-de-caju crua
» ¼ de limão espremido (para que a oxidação não escureça as castanhas)
» 1 colher (café) de sal
» ½ dente de alho

Preparo

1. Deixe as castanhas de molho por 12 horas.

2. Bata aos poucos no liquidificador, adicionando um pouco de água com todos os outros ingredientes, até formar um creme homogêneo.

3. Transfira para um pote de vidro, feche e deixe fermentar por 2 dias. Nesse tempo, você verá bolhas se formarem no meio da massa, que vai crescer de 1 a 2 dedos acima da marca inicial.

4. Após a fermentação, consuma a pasta crua em até 15 dias e mantenha o pote fechado na geladeira. Acompanha bem torradas, queijos e peixes.

Dica: experimente substituir a castanha-de-caju por macadâmia, amendoim cru ou semente de girassol.

Bolo de arroz com kefir de água

RENDIMENTO	DIFICULDADE	PREPARO	FERMENTAÇÃO	MATURAÇÃO
400 g	MÉDIA	2 DIAS	AERÓBICA	1 DIA

Ingredientes

» 400 g de arroz branco cru
» 200 g de água de kefir de água
» 4 ovos
» 135 g de óleo de girassol
» 250 g de açúcar cristal
» 200 g de leite ou iogurte
» 100 g de queijo parmesão ralado (opcional)
» 100 g de coco seco ralado (opcional)

Preparo

1. Coloque o arroz branco de molho em água de um dia para o outro.

2. Escorra o arroz com uma peneira, bata-o no liquidificador com a água de kefir até virar uma pasta e transfira para um pote.

3. Deixe fermentar de um dia para o outro ou até a massa dobrar de tamanho.

4. Após fermentado, no liquidificador, bata os ovos, o óleo e o açúcar.

5. Acrescente o arroz fermentado, o leite ou iogurte e o queijo ralado e bata bem até ficar uma massa homogênea.

6. Passe para outro recipiente, adicione o coco ralado e misture.

7. Despeje em uma fôrma untada e enfarinhada em fogo baixo (180 °C a 200 °C) por 45 minutos, ou até dourar.

Dica: substitua o coco por maracujá e gengibre, colocando apenas 50 ml de leite e 2 maracujás inteiros, o gengibre em pedaços pequenos e batido no liquidificador.

Mostarda

RENDIMENTO	DIFICULDADE	PREPARO	FERMENTAÇÃO
600 g	FÁCIL	7 DIAS	ANAERÓBICA

Ingredientes

» 200 g de grãos de mostarda
» 450 ml de vinagre de maracujá (ou qualquer vinagre de marcas convencionais, kombucha de primeira fermentação, kefir de água ou soro de kefir de leite)
» 12 g de sal
» 5 g de cúrcuma em pó e outras especiarias a gosto

Preparo

Misture os grãos, o vinagre e o sal e acondicione em um pote de fermentação por 1 semana. Decorrido esse tempo, bata a mistura no liquidificador com a cúrcuma até obter a textura desejada. Conserve em um pote na geladeira.

Nukadoko e Nukazuke

RENDIMENTO	DIFICULDADE	PREPARO	FERMENTAÇÃO
1,5 kg	MÉDIA	1 MÊS	AERÓBICA

Nukazuke é uma espécie de casulo mágico japonês onde qualquer vegetal enterrado se transforma em um fermentado cheio de vida, aroma e sabor complexos, além de conservar, objetivo de qualquer cultura que deseje prolongar a vida dos vegetais sem recorrer à desidratação, nem à geladeira ou conservante químico.

Os vegetais são enterrados em uma cama (massa) de farelo de arroz torrada especialmente preparada, chamada de *nukadoko*. *Nuka* significa farelo de arroz, e *doko* o lugar (cama, no caso). A técnica se popularizou no Xogunato Edo (1603-1868), época em que se iniciou a era moderna no país, com fortalecimento da classe comerciante e quando o arroz virou base da economia.

Fermentação à Brasileira

O farelo de arroz, por ser muito fibroso, não é palatável e, portanto, não é utilizado na alimentação direta de humanos. Apesar disso, muito pode ser feito com ele, de forma a aproveitar parte de seus benefícios (possui vitamina B e E, e os elementos Mg, Fe e K, além de antioxidantes).

Esse insumo não é muito comum nos supermercados, mas pela internet você encontrará facilmente o farelo de arroz. Nós compramos na zona cerealista de São Paulo, que envia também para todo o Brasil; basta procurar na internet.

Existe, como sempre ocorre com técnicas e formulações milenares, uma infinidade de receitas para se iniciar um *nukadoko*. Nós fizemos a nossa releitura, adicionando insumos brasileiros: folhas de aroeira, pitanga e limão--galego, além de caldo de limão em conserva (*receita na página 157*), que sempre temos ao alcance quando queremos fazer algo impressionante.

Ingredientes *nukadoko*

- » 1 kg de farelo de arroz
- » 600 g água
- » 20 folhas de pitangueira
- » 6 folhas de limão-galego (ou outro cítrico)
- » 1 rama de folhas de aroeira
- » 2 colheres de sopa de folhas de caril (*Neem* doce)
- » 1 colher de sopa de missô vivo (opcional, como inóculo)
- » Sal: 10% da quantidade de farelo de arroz. Fizemos a composição da seguinte forma:
  - • 85 g de caldo de limão fermentado, que é de muito sal originário da conserva
  - • 25 g de sal
- » 3 pimentas dedo-de-moça (retire as sementes ou diminua a quantidade se desejar menos picante);
- » Casca de 1 ovo fervida (opcional);
- » 20 g de gengibe ralado;
- » 10 g de *kombu* hidratada.

Dica: você pode acrescentar também casca de maçã, figo seco ou outra fruta desidratada para trazer açúcar e microrganismos; fique à vontade para criar.

Preparo do *nukadoko*

1. *Passe o farelo, em pequenas porções, por uma rápida torra na frigideira (menos de 1 minuto, até começar a sentir o aroma se desprender).*

2. *Deixe esfriar e adicione a água e o restante dos ingredientes.*

3. *Amasse até formar uma massa compacta, da qual não escorra água ao apertar. Nesse momento, a cama ainda está frágil, suscetível a contaminações.*

CAPÍTULO III | COMIDA

4. *O nukadoko é uma conserva de fermentação aeróbica (aberta, com auxílio de oxigênio), e, portanto, você deverá misturá-la diariamente – duas vezes por dia ao menos –, até que ela esteja fortalecida e com uma defesa bioquímica contra patógenos (microrganismos nocivos à saúde) bem estabelecida. Isso deve acontecer no final do décimo dia. Você notará o surgimento de um aroma agradável frutado na massa.*

Como saber se está tudo ok? Como qualquer técnica milenar, não é necessário medidor de pH ou sequenciador de DNA. Pela aparência e aroma será suficiente. Não deverá haver formação de mofo (fungos) e o aroma deverá ser característico de uma fermentação: azedo e saboroso. Se houver um aroma de podridão, descarte e recomece o processo com toda paciência de um mestre zen.

Preparo do *nukazuke*

Uma vez que a sua cama de farelo de arroz estiver pronta, você pode prosseguir para o segundo passo: nukazuke, as conservas de vegetais enterrados na cama viva.

Escolha legumes de sua preferência, higienize bem com uma escova e enterre-os na massa viva. Não há necessidade de descascá-los (prefira sempre orgânicos), e o tempo de fermentação você irá decidir de acordo com seu paladar. Japoneses costumam deixar apenas algumas horas, experimente deixar alguns dias. Nós já deixamos chuchu enterrado durante 2 meses (na geladeira), e o resultado é um vegetal bem azedo, porém com uma riqueza e complexidade de aroma e sabor que irá transformar um simples prato de gohan, se utilizado em pequenas porções, por exemplo.

É interessante utilizar outros vegetais além dos clássico daikon (nabo), pepino, cenoura, rabanete, chuchu, brócolis, couve-flor, maxixe, inhame e frutas: maçã, ameixa, caju, entre outros, sempre com casca.

Ao desenterrar os vegetais da cama, retire o grosso do farelo e lave em água corrente (o que não é necessário, mas fica mais apresentável). Prove diariamente os legumes e descubra o tempo de fermentação que te apraz.

Lembre-se que os vegetais irão absorver o sal da cama, portanto prove-a regularmente e corrija a quantidade de sal da massa. Além disso, parte do farelo irá se perder com a retirada dos legumes, portanto é também necessário repô-lo com o tempo. Aproveite para retemperar com os ingredientes que foram utilizados inicialmente na geração do nukadoko.

EPÍLOGO

É fascinante a reflexão de que devemos nossa humanidade aos microrganismos, não apenas de uma, mas várias maneiras. Neste trabalho, nos esforçamos para fazer as pazes e nos aproximar deles, entendendo seu papel na natureza e como são importantes para o meio ambiente, o nosso corpo e a nossa cozinha.

Um dos maiores físicos que já existiram, Richard Feynman, era muito brincalhão e um dia fez um pequeno discurso acerca de um copo de vinho:

"Um poeta disse uma vez: 'Todo o Universo está em um copo de vinho'. Provavelmente, nunca saberemos o que ele quis dizer com isso, pois os poetas não escrevem para ser entendidos. Mas é verdade que, se olharmos um copo de vinho suficientemente de perto, veremos todo o Universo. Existem muitas coisas da física: o líquido que evapora dependendo do vento e do clima, os reflexos no copo e nossa imaginação acrescentam os átomos. O copo é a essência das rochas da Terra, e, em sua composição, vemos os segredos da idade do Universo e a evolução das estrelas. Que estranho arranjo de substâncias quími-cas existem no vinho? Como eles vieram à existência? Existem os fermentos, as enzimas, os substratos e os produtos. Ali no vinho é encontrada a maior generalização: toda vida é fermentação. Ninguém pode descobrir a química do vinho sem chegar, como Louis Pasteur, à causa de muitas doenças. Como é vivo o vinho tinto, impondo sua existência à consciência de quem o observa! Se nossas pequenas mentes, por alguma conveniência, dividem esse copo de vinho, esse Universo, em partes – física, biologia, geologia, astronomia, psicologia e assim por diante –, lembre--se de que a natureza não sabe disso! Desta forma, vamos juntar tudo de volta, sem esquecer afinal para que serve. Que nos dê mais um prazer final: bebê-lo e esquecer tudo isso!"[43].

Trabalhar em conjunto com nossos diminutos colegas, seja através de pesquisas acadêmicas, industriais ou caseiras, é um exercício que nos torna ainda mais humanos: realizar a nossa capacidade inventiva e de maravilhamento, como seres conscientes, com o que existe de mais precioso no Universo: a vida!

---

[43] *"A poet once said, 'The whole universe is in a glass of wine.' We will probably never know in what sense he meant it, for poets do not write to be understood. But it is true that if we look at a glass of wine closely enough we see the entire universe. There are the things of physics: the twisting liquid which evaporates depending on the wind and weather, the reflection in the glass; and our imagination adds atoms. The glass is a distillation of the earth's rocks, and in its composition we see the secrets of the universe's age, and the evolution of stars. What strange array of chemicals are in the wine? How did they come to be? There are the ferments, the enzymes, the substrates, and the products. There in wine is found the great generalization; all life is fermentation. Nobody can discover the chemistry of wine without discovering, as did Louis Pasteur, the cause of much disease. How vivid is the claret, pressing its existence into the consciousness that watches it! If our small minds, for some convenience, divide this glass of wine, this universe, into parts – physics, biology, geology, astronomy, psychology, and so on – remember that nature does not know it! So let us put it all back together, not forgetting ultimately what it is for. Let it give us one more final pleasure; drink it and forget it all!."* Trecho da palestra "The Universe in a Glass of Wine", in *The Feynman Lectures on Physics*, 1964 (publicado no Brasil em 2008 como Lições de Física de Feynman).

GLOSSÁRIO

ABV
(Alcohol by volume)
Concentração alcoólica por volume, do inglês.

Acetaldeído
Produto da oxidação do etanol. Responsável pelo aroma de maçã verde ou uva verde nos fermentados alcoólicos e pela ressaca provocada por bebidas de má qualidade. Também conhecido como etanal.

Acidez
Concentração de determinado ácido no meio.

Ácidos orgânicos
Ácidos fracos produzidos regularmente por organismos vivos, geralmente solúveis em água e solventes orgânicos.

Aeróbico (processo)
Processo metabólico que ocorre na presença de oxigênio. Também chamado de Aerobiose.

Amilase
Enzima que quebra grandes moléculas de amido, produzindo outros
açúcares (como glicose, maltose).

Anaeróbico (processo)
Processo metabólico que ocorre na ausência de oxigênio. Também chamado de Anaerobiose.

Bactérias
São seres procariontes do reino Monera e estão entre os mais antigos do nosso planeta. Têm o DNA solto no citoplasma. Não possuem núcleo nem membranas internas.

Brassagem
Ato de produção do mosto (líquido) que será fermentado.

Brix
Unidade de concentração de açúcar dissolvido em uma solução (no mosto). 1 brix = 1% = 1 g de açúcar para 100 ml de água.

Densímetro
Aparelho que mede a concentração solvente em um meio líquido, por exemplo, a sacarose.

DNA
(Deoxyribonucleic acid)
Ácido desoxirribonucleico, composto por nucleotídeos representados pelas letras A, T, C, G, que compõem o alfabeto de um genoma.

Enzimas
Proteínas responsáveis por acelerar as reações químicas que ocorrem nos processos metabólicos.

Ésteres
Substâncias orgânicas resultantes da reação entre álcoois e ácidos. Parte deles é de compostos aromáticos, responsáveis pelo aroma das frutas, por exemplo. São também sintetizados nos processos fermentativos.

Fenóis
Compostos orgânicos caracterizados por uma ou mais hidroxilas ligadas a um anel aromático. Estão inclusos os taninos, antocianinas (polifenóis) e compostos de aroma e sabor.

Fermentação
Processo bioquímico anaeróbico de produção de energia nos seres vivos, principalmente microrganismos.

Fungos
Seres micro ou macroscópicos do reino Fungi cujas células possuem núcleo onde está armazenado o DNA (eucariontes). Podem ser unicelulares (caso das leveduras) ou pluricelulares.

Gene
Uma sequência de DNA que contém instruções para síntese de determinadas moléculas, geralmente proteínas.

Genoma
Conjunto de genes.

Glicose
Uma molécula de açúcar.

Heterofermentativo
Microrganismos que produzem diversos tipos de metabólitos.

Homofermentativo
Microrganismos que produzem apenas um tipo de metabólito.

Kombucha
Bebida produzida pela fermentação selvagem de chás e infusões com açúcar. A fermentação do kombucha ocorre por ação simbiótica de bactérias e leveduras.

Lactofermentado
Tradução direta do termo inglês lacto-fermentation (em que ácido lático é lactic acid). O termo, que não existe em português, pode confundir e deve ser evitado.

Leveduras
Um tipo de fungo.

Malolática
Processo fermentativo em que o ácido málico é transformado em ácido lático.

Metabolismo
Conjunto de transformações e reações químicas que ocorrem nos seres vivos.

Metabólitos
Substâncias geradas no processo metabólico.

Microbiologia
Área do conhecimento que estuda os microrganismos.

Microbioma
Conjunto de microrganismos presentes em determinado ecossistema.

Microbiota
Ver Microbioma.

Microrganismo
Organismo microscópico (que não pode ser visto a olho nu).

Mosto
Líquido rico em açúcares e nutrientes que é fermentado.

Pasteurização
Inativação dos microrganismos por aumento e decréscimo rápido de temperatura.

Patógenos
Microrganismos nocivos à saúde.

pH
Uma medida da concentração de íons de hidrogênio (H+) no meio. $pH = -\log[H+]$.

Priming
Correção do mosto por meio de açúcares, aromas e sabores antes do engarrafamento.

Protocooperação
Relação ecológica harmônica entre indivíduos de diferentes espécies (interespecífica) em que há benefícios para todos os seres envolvidos.

Refratômetro
Ver Densímetro.

Resíduo metabólico
Ver Metabólito.

Sacarímetro
Ver Densímetro.

Sanitização
Ato de limpar com produtos químicos determinado ambiente, utensílio ou equipamento, inativando microrganismos patógenos.

Selo d'água (airlock)
Equipamento que permite a fermentação anaeróbica.

SCOBY (Symbiotic Culture of Bacteria and Yeast)
Cultura simbiótica de bactérias e leveduras.

Simbiogênese
Área do conhecimento que estuda a dinâmica evolutiva dos seres vivos por meio da fusão de genes entre organismos.

Tanino
Substâncias orgânicas que dão sabor adstringente.

Trasfega
Ato de retirar a parte limpa de um mosto fermentado através de um sifão ou de uma torneira na base da cuba de fermentação.

REFERÊNCIAS BIBLIOGRÁFICAS

BAUDAR, Pascal. **The Wildcrafting Brewer: Creating Unique Drinks and Boozy Concoctions from Nature's Ingredients**. White River Junction: Chelsea Green Publishing, 2018.

BENNETT, Judith M. **Ale, Beer and Brewsters in England: Women's Work in a Changing World, 1300-1600**. Nova York: Oxford Univeristy Press, 1996.

CANN, Rebecca L. et al. "Mitochondrial DNA and Human Evolution". **Nature**, n. 524, pp. 31-6, 1987.

CARVALHO, Sara P. F. **Desenvolvimento de Vinagres a partir de Chás e Infusões**. Dissertação de mestrado. Lisboa: Universidade de Lisboa, 2016.

CHISTÉ, Renan Campos & COHEN, Kelly de Oliveira. "Teor de Cianeto Total e Livre nas Etapas de Processamento do Tucupi". **Revista Instituto Adolfo Lutz**, v. 70, n. 1, 2011.

DAWKINS, Richard. **O Gene Egoísta**. São Paulo: Companhia das Letras, 2007.

DE CLERCK, Jean. **A Textbook of Brewing**. V. 2. Londres: Chapman & Hall, 1957.

FAO. "Fermented Cereals: A Global Perspective". **FAO Agricultural Services Bulletin**, n. 138, 1999.

_____. "Fermented Fruits and Vegetables: A Global Perspective". **FAO Agricultural Services Bulletin**, n. 134, 1998.

GRANT, Ross. "Fermenting Sauerkraut Foments a Cancer Fighter". **Health Scout News Reporter**, 24 out. 2002.

HARARI, Yuval. **Sapiens: Uma Breve História da Humanidade**. São Paulo: L&PM, 2014.

KATZ, Sandor Ellix. **Wild Fermentation: The Flavor, Nutrition, and Craft of Live-Culture Foods**. White River Junction: Chelsea Green, 2012.

KEAN, Sam. **O Polegar do Violinista: e Outras Histórias da Genética sobre Amor, Guerra e Genialidade**. Rio de Janeiro: Jorge Zahar, 2013.

KOZYROVSKA, Natalia et al. "Kombucha Microbiome as a Probiotic: A View from the Perspective of Post-Genomics and Synthetic Ecology". **Biopolymers and Cell**, v. 28, pp. 103-113, 2012.

LANE, Nick. **Power, Sex, Suicide: Mitochondria and the Meaning of Life**. Oxford: Oxford University Press, 2016.

LEHNINGER, Albert; NELSON, David L. & COX, Michael M. **Lehninger Principles of Biochemistry**. Nova York: Worth Publishers, 2000.

MALDONADO, Oscar et al. "Wine and Vinegar Production from Tropical Fruits". **Journal of Food Science**, v. 40, n. 2, pp. 262-5, 1975.

MARGULIS, Lynn. **O Planeta Simbiótico: Uma Nova Perspectiva da Evolução**. São Paulo: Rocco, 2001.

MEREZHKOWSKY, Constantin. "The Theory of Two Plasms as Foundation of Symbiogenesis: A New Doctrine on the Origins of Organisms". **Proceedings Studies of the Imperial Kazan University**, n. 12, pp. 1-102, 1909.

MUKHERJEE, Siddhartha. **O Gene: Uma História Íntima**. São Paulo: Companhia das Letras, 2016.

OLIVER, Garrett. **The Brewmaster's Table**. Nova York: Harper Collins, 2003.

POLLAN, Michael. **Cozinhar: Uma História Natural da Transformação**. Rio de Janeiro: Intrínseca, 2013.

ROVELO, Carlo. **A Realidade não é o que Parece**. Rio de Janeiro: Objetiva, 2017.

SAGAN, Lynn. "On the Origin of Mitosing Cells". **Journal of Theoretical Biology**, vol. 14, n. 3, pp. 225-74, 1967.

SERVER-BUSSON, Claire et al. "Selection of Dairy Leuconostoc Isolates for Important Technological Properties". **Journal of Dairy Research**, v. 66, n. 2, pp. 245-256, 1999.

SCHMIDELL, Willibaldo et al. **Biotecnologia Industrial. v. 2**. São Paulo: Blücher, 2001.

WARMING, Marlies et al. "Does Intake of Trace Elements through Urban Gardening in Copenhagen Pose to Risk to Human Health? **Environmental Pollution**, v. 202, pp. 17-23, 2015.

WHITE, Chris & ZAINASHEFF, Jamil. **Yeast: The Practical Guide to Beer Fermentation**. Boulder: Brewers Publications, 2010.

WIEGEL, Juergen & CANGANELLA, Francesco. "Extreme Thermophiles". 10.1038, 2002.

WÖHLER, Friedrich. "The Demystified Secret of Alcoholic Fermentation". **Annalen der Pharmacie**, n. 29, pp. 100-104, 1839.

ALIMENTOS ULTRAPROCESSADOS NA SAÚDE HUMANA

BIELEMANN, Renata M. et al. "Consumo de Alimentos Ultraprocessados e Impacto na Dieta de Adultos Jovens". **Revista Saúde Pública**, v. 49, n. 28, 2015.

BRASIL. **Guia Alimentar para a População Brasileira**. 2. ed. Brasília: Ministério da Saúde / Secretaria de Atenção à Saúde / Departamento de Atenção Básica, 2014. Disponível em: http://bvsms.saude.gov.br/bvs/publicacoes/guia_alimentar_populacao_brasileira_2ed.pdf. Acesso em: 12 jul. 2019.

JACOBS, Andrew & RICHTEL, Matt. "How Big Business Got Brazil Hooked on Junk Food". **The New York Times**, 16 set. 2017. Disponível em: www.nytimes.com/interactive/2017/09/16/health/brazil-obesity-nestle.html. Acesso em: 01 nov. 2019.

JUUL, Filippa & HEMMINGSSON, Erik. "Trends in Consumption of Ultra-Processed Foods and Obesity in Sweden between 1960 and 2010". **Public Health Nutrition**, vol. 18, n. 17, pp. 3096-3107, dez. 2015.

LEITE, Fernanda Helena Marrocos et al. "Association of Neighbourhood Food Availability with the Consumption of Processed and Ultra-Processed Food Products by Children in a City of Brazil: A Multilevel Analysis". **Public Health Nutrition**, vol. 21, n. 1, pp. 189-200, jan. 2018.

_____. "Alimentos Ultraprocessados e Perfil Nutricional da Dieta no Brasil". **Revista de Saúde Pública**, v. 49, n. 1, 2015.

LOUZADA, Maria Laura da Costa et al. "The Share of Ultra-Processed Foods Determines the Overall Nutritional Quality of Diets in Brazil". **Public Health Nutrition**, vol. 21, n. 1, pp. 94-102, jan. 2018.

MONTEIRO, Carlos Augusto et al. "Household Availability of Ultra-Processed Foods and Obesity in Nineteen European countries". **Public Health Nutrition**, v. 21, n. 1, pp. 18-26, jan. 2018.
SCRINIS, Gyorgy & MONTEIRO, Carlos Augusto. "Ultra-Processed Foods and the Limits of Product Reformulation". **Public Health Nutrition**, v. 21, n. 1, pp. 247-52, jan. 2017.

MICROBIOMA HUMANO

COLLEN, Alanna. **10% Humano**. Rio de Janeiro: Sextante, 2015.

ENDERS, Giulia. **O Discreto Charme do Intestino: Tudo sobre o Órgão Maravilhoso**. São Paulo: Martins Fontes, 2015.

FAINTUCH, Joel (ed.). **Microbioma, Disbiose, Probióticos e Bacterioterapia**. Barueri: Manole, 2017.

PERLMUTTER, David. **Amigos da Mente: Nutrientes e Bactérias que Vão Curar e Proteger seu Cérebro**. São Paulo: Paralela, 2015.

CERVEJA E SUA LEVEDURA

BING, Jian et al. "Evidence for a Far East Asian Origin of Lager Beer Yeast". **Current Biology**, v. 24, n. 10, pp. 380, 2014.

GALLONE, Brigida et al. "Origins, Evolution, Domestication and Diversity of *Saccharomyces* Beer Yeasts". **Current Opinion in Biotechnology**, v. 49, pp. 148-55, fev. 2018.

_____. "Domestication and Divergence of *Saccharomyces* Cerevisiae Beer Yeasts". **Cell**, v. 166, n. 6, pp. 1397-1410, set. 2016.

GONÇALVES, Margarida et al. "Distinct Domestication Trajectories in Top-Fermenting Beer Yeasts and Wine Yeasts". **Current Biology**, v. 26, n. 20, pp. 2750-61, out. 2016.

HITTINGER, Chris Todd et al. "Diverse Yeasts for Diverse Fermented Beverages and Foods", **Current Opinion in Biotechnology**. v. 49, pp. 199-206, fev. 2018.

WHITE, Chris & ZAINASHEFF, Jamil. **Yeast: The Practical Guide to Beer Fermentation**. Boulder: Brewers Publications, 2010.

BRETTA

AGNOLUCCI, Monica et al. **World Journal of Microbiology and Biotechnology**. v. 33, p. 180, 2017.

BASSO, Rafael Felipe et al. "Could Non-*Saccharomyces* Yeasts Contribute on Innovative Brewing Fermentations?". **Food Research International**. v. 86, pp. 112-20, 2016.

CRAUWELS, Sam et al. "*Brettanomyces Bruxellensis*, Essential Contributor in Spontaneous Beer Fermentations Providing Novel Opportunities for the Brewing Industry", **Brewing Science**. v. 68, pp. 110-21, 2015.

BRETTA: AROMAS E SABORES

GREY, W. Blake, "Darth Vader is My Lover: Revelations About *Brettanomyces* in Wine". **The Palate Press**. 20 jan. 2013. Disponível em: http://palatepress.com/2013/01/wine/revelations-about-brettanomyces-in-wine. Acesso em: 9 set. 2019.

HOLT, Sylvester et al. "Bioflavoring by Non-Conventional Yeasts in Sequential Beer Fermentations". **Food Microbiology**. v. 72, pp. 55-66, 2018.

ROMANO, Andrea et al. "Sensory and Analytical Re-Evaluation of 'Brett Character'". **Food Chemistry**, v. 114, n. 1, pp. 15-19, 2009.

SMITH, Brendan D. & DIVOL, Benoit. "*Brettanomyces Bruxellensis*, a Survivalist Prepared for the Wine Apocalypse and Other Beverages". **Food Microbiology**, v. 59, pp. 161-75, 2016.

STEENSELS, Jan et al. "*Brettanomyces* Yeasts: From Spoilage Organisms to Valuable Contributors to Industrial Fermentations". **International Journal of Food Microbiology**. v. 206, pp. 24-38, 2015.

TONSMEIRE, Michael. **American Sour Beers: Innovative Techniques for Mixed Fermentations**. Colorado: Brewers, 2014.

WEDRAL, Danielle et al. "The Challenge of *Brettanomyces* in Wine". LWT: **Food Science and Technology**. v. 43, n. 10, pp. 1474-79, dez. 2010.

KEFIR DE LEITE

WESCHENFELDER, Simone. **Caracterização de Kefir Tradicional quanto à Composição Físico--Química, Sensorialidade e Atividade anti-*Escherichia coli***. Dissertação de mestrado. Porto Alegre: UFRGS, 2009.

ZANIRATI, Débora Ferreira. **Caracterização de Bactérias Láticas da Microbiota de Grãos de Kefir Cultivados em Leite ou Água com Açúcar Mascavo por Metodologias Dependentes e Independentes de Cultivos**. Dissertação de mestrado. Belo Horizonte: UFMG, 2012.

VEGETAÇÃO EM REGIÕES METROPOLITANAS

AMATO-LOURENÇO, Luís Fernando. **Agricultura Urbana: Guia de Boas Práticas**. São Paulo:

Instituto de Estudos Avançados, 2018. Disponível em: www.iea.usp.br/pesquisa/grupos-de-estudo/grupo-de-estudos-de-agricultura-urbana/publicacoes/cartilhasiteiea.pdf. Acesso em: 9 set. 2019.

_____. **A Influência da Poluição Atmosférica no Conteúdo Elementar e de Hidrocarbonetos Policíclicos Aromáticos no Cultivo de Vegetais Folhosos nas Hortas Urbanas de São Paulo**. Tese de doutorado. São Paulo: Universidade de São Paulo, 2018.

ATTANAYAKE, Chammi P. et al. "Potential Bioavailability of Lead, Arsenic, and Polycyclic Aromatic Hydrocarbons in Compost-Amended Urban Soils". **Journal of Environment Quality**, v. 44, n. 3, p. 930, 2015.

SAEUMEL, Ina et al. "How Healthy is Urban Horticulture in High Traffic Areas? Trace Metal Concentrations in Vegetable Crops from Plantings Within Inner City Neighbourhoods in Berlin, Germany". **Environmental Pollution**, v. 165, pp. 124-32, jun. 2012.

SCHRAM-BIJKERK, Dieneke et al. "Indicators to Support Healthy Urban Gardening in Urban Management". **Science of The Total Environment**, v. 621, pp. 863-71, abr. 2018.

WARMING, Marlies et al. "Does Intake of Trace Elements through Urban Gardening in Copenhagen Pose to Risk to Human Health? **Environmental Pollution**, v. 202, pp. 17-23, 2015.

GUIA DE PLANTAS ALIMENTÍCIAS

KINUPP, Valdely Ferreira. **Plantas Alimentícias não Convencionais da Região Metropolitana de Porto Alegre, RS**. Tese de doutorado. Porto Alegre: UFRGS, 2007. Disponível em: https://lume.ufrgs.br/handle/10183/12870. Acesso em: 28 ago. 2019.

KINUPP, Valdely Ferreira & LORENZI, Harri. **Plantas Alimentícias não Convencionais (Panc) no Brasil: Guia de Identificação, Aspectos Nutricionais e Receitas Ilustradas**. São Paulo: Instituto Plantarum de Estudos da Flora, 2014.

RANIERI, Guilherme Reis. **Guia Prático de Plantas Alimentícias não Convencionais (Panc)**. São Paulo: Instituto Kairós, 2017. Disponível em: https://institutokairos.net/wp-content/uploads/2017/08/Cartilha-Guia-Pr%C3%A1tico-de-PANC-Plantas-Alimenticias-Nao-Convencionais.pdf. Acesso em: 9 set. 2019.

FERMENTAÇÃO INDUSTRIAL

CARR, Frank J. "The Lactic Acid Bacteria: A Literature Survey". **Critical Reviews in Microbiology**, v. 28, n. 4, 2002.

ETCHELLS, J. L. et al. "Pure Culture Fermentation of Brined Cucumbers". **Applied Microbiology**, v. 12, n. 6, pp. 523-35, nov. 1964.

HURST, A. "Microbial Antagonism in Foods". **Canadian Institute of Food Science and Technology**, v. 6, pp. 80-90, 1977.

JOHANNINGSMEIER, Suzanne et al. "Effects of *Leuconostoc Mesenteroides* Starter". **Journal of Food Science**, v. 72, n. 5, 2007.

PEDERSON, C. S. "Floral Changes in the Fermentation of Sauerkraut". **N. Y. S. Agric. Exp. Sta. Techn. Bull.**, v. 168, 1930.

_____. "Sauerkraut". **Advances in Food Research**, v. 10, pp. 233-91, 1961.

_____. "The Effect of Pure Culture Inoculation on the Quality and Chemical Composition of Sauerkraut". **N. Y. S. Agric. Exp. Sta. Techn. Bull.**, v. 169, [s.d.].

_____. "The Sauerkraut Fermentation". **N. Y. S. Agric. Exp. Sta. Bull.** v. 824, 1969.

SILLIKER, J. H. et al. **Microorganisms in Foods: Microbial Ecology of Foods**. Cambridge: Academic Press, 1980.

ÍNDICE DAS RECEITAS

Achar, 176

Bala de gengibre, 85

Biscoito de polvilho com óleo de urucum e semente de abóbora, 195

Blinis de puba, 187

Bolinho de feijão fradinho fermentado - variação do acarajé, 206

Bolo de arroz com kefir de água, 210

Bolo de mandioca pubada, 188

Café, 78

Cambuboshi, umbuboshi, figoboshi e bilimboshi, 173

Cenoura, 78

Cerveja de ipê-roxo, 129

Cerveja de jatobá e quinaquina, 128

Charque vegetariano de SCOBY, 84

Chucrute de couve-manteiga, 152

Chucrute tradicional, 150

Chutney de manga, 165

Coalhada (iogurte) para o dia a dia, 50

Coalhada seca e soro de leite, 50

Conserva de azeitona-do-ceilão, 169

Conserva de bacupari, 168

Conserva de cabotiá e erva-doce, 155

Conserva de cenoura, 153

Conserva de jabuticaba, 167

Conserva de manga verde, 170

Conserva de nabo e cenoura ralados, 156

Cuscuz de uarini com tucupi e camarão, 192

Doce de banana com SCOBY, 84

Escondidinho de carne-seca com puba, 196

Extrato padrão de frutas, 76

Faláfel fermentado, 208

Fermento de gengibre, 46

Folha de banana, 88

Folha de cupuaçu, 88

Folha de goiaba, 87

Folha de maracujá, 89

Ginger ale, 97

Hibisco, gengibre e pimenta-rosa, 81

Hidromel clássico, 122

Kimchi de frutas, 163

Kimchi de verão, 161

Kimchi tropical, 164

Kombucha à base de chá-verde fraco, 74

Kombucha alcoólico de açaí, 120

Kombucha de chá-verde com gengibre, 66

La Jiao Jiang, 177

Laranja-baía de verão, 76

Leite fermentado com kefir, 53

Limão-galego em conserva, 157

Mandioca pubada, 183

Manteiga fermentada com kefir, 52

Maracujá com pimenta-rosa, 77

Massa de mandioca pubada (carimã), 185

Mate torrado com limão, 80

Melomel de jabuticaba, 125

Metheglin tupiniquim, 124

Mingau de carimã com cumaru e castanha-do-brasil, 200

Molho de pimenta fermentada, 174

Molho de salada fermentado, 176

Mostarda, 213

Nukadoko e *Nukazuke*, 213

Pão de queijo, 191

Pasta de castanha-de-caju fermentada, 209

Pepino e hortelã, 79

Polvilho azedo, 184

Rabada no tucupi, 199

Refrigerante de abacaxi com hortelã, 92

Refrigerante de batata-doce, 95

Refrigerante de beterraba, 91

Refrigerante de camu-camu, 93

Refrigerante de gengibre, 99

Refrigerante de laranja com acerola, 96

Refrigerante de melão com chá-verde, 97

Refrigerante de pepino, cidreira e limão, 96

Rejuvelac, 54

Relish de abacaxi e abobrinha, 166

Root beer tupiniquim, 128

SCOBY em calda, 82

Sidra de caju, 132

Sorvete de tucupi, 187

Tucupi, 183

Vinagre de beterraba, 103

Vinagre de chá-verde, 101

Vinagre de limão-galego, 104

Vinagre de maçã, 102

Vinagre de malte, 105

Vinagrete de limão em conserva, 159

Vinho de mate, 136

Vinho de sobremesa de jabuticaba, 135

Vinho seco de jabuticaba, 135

Fernando Goldenstein Carvalhaes é bacharel em física e mestre em biofísica (ambos pela USP), lecionou física, epistemologia da ciência e metodologia de pesquisa em escolas e universidades e trabalhou também no mundo corporativo antes de fundar a Companhia dos Fermentados, uma indústria de comidas e bebidas que faz o resgate de técnicas antigas de produção de alimentos de forma artesanal e natural. É fundador e professor da Escola Fermentare, que conta com mais de 18 cursos sobre os mais variados assuntos relacionados com o tema e ministra cursos por todo o Brasil nos SESCs, SENACs, escolas, restaurantes, indústrias e universidades de gastronomia, além do próprio espaço em São Paulo.

Leonardo Alves de Andrade é bacharel em design gráfico e digital pelo Instituto Europeu di Design (IED – SP) e fotografia pela Escola Panamericana de São Paulo, trabalhou com programação web, fotografia e marketing digital durante 8 anos. Fundou sua primeira empresa de fotografia panorâmica aos 17 anos e a vendeu aos 23. Sempre foi apaixonado por experimentos na cozinha e desde pequeno fazia bolos e doces com suas avós, mas nunca havia pensado em exercer a cozinha como profissão.

Pela vivência e paixão com os alimentos, ao conhecer Fernando embarcou na fermentação, enxergando a técnica como forma de transformação e conservação dos alimentos, e criou a Companhia dos Fermentados, uma indústria de alimentos e bebidas fermentadas. Com a experiência profissional que trouxe, criou o site, a identidade visual, fotografias e o conceito da marca.

Um ano após a fundação da indústria, criou a Fermentare Escola de Fermentação, que tem como principal missão difundir e resgatar as técnicas de fermentação de alimentos e bebidas para o grande público de forma simples e eficiente. Atualmente leciona em instituições como SESC, SENAC, grupos de estudos e universidades privadas pelo Brasil.

Há dois anos trabalha ativamente junto ao Ministério da Agricultura, Pecuária e Abastecimento (MAPA) para escrita da padronização de identidade e qualidade (PIQ) do kombucha no Brasil e há um ano fundou a ABKOM (Associação Brasileira de Kombucha), ação que reúne produtores comerciais de kombucha com o objetivo de unir a categoria e auxiliar os produtores nesse novo mercado.

AGRADECIMENTOS

Ailin Aleixo, pelo reconhecimento e incentivo ao nosso trabalho;

Ana Luiza Trajano e equipe do **Instituto Brasil a Gosto**, pela amizade, sem a qual este livro não teria o viés brasileiro;

Alessandra Domingues e **Marie Eve Hippenmeyer**, pela amizade e companheirismo e pelos primeiros envases na cozinha de casa com conversas gostosa;

André Mifano, o primeiro chef a dizer que nossos vegetais fermentados são do c******. Até então, a gente só desconfiava;

Carla Saueressig pela força, confiança, ensinamentos, amizade e reconhecimento. Devemos o sucesso do nosso kombucha pela sua cuidadosa escolha de chás e infusões;

Celso Sim, divo, muso inspirador, cujas músicas animam nossas culturas e foi responsável pelo nosso despertar para transformar um hobby em negócio;

Chicão e seus filhos **Thiago** e **Felipe Castanho**, pela amizade, reconhecimento e convites a Belém do Pará. É sempre uma emoção estar com vocês;

Diego Badaró, pela experiência "theobromática" de entrar e andar na Costa do Cacau;

Dona Myung e **Paulo Shin**, por nos ensinar a comer comida coreana corretamente;

Erika Brandão pelos fotogênicos tibicos;

Fernanda Diamant, pelo olhar objetivo, generoso e carinhoso para com nosso texto;

Gisele Gandolfi, pelas cuidadosas e impressionantes cerâmicas do Atelier Muriqui;

Guilherme Ranieri, paciente assessor de plantas estranhas e saborosas;

Helena Rizzo, por reconhecer nossos chucrutes e vinagres, e servi-los nas mesas do Maní com orgulho de ser fermentado;

Ivan Ralston, por ousar e surpreender ao utilizar nossas conservas em pratos no Tuju;

Jefferson e **Janaína Rueda**, pelo desafio de criar um kombucha para harmonizar o menu degustação da Casa do Porco;

Lis Cereja, pelos convites etílicos e descobertas viníferas selvagens;

Marselle Andrade, pela ajuda desde o início da nossa história e sempre;

Nathalia Leter, amiga querida e adorada, pelos ensinamentos e conexões;

Neka Mena Barreto, pelo apoio e reconhecimento logo no início da nossa história;

Neide Rigo, por ser a mãe da mãe de todas as nossas mães de kombucha;

Professora Rosane Schwan e **UFLA**, que nos deram respaldo científico quando aprendíamos a engatinhar;

Sandor Katz, pelas noites de conversa inebriados pelos nossos vinhos e sidras mais estrambóticos;

Stela Goldenstein, por tudo, e pela revisão carinhosa;

Tatiana Schor e **Zé Gomes**, que nos propiciam paz, cerveja e literatura na cervejaria Sarapó às margens do Rio Negro, em Novo Airão, Amazonas;

Veruska Bustillos, pelas broncas, puxões de orelha e por acreditar nesses organismos;

Senac Campos do Jordão, por reconhecer a importância do nosso trabalho de divulgação e nos convidarem para abordar esse assunto, omitido na maioria dos cursos de gastronomia. Obrigado especial aos professores **Breno Guelssi** e **Vitor Pompeo**.

FERNANDO GOLDENSTEIN CARVALHAES
LEONARDO ALVES DE ANDRADE

BRASIL A GOSTO INSTITUTE presents

BRAZILIAN WAY FERMENTATION

EXPLORE THE UNIVERSE OF FERMENTED
FOODS WITH BRAZILIAN INGREDIENTS

ENGLISH VERSION

CONTENTS

Foreword	**233**
Prologue	**234**
Introduction	**236**
How to Use this Book	**239**

Chapter I – Fundamentals   **240**

Difference between putrefaction and fermentation	241
Do humans ferment?	242
Ancestry of the human DNA	243
The role of the microbiome	243
Mostly active microorganisms	244
Saccharomyces	245
Brettanomyces	246
Acetobacter	247
Lactobacillus	248
Pediococcus	249
Proper cleaning and sanitation practices	250
Collecting wild and "domesticated" microorganisms	250
Creating a culture of wild microorganisms	251
Choosing your source of microorganisms	251
Starting up a wild yeast	252
Maintaining the wild culture	252
Ginger bug	253
Kefir	253
Everyday curd (Yogurt)	254
Fermented kefir butter	254
Fermented kefir milk (homemade Yakult®)	255
Rejuvelac	255
Activating commercial yeasts	255

Chapter II – Beverage   **256**

Kombucha	256
Mother of kombucha or SCOBY	257
Basic culture care	257
SCOBY hotel	258
Stages: from tea to kombucha	259
Getting to work	260
Green tea kombucha with ginger	261
Enhancing, controlling, and improving kombucha production	261
Controlling acidity, alcoholic content, sweetness, and carbonation	261
Alcoholic content	261
Acidity	261
Carbonation	262
Residual sweetness on the palate	262
Producing stable fruit extracts for the second fermentation	262
Adapting the culture so it will ferment other substrates besides tea	263
Equipment for measuring kombucha	264
Flavoring kombucha	264
Kombucha based on mild green tea	264
Standard fruit extract	265
Summer navel orange	265
Passion fruit and brazilian pepper	265
Carrot	265
Coffee	266
Cucumber and mint	266
Roasted mate and lime	266
Hibiscus, ginger, and brazilian pepper	266
Consuming the SCOBY	267

SCOBY in Syrup	267
SCOBY Banana Jam	267
Vegan SCOBY Jerked Beef	268
Ginger Candy	268
Consuming blended SCOBY (puree)	268
Guava Fruit Roll	268
Cupuaçu Fruit Roll	269
Banana Fruit Roll	269
Passion Fruit Roll	269
Wild Sodas	269
Choice of inputs and processing to create the wort	270
Choice of starter, and presented in the introduction	270
Inoculation and fermentation	270
Pineapple and mint soda	270
Camu-camu soda	271
Sweet potato soda	271
Beet soda	271
Cucumber, lemon balm, and lime soda	272
Acerola and orange soda	272
Melon and green tea soda	272
Ginger ale	272
Ginger soda	273
Vinegar	273
Green tea vinegar	274
Apple vinegar	274
Beet vinegar	275
Rangpur vinegar	275
Malt vinegar	276
Alcoholic beverages	276
Required materials and supplies	277
Designing your beverage	277
Choosing and activating the leaven	278
Wort and pasteurization	278
Fermentation	278
Maturation – removing wort residues through settling and temperature	279
Racking – transferring the wort	279
Priming – adjusting sugars and carbonation	279
Bottling	279
Alcohol content	279
Hard kombucha	280
Hard açai berry kombucha	281
Mead	281
Types of mead	281
Classic mead	282
Brazilian metheglin	282
Brazilian grape melomel	283
Wild beers	283
West indian locust and quina-quina beer	283
Brazilian root beer	284
Pink ipê beer	284
Wines and ciders	285
Cashew cider	285
Dry brazilian grape wine	285
Brazilian grape dessert wine	286
Mate wine	286

Chapter III – Food   **207**

Lactic vegetable preserves	287
The initial adding of selected microorganisms	288
Basic procedure	289
Brining	289

An anaerobic medium (without oxygen)	289
What is fermentation time?	290
Can I add more vegetables to my preserve after it is done?	290
Traditional sauerkraut	291
Collard greens sauerkraut	291
Carrot preserve	292
Grated carrot and turnip preserve	292
Kabocha and fennel preserve	293
Preserved rangpur lime	293
Preserved lime vinaigrette	294
Kimchi	294
Tropical kimchi	294
Summer kimchi	295
Fruit kimchi	295
Mango chutney	295
Zucchini and pineapple relish	296
Brazilian grape (jabuticaba) preserve	296
Bacupari preserve	297
Ceylon olives preserve	297
Green mango preserve	297
Cambuboshi, umuboshi, figboshi, bilimboshi	298
Fermented hot sauce	298
Fermented salad dressing	299
Achar (traditional preserved peppers from Mozambique)	299
La jiao jiang	299
Cassava	300
Cassava puba	301
Tucupi	301
Sour cassava starch	302
Puba cassava dough (carimã)	302
Puba blinis	302
Tucupi ice-cream	302
Puba cassava cake	302
Pão de queijo (cheese bread)	303
Uarini couscous with tucupi and shrimps	303
Starch biscuits with achiote oil and pumpkin seeds	304
Jerked beef and puba casserole	304
Oxtail with tucupi	304
Carimã mush with tonka beans and brazil nut	305
Grains and seeds	305
Choosing the grains	305
Hydration	306
Hydration and germination tables	306
Germination	306
Processing the grains	307
Fermentation	307
Black-eyed pea fritters - variation of acarajé	307
Fermented falafel (chickpea fritters)	307
Fermented cashew nuts paste	308
Water kefir rice cake	308
Mustard	309
Nukadoko and *nukazuke*	309

Epilogue	**311**
Glossary	**312**
Bibliographical references	**314**
Recipe index	**318**
The authors	**319**
Acknowledgments	**320**

FOREWORD

Which Brazilian home does not have, in some kitchen shelf, at least one preserved food jar? While traveling across the country, I have confirmed that this is an everyday reality in many homes in this country, particularly in the Southern region. In the North and Northeast, the cornerstone ingredients of local food culture, such as flour, puba[1], cassava starch, and tucupi[2], only exist thanks to the fermentation of cassava.

While searching for further information on this subject, I ran into Fernando and Léo. A mutual friend, the great searcher Neide Rigo, was the one who introduced me to these two fermentation wizards.

I was delighted by the content they had already developed, through long and thorough work, that made an ancient technique available in a way it fits into our daily life and reality and even better, using Brazilian products. This meeting of ideas and projects led to an invitation to join forces and, together, launch this book that faces the challenge of making this knowledge available to a broader audience. Admiration bred friendship.

That is why Brasil a Gosto Institute is proud to present Brazilian Way Fermentation, a straightforward work that is easy to read and introduces a broad outlook on the subject, helping us to understand the theory and the practice of producing kombucha, natural wild sodas, preserves, kinds of vinegar, beers... And it goes even further: in a genuine pioneer fashion, it shares preparations that show the surprising results of mixing ancient techniques with our wealth of ingredients. From yerba mate kombucha to Brazilian grape wine and Collard Greens sauerkraut, this book holds 89 recipes and an open invitation to those who wish to pursue more natural and healthier eating habits.

As many will know, Brasil a Gosto Institute's mission is to uncover, preserve and spread Brazilian cuisine. Research is one of the cornerstones of this work, encouraging us to not only look closely at traditions but also at the trends that impact food.

These are the reasons why this is the first book of a series where Brasil a Gosto Institute, of which I'm the founder and chair, is featured as the curator, now featuring the work of specialists who are willing to investigate and record Brazilian cuisine heritage. I invite everyone to join us in this movement **#ForBrazilianCuisine**. Shall we?

Ana Luiza Trajano
Chair of the Brasil a Gosto Institute

[1] TN. A type of dough made from fermented cassava.
[2] Rain TN. Fermented cassava broth.

PROLOGUE

*"Wanting to be who we are
may, at last, lead us beyond"*

Paulo Leminsky

A personal research that began a few years ago enabled the creation of the Companhia dos Fermentados – a small industry in the city of São Paulo that insists on producing food in a traditional way in the contemporary world – and that was made into a book.

Tired from the deadening routine in the corporate world, Leonardo and I decided to start a self-owned business that would encompass the activities we enjoyed during our downtime: reading, writing, cooking, teaching, photographing, and experimenting.

It's hard to remember precisely how the idea began to emerge and become real, but today we are sure that it was a good one. Nor could we imagine the amount of restaurant, bars, ranches, farms, radio and TV networks, cooks, bartenders, owners of cooking schools, publishers, scientists, nutritionists, researchers, and chefs who soon would show they were interested in food production based on combining traditional and modern fermentation techniques.

It all began in a small 12-square-meter impromptu space in a shed in our home, which was redone so it could harbor a mix of lab, industrial kitchen, and a place to receive supplies, shipping, and storage, among other things.

Many biochemical issues about fermentation emerged in these early moments. Particularly concerning rudimentary fermentations, processes that occur spontaneously with the aid of microorganisms naturally found in food (that is, processes that were not developed in laboratories) and that have been practiced since the dawn of civilization.

Unfortunately, the literature on the topic is scarce, although humankind has been growing, perfecting, and mastering it over centuries, since when fermenting was a way of preserving food, without which we would have starved to death. Hence, building a bibliography is one of the purposes of this book.

My father, an electrical engineer who dabbles in cachaça brewing, introduced us to professor Rosane Schwan, the leader of a research group focused on rudimentary fermentations at Lavras University in Minas Gerais. It's encouraging to know that there are research professionals and institutions who are engaging in a dialog among teaching, research, and society, vital exchange that is still lacking in our country.

This meeting of ours was not only enriching, but also very helpful. The group conducted a microbiological analysis of some of our products, and we presented a lecture at the 2018 Agricultural Microbiology Symposium. To end our first research partnership with a public higher learning institution on a delicious note, we led a workshop on preserved vegetables.

I felt we were on the right track as our work drew closer to the university – or at least that it somehow made sense to the people I appreciate the most: researchers. To come back to academia through such a warm and generous invitation was a dream come true, and I'll always remember the openness and the enthusiasm of the professor and the students who research enhancements of Brazilian agricultural products through fermentation processes.

Then, we decided to leave small at-home productions behind and invest in a groundbreaking initiative: to teach or techniques to whoever wished to learn and practice them in an artisanal or industrial scale. Initially, classes were only held in São Paulo, where we are based. Later, we reached new states and cities. The warm welcomes once again confirmed that we're on the right track and nurtured our desire to go even further.

Today, in the whole world, there are less than half a dozen initiatives like our own: the production of fermented food and beverages combined with promotion and teaching of the techniques that we use, going as far as offering consulting services to new industrial producers.

Therefore, this book is yet another unfolding of this whole set of practices and ideas. It stems from the desire to take this knowledge to whoever is interested in recovering or practicing these traditional and contemporary ways to transform food. In a certain way, it is a type of activism to promote and offer information and knowledge that go against the food industries unwavering and often crude, marketing efforts. Such efforts spark needs and desire for products that do not offer quality nutrition and even take over first denominations and substitute them with depleted versions.

There are several publications about fermentation techniques, among them *The Art of Fermentation*, by Sandor Katz, the broader and better compendium aimed at the general public[3]. Here, however, we will be dealing with experimentation found along our specific trajectory, and one of its defining characteristics is the preference for Brazilian agricultural inputs whenever possible.

Cookbook authors are bold people who thoroughly study and practice their formulations and, therefore, they need to lead to deal with frustration. Friends who have had their works published tell us about readers complaining about recipes that "do not work." Here, the among of variables (environment, temperature etc.) and the possibility of errors is even higher, because we are working with living creatures, and not inanimate ingredients.

While keeping that in mind, we heed and ask for patience in advance: if something doesn't turn out as expected, have the heart to give your experiments another try more than one if necessary. It will work eventually. If a recipe is here, it means it has been tested and approved not only by us but by our family members, friends, clients, and other fearless individuals and practitioners that we managed to gather throughout this long and magical journey.

Lastly, we hope that readers can find several ways to explore this content. We suggest a few: leafing through and enjoying the pictures; using it as a guide to scientific experiments in schools and universities; as a guide for industrial and homemade recipes, following them to the letter, or even as an inspiration for new creations that will respect the techniques while conceiving new formulations. We hope this is a book that scientists and witches will enjoy.

Fernando Goldenstein Carvalhaes

---

[3] Sandor Ellix Katz, *Wild Fermentation: The Flavor, Nutrition, and Craft of Live-Culture Foods*, 2012.

INTRODUCTION

"Bacterium in a medium is culture."
Arnaldo Antunes

Around 10 thousand years ago, humanity gave a significant qualitative step forward concerning the way it related to its environment, completing the transition from hunter-gatherers to sedentary. We gave up living as nomads, stopped to continuously move around searching for food and settled down in strategic places, on fertile soil, where we began to produce food, practicing agriculture and animal husbandry intensively.

Recently, historians[4] have been looking at this period of transition and to the beginning of sedentary life as counterproductive, and even detrimental, to humankind, as we began to face a series of new adversities. Firstly, we went from a diversified diet of fruits, roots, and sources of protein (animals) to a more restricted diet, lacking nutrient diversity. The first grains we grew were wild and did not supply us with the variety of nutrients that our day-to-day life requires. Furthermore, in the clumsy beginnings of agriculture, without the techniques we now possess, production was limited. We were exposed to changes in the weather and invariably lost our crops to droughts, floods, plagues, and other misfortunes.

When production season ended with a surplus, it was a victory for the tribes that were quick to carry out their rituals showing their gratitude to the gods – something they continue to do. However, when they were lucky enough to have a crop with positive outcomes, another challenge had to be faced: preserving food until the next harvest.

To the groups that inhabited the fertile lands in the tropics, discussing food preservation doesn't seem to make that much sense. The occurrence of solar energy is intense and relatively constant throughout the year, so seasons and agricultural seasonality are less noticeable ("anything that is planted will grow [in any season]"). However, closer to the poles, in the temperate regions, seasonality is very clearly defined, and it gets frigid during certain times of the year, so much so that agricultural production comes to a halt.

In those regions that freeze over during a time of the year there is a pressing need to preserve food – survival depends upon it. Without cold storages, irradiation, or the aid of the chemical products we now have at our disposal, in the dawn of sedentary life, we began to systematically work towards improving food preservation techniques that enabled us to survive the long, unproductive winters. In other words: without the modern methods we now possess, we had to develop natural ways of preserving foods so we wouldn't starve to death. And we have been doing so for the last ten thousand years.

Even in tropical and subtropical regions, as people became sedentary or developed a wandering agriculture, different groups established, throughout history, fermentation processes as a part of their survival strategy, leading to different rudimentary techniques for food preservation, like:salting, drying, smoking, adding sugar, freezing (consider the Eskimos), and fermentation.

These five early methods are based on decreasing water activity, that is, reduce the availability of this substance, indispensable to any organism on our planet.

Consider fruit jam, for instance. No matter how gooey, which indicates the presence of water, the sugar found in it is tightly bound to that water and, although microorganisms can be found there, they lack metabolic activity (or might even die) because they lost water to the medium due to osmotic pressure.

Fermentation, on the other hand, is a strategy that willingly works with the growth of inoculated or natu-

---

[4] Yuval Harari, *Sapiens: Uma Breve História da Humanidade*, 2014.
Michael Pollan, *Cozinhar: Uma História Natural da Transformação*, 2013.

rally present microorganisms to ensure microbiological protection: microorganisms that are not harmful to health will reproduce and take over the medium, preventing the spread of pathogens.

Generally speaking, these procedures can be deemed as rudimentary (that is, they do not rely on modern industrial technology) and were developed and practiced throughout thousands of years. The term "rudimentary" should not be interpreted in a derogatory manner or as a synonym of crude, but as a term that describes a practice that was developed in a time before modern equipment and techniques were available, before modern science.

Our ancestors devoted themselves to studying these techniques because their lives depended on it. While doing this research and refinement process, plenty went wrong, plenty of people got sick, and some died because food deteriorated, many procedures were discarded because they did not work while only successful ones were kept – techniques (memes) underwent a natural selection process analogous to the selection of species (genes)[5].

We have been awarded with a millennial culture of basic techniques for processing foods that ensure food safety and require only basic tools – the only ones we had at hand during the last millennia.

It's impressive to find ways of processing food in every human group. These are procedures that have stood the test of time and space, and we're interested in recovering, recording, and putting them to use, as they are the reason why we are here, living, working and writing books.

In this volume, we will limit ourselves to fermentation techniques, a natural process that happens whenever microorganisms are growing on an edible substrate (such as our food), with or without the presence of oxygen. It's a process in which inputs are degraded so they can be directed and controlled by us, and to do so, we only need our knowledge about these methods.

The many preservation techniques that stem from fermentation also make food less toxic, more digestible, nutritious, and flavorful. Fermentation processes inherited from this long journey in search of food safety are responsible for the production of various foods we find in day-to-day life, such as cheese, yogurt, chocolate, coffee, sausages, sour cassava starch, alcoholic beverages, bread, vinegar, soy sauce, miso, tempeh, kombucha, kefir, fish sauce, among others.

Fermentation, unlike other types of preservation, can go wrong. In this book, recipes are stating precise amounts, but there is no chance a mistake could lead to a harmful result do health, should you, for instance, mistake the amount of salt, adding double or half of the advised amount.

Accidents involving botulism (in our country commonly linked to hearts of palm) only happen in preparations in which the vegetable has not been fermented, but rather pasteurized or artificially acidified in an ineffective manner. That is one of the many examples of how the growing industrialization of food processing can be detrimental, and that overlapping traditional and well-established methods can be fatal.

In the realm of collectivity, as our societies became more complex, the preparation of food was no longer a collective task. The division of labor caused families to outsource essential steps of production, such as to companies. Unfortunately, several ancient procedures were partially forgotten or abandoned due to growing industrialization.

In recent years, in contemporary culture, great advertisement creates the illusion that food made by machines is healthier and more flavorful than hand-

---

[5] Richard Dawkins, *O Gene Egoísta*, 2007.

made food and, therefore, more desirable. Instead of "real" food, such as it has been produced and consumed for thousands of years, we now find simulacra that attempt to mimic it. We're referring to ultra-processed foods, with little to no health benefits, that are increasingly taking up space that used to belong to manually crafted foods, which respect preparation times and pure, authentic ingredients.

There is no doubt that new technologies are humankind's great allies and have been improving our quality of life along the course of history. We have increasing access to means of communication, and health and technology have even granted more free time to individuals (although the latest smartphone and social network developments have generated a heated debate about the meaning of "free" time).

With the birth of hat were produced only at home. However, while these new technologies save families a lot of time, ensure food safety and cut costs, on the other hand, they decrease the nutritional and therapeutic value of foods, along with their mildness and flavor.

One needs to keep the central issue in mind: when a technique is abandoned, and not even books mention is, a part of a culture is being left behind until it is extinct, like many Brazilian indigenous languages that will never again be heard. In that sense, we are now witnessing a type of ethnocide in this daily practice of erasing or carelessly undermining legitimate procedures for producing food. That is how uneducated individuals end up thinking fermented foods are "rotten". The richness of a host of cultural heritages, with their own customs and techniques, is being left behind and we are increasingly finding fewer and poorer options.

In industry, production schedules need to be shortened (it is necessary to produce large amounts and time is money), therefore, lengthy manual processes are transformed into sped-up industrial ones. These results, for the most part, not only in pasteurization, but in the adding of chemicals seeking to highlight flavors, agglutinate, decant, clarify, and, most of all, preserve foods quickly, effectively, and cheaply. And so, the product's taste might come close to that of a genuinely produce item, but it is a long way from it.

There are several examples of products that have been completely stripped of their originality by the shortening of production time and the adding of other elements. Perhaps the most iconic case is that of bread: the original recipe takes at least a day and requires several types of microorganisms. However, when industrially produced (from the flour to the bread), it is done in less than an hour with a single "domesticated yeast." But this is detrimental to diversity, digestibility, and flavor, among other beneficial characteristics of naturally fermented bread. Another example of this loss of food quality brought on by means of production can be found in preserved vegetables: the rudimentary fermentation process requires at least a month, while the industrial process happens in a matter of hours, with the result that is inferior to the one obtained by the artisanal method (there is an amusing story about this in the chapter devoted to this subject, pages 290-291). These are the so-called ultra-processed foods, which bear little or no relation to the original product. Various studies indicate the carelessness of this type of nutrition and how it is the reason why contemporary men's diet is increasingly standardized, impoverished – and harmful[6].

In that sense, to practice initial fermentation is a way of taking a political stance – one that opposes the pasteurizing standardization that has becomes the rule with the systematic adding of preservatives and other elements from the chemical industry to each consumer item. Mass industrialization of food not only alienates but also infantilizes us by delivering

---

[6] There are several studies on the impact of ultraprocessed foods on human health. The best way to get started on this subject is the *Guia Alimentar para a Populaçāo Brasileira*. For more information, see page 315 of the Bibliographical References.

products that are always familiar, always that which is expected, produced without any concern for the health of those who consume them. Consider the amounts of salt and sugar, a long-lasting topic of a discussion that has not resulted in any Brazilian laws that regulate that industry and protects our health.

Therefore, to record and promote these ancient food production and preservation techniques is to exercise citizenship, empower individuals that often have already been deprived of one of the most important items of daily life, and that is held hostage by this huge industry, so ubiquitous on the media. Advertisement, while seeking to spark a desire for a product, bombards us with diverging information, often contradictory and unclear, not necessarily having our physical and mental health in sight. Even when trying to seek quality, individuals are still subjected to the power of advertisement, which induces desires and creates needs, selling products with a healthy, "functional" packaging, saying they are as good or even better than the original, while in many cases they are harmful to health.

HOW TO USE THIS BOOK

This book is made up of three chapters that can be explored independently.

The first one describes the microbiological aspects of fermentation and its importance in the development of civilization. Although it would be desirable to understand how these biological processes happen in each technique (however superficially), this is not a crucial knowledge when it comes to applying them. One need but to recall that understanding the role of biological processes in the transformation of food began in the 19th century with Pasteur, while the techniques date back to centuries – some reaching back to ancient times. To hold the knowledge on the acting microorganism and the dynamics of biotechnological processes can take us a step further, allowing us to ensure rigorous control over results, enabling a higher food safety, and the possibility of varying recipes and devising new creations.

The second chapter is all about beverages. If you're interested in producing your kombucha, you can skip ahead. There, we'll also teach to create natural wild sodas and alcoholic beverages.

In the third chapter, we have food. Those who are looking forward to creating sauerkraut for the first time can go to that recipe. One only needs to follow it to create a preserve that holds the characteristics of a good fermented food: flavorful, ancient, and full of life.

Some recipes will depend on other, previously presented. In this case, we'll indicate.

Brazilian Way Fermentation

CHAPTER 1
FUNDAMENTALS

Fermentation is a biochemical, anaerobic (happening without the presence of oxygen) mechanism for energy production by microorganisms[7]. We might widen the concept's formal definition to include the purpose of this book, which is not only meant to promote science but also culinary: fermentation is a metabolic process for energy production conducted by microorganisms that transform a given substrate.

We already know that microorganisms are the primary agents of fermentation and that it occurs not only in foods but in any other substrate that might be decomposed in a typical energy production process. The survival of microorganisms depends on energy production, and that is the primordial need of any living being in any universe[8].

More specifically, it is a metabolic process - a set of chemical reactions - in which various enzymes, produced by the microorganisms themselves, break down organic molecules into simpler compounds known as metabolic residues or, simply, metabolites.

In any chemical reaction, we have a reagent on one end and the final products on the other end:

In the case of metabolic reactions, specifically, the products are known as metabolic residues or metabolites.

In this book, we'll use the term "fermentation" to indicate the transformation processes of a given substrate (food), be them aerobic (with the presence of oxygen) or anaerobic (without the presence of oxygen).

This brief detour into biochemistry soon will lead us to cooking with microorganisms to produce vital energy while they also transform foods by providing substances that interest us (metabolic residues).

Let's take bread, for example: we feed yeasts (be them wild or created in laboratories and sold in supermarkets) with water, flour, and salt. They break down the large sugar chains (carbohydrates) and produce several metabolites, carbon gas among them, without which the bread would not rise.

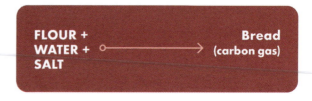

In the case of wine, the yeasts feed on the sugar found in grapes (fructose), producing energy and alcohol - one of humankind's favorite metabolic residues, as well as carbon gas, which is crucial when it comes to gasifying carbonated drinks.

Alcohol, in its turn, can go through an other fermentative process and turn into vinegar as it turns into acetic acid.

---

[7] Albert Lehninger, David L. Nelson and Michael M. Cox, *Lehninger Principles of Biochemistry*, 2000.
[8] Physicist Carlos Rovelo does not agree with this statement. To him, a living being depends on entropy. It is a somewhat poetic debate, and it is recorded in his book, *Reality Is Not What It Seems* (2017).

In the case of milk, bacteria and yeasts break down the lactose (another kind of sugar), thus producing energy. The byproduct of this process if lactic acid, which aids in the preservation of milk, when it curdles and can be made into yogurt or cheese.

Several kinds of cheese go through a second (aerobic) "fermentation," that is, a second stage of degradation, when they are devoured by fungi, bacteria, and even mites, enhancing their texture, aroma, and taste (according to some cultures, while in other cultures the results are met with fear for food safety). Such is the case of Brie cheese, whose exterior is moldy because of the *Penicillium candidum* fungus; in camembert, the *Penicillium camembert*, and Roquefort blue cheese, the *Penicillium roqueforti*. In extreme, dramatic situations that demand courage and a glass of wine, the saint-nectar calls for *Chrysosporium sulfureum*, Limburger, and Livarot require *Brevibacterium linens*; Maroilles and Münster, *Debaryomyces hansenii*.

Vegetables also go through fermentation that produces several kinds of exciting residues that enrich their flavors, giving them depth and complexity. However, the most crucial metabolite for their preservation is lactic acid, like in the case of milk fermentation.

If nowadays we can conduct fermentation with specific organisms that have been isolated and improved by genetic engineering, in the old days (that is, before Pasteur) this distinction did not exist, and our technique eventually used wild microorganisms: real cultures that contained more than one species and strain (often belonging to differing kingdoms). That is still the case in the fermentation of vinegar, kombucha, water, and milk kefir, among other examples that still to our days are not possible to occur with isolated, lab-grown microorganisms.

In the next chapters, we will dive deeper into each one of these techniques and briefly discuss the biotechnology of those processes.

Difference between putrefaction and fermentation

Not all fermentation processes (the reaction in which a given substrate is degraded) produce enhancements and healthy metabolic residues. When something "goes sour" in the fridge, there is no doubt that it should be discarded, as that process was not generated in a controlled manner and according to a technique. We're dealing with a spurious process that happened by chance and, therefore, we cannot be sure what lies in there in terms of microorganism and their metabolites.

So, putrefaction can be understood as a fermentation process where both microorganism and their residues are of no interest to us.

For the last millennia, humanity has faced many setbacks (including deaths) in its development of safe techniques, and this book deals with a tiny number of them – the successful ones. The unproductive techniques were forgotten over time. Just as it happens in the history of science, the information that is passed along refers to something that worked out, while mistakes are left behind.

You might be wondering how come indigenous groups and ancient peoples, who did not possess alcohol, detergents, bactericides, nor other modern facilities, were able to preserve food for years using fermentation. This question was presented to a consortium of researches hired by the UN, in an effort to understand how Pan-American and African tribes, Southeastern Asian villagers, Vikings, and other ancient civilizations, managed to ensure food safety in their initial processes – their reports are exciting and worth reading[9].

---

[9] FAO, *"Fermented Fruits and Vegetables: A Global Perspective"*, 1998.
FAO, *"Fermented Cereals: A Global Perspective"*, 1999.

Do humans ferment?

How we produce energy? Microorganisms ferment to generate energy. Human beings also obtain energy – does that mean humans being ferment? When we stop to think about the way we acquire energy, we are staggered to find the answer somehow makes us less human.

The history behind the discovery of our internal powerhouse is an exciting and startling one[10]. We are thought, back in elementary school, that within each cell, there is an organelle charged with producing energy molecules (ATP) that should be ready to be used whenever they are needed. We're talking about the mitochondria, extraordinary organelles that carry their own DNA. That is, the information held within the 46 chromosomes that form the human genome does not provide for the maintenance and division of the mitochondria, an organelle crucial for breathing.

In other words, the genetic information the mitochondria's existence requires is not contained in our genome. It means, among other things, that when scientists came to the end of the human genome project and for the first time held (or typed into their computers) this great encyclopedia written in the ATCG alphabet – that defines us as a species –, they knew that they could not artificially create a human being from scratch with that set of genes. Even if they had all the required technology, they still would lack one of the most fundamental pieces of information, because the mitochondria is an organelle that holds its genetic information. As strange as that is, its genome is not found among the genetic information in the father's spermatozoon, but in the mother's eggs[11].

Besides somehow robbing us of some of our humanity (or, on the bright side, making us a kind of superorganism), the fact that we depend on an organelle that initially was an independent microorganism that now dwells in the interior of each of our cells is an indicator of evolution mechanisms based on symbiosis. This kind of ancestral "invasion" happened long before our species (as well other species stemming from it) came to exist. As if this was not mind-boggling enough, mitochondria continue to invade us at the moment of each human conception, as they did in a given moment a millions of years ago: when we are but a handful of cells inside the maternal womb, right after the father's spermatozoon injects genetic information into the egg. They are virtually the only foreign "bodies" inside the womb – the only ones in one of the most sterile environments we know of –, just as they were in our first cells, they began to inhabit our bodies until the end of our lives. And so, only women transmit mitochondria: your mitochondria came from your mother, who got hers from your maternal grandmother, who got hers from your maternal great-grandmother, etc[12].

This quaint fact is an example of the dynamics of ancestral evolutionary processes – in this case, a process that stems from the symbiosis between two distinct species that merged into a third one in a process known as symbiogenesis[13] – a field of knowledge that seeks to understand these evolutionary processes and, through biochemical markers, understands how evolution can be heightened by gene appropriation among organisms[14]. Be it through an unsuccessful attempt at feeding, be it through an invasion or an exchange of

---

[10] Nick Lane, *Power, Sex, Suicide: Mitochondria and the Meaning of Life*, 2016.

[11] In many organisms, although the mitochondria carries its own genemic material, the majority of genes pertaining to its construction and function are found at the nucleus. It is believed that evolution promoted the transference of mitochondrial genes into the cell nucleus for a series of reasons. One of the most obvious reason is the fact that mitochondrial genome mutations are more frequent in nuclear genomes, and this transference would act as a protective mechanism. In that case, some organisms will have mitochondria with more genes and others will have less, usually varying between 64 to 3 protein-coding genes, and possibly varying to a greater or lesser amount.
  · Otto G. Berg, C. G. Kurland, Why Mitochondrial Genes are Most Often Found in Nuclei, *Molecular Biology and Evolution*, Volume 17, Issue 6, June 2000, pages 951-961.
  · Brandvain Y, Wade MJ. The functional transfer of genes from the mitochondria to the nucleus: the effects of selection, mutation, population size and rate of self-fertilization. *Genetics*. 2009; 182(4):1129-1139.

[12] Rebecca L. Cann et al., "Mitochondrial DNA and Human Evolution," 1987.

[13] The term "symbiogenesis" refers to origin through symbiosis and it first appears in a 1909 article by Constantin Merezhkowsky, "The Theory of Two Plasms as Foundation of Symbiogenesis: A New Doctrine on the Origins of Organisms," 1909. For a good reading with a prose-like approach, I recommend Lynn Margulis', *Symbiotic Planet: A New Look at Evolution*, 2001. The author's seminal article, which was rejected by several periodic, is terrific, although somewhat technical: Lynn Margulis, "On the Origin of Mitosing Cells," 1967.

[14] Imagine an ameba phagocytizing its neighbor, but then being unable to fully digest all of their genetic material, leaving a gene that expresses a protein that will strengthen the cell wall, or will aid mobility, a device that will grant sensitivity to light (consider our eyelashes) etc.

genes caused by the action of a virus, the fact remains that we are transgenic since our genesis and carry, inside each of our cells, various organelles that once were microorganisms and that are now part of our organism.

However, we do not always obtain energy through the mitochondria's metabolism. When aerobic breathing (with oxygen) is not enough to produce the energy we require (for instance, when we are running from a lion or doing anaerobic work-out at the gym), the oxygen doesn't have enough time to reach the cells so it can feed the mitochondria. In this case, we can use a human metabolic route to produce energy in an anaerobic way (that is, without oxygen). It is an intracellular conversion of energy (it happens inside the cell), but it goes on outside of the mitochondria, and its metabolic residue is lactic acid (just like the one the bacteria produce, and that causes us to feel pain in the days following the work-out). It's a set of biochemical reactions analogous to the ones happening in several microorganisms that produce lactic acid, less efficient than aerobic breathing[15].

In that sense, we could say that human beings have the ability to create a metabolism that converts energy, like the one found in fermentation carried out by bacteria. That is, it's a metabolic, anaerobic capacity we inherited from our unicellular origins. We're lucky we do not produce alcohol as a metabolite, instead of lactic acid[16]. Can you imagine how catastrophic that would be?

Ancestry of the human DNA

While still coming to terms with the dramatic fact that we carry an organelle that has its DNA inside each of our cells, the first clear sign we are not as human as we might like to think – or that we are more than we imagined our-

selves to be –, nowadays, with the advent of genetic engineering and information technologies, we have learned that there are several "turned off" genes[17] in our genome that initially belonged to other microorganisms, or even whole genomes, as in the case of certain viruses. These viruses one day infected us and now quietly and peacefully cruise through the human gene pool (as well as that of other descendent organisms[18]), being transmitted through generations like a silent piece of information that doesn't express itself (by being translated into a protein), but that could be turned back on at any given moment. Recently, scientists have isolated and turned back on ancient viruses that are still in our genome and, lucky for us they were found to be still virulent[19].

The Role of Microbiome

Within this new framework for understanding the functioning of living beings, we realized that we would not be standing without the aid of the mitochondria, as well as a myriad of microorganisms that dwell in our bodies.

The term "microbiome" refers to the set of microorganisms that coexist (in symbiosis, at peace or war) in a given environment. In the case of the human body, they are not only restricted to the intestinal tract, the much idealized intestinal flora – which has been raised to such heights now pharmaceutical companies take it to be the cause of and the cure for all contemporary ills while it's the latest fab among new nutritionists. We're also talking about the ocular and aural flora, the armpits, and each nook and cranny of the body, each with their significance and their role.

The myriad of microorganisms that inhabit us – and, in a way, define us – not only ferment along the

---

[15] Less than 4% of the energy contained in glucose is used by our organism.

[16] Luck might not be the best word to describe the mutation and selection process: imagine you're running from a lion while your blood alcohol is rising. That wouldn't go too well, right? Probably many microorganisms produced alcohol as their metabolite, but they disappeared because that wasn't an evolutionarily stable strategy.

[17] Let's review some concepts that are frequently mistaken:

  i. **DNA or deoxyribonucleic acid** – are the A, T, C, G bases that can link to each other (in a random manner, or not) as to form a long strand that can be cut in half (RNA).

  ii. **Gene** - a unique sequence of the A, T, C, G bases that is expressed (transcript) into a protein.

  iii. **Genome** - the set of genes that defines a microorganism.

  The history of the discovery of genes is riveting, and everyone should know it because the biotechnological revolution is near, and we need to have a solid understanding of this matter so we can take part in a healthy dialog among science, research, and society. My favorite books are: Siddhartha Mukherjee, *The Gene: An intimate history*, 2016 and Richard Dawkins, *The Selfish Gene*, 2007.

[18] Apomorphic (with newer traits) in opposition to the synomorphic/basal (those that have kept old traits, similar or equal to their common ancestor).

[19] Recently, cientists reactivated a virus whose genome is inert in our genome, as if it was a fossil record. The reactivated virus began to work and to infect cells, revealing itself non-pathogenic. Fortunately, the experiement was carried out in a maximum security laboratory and the active virus was destroyed subsequently. For more on this subject, see The Violinist's Thumb: And Other Tales of Love, War, And Genius, As Written By Our Genetic Code, by Sam Kea.

Brazilian Way Fermentation

intestinal tract, but also throughout other tissues, hairs, and orifices they come across, transforming us into true walking fermentation tanks. Think about that the next time you look at your bubbling fermentation jar: in a way, it's like you're looking at the mirror!

The significance of our microbiomes is now only beginning to be revealed, and their impact on our metabolism and on health-related matters is becoming increasingly apparent. It's intriguing to know, right now, we're witnessing a paradigm shift in. Medicine, nutrition, and biology are only beginning to grasp the intrinsic relationship microorganisms have with our body and their role in it, a beneficial change that causes medicine to be more of a preventive science and less of healing one.

We now understand that, to function without any "bugs," we need not only 21 thousand genes (the human genome) but also 3 million genes (the total sum of genome gene plus our microbiota). They even outnumber us: we have about 10 trillion human cells and 100 trillion microorganisms working towards keeping us running smoothly[20]. There is nothing mystical about the fact that the bacteria, fungi, and yeasts inhabit us do not make us sick (on the contrary, they are beneficial): it's just good, old, and logical Darwinism: bacteria, fungi, and yeasts that attempt to inhabit our body and make us sick do not survive, simply because we will not survive together. That is, all that could go wrong has already happened, and nothing of it remains.

In other words, the human body begins to be understood as a niche where various microorganisms coexist. These microscopic beings benefit from living inside us not as parasites, but through something we call protocooperation: a harmonious ecological relationship between individuals from different species (interspecific), where all parts are equally benefited.

Once again, we shouldn't be frightened by our (in) humanity, but glad to know that we are a superorganism and that, inside us, there is a whole ecosystem with intricate, sophisticated relationships, like the ones we observe in nature.

Mostly active microorganisms

There are many beings we cannot see with the naked eye. Nevertheless, they are everywhere: in submarine volcanic ridges at 120 °C, at a depth of 36 thousand feet and a salt concentration ten times higher than that of the sea, as well as in countertops in laboratories with a biosafety grade of 4, where not even the most modern asepsis techniques can eradicate them[21].

They were the first on this planet and, when life on earth comes to an end, they will be the last to leave. Trillions and trillions of them are also found in the nooks and crannies of your body, internally and externally and, as we have discussed on the previous topic, it doesn't make sense to think about the functioning of the human body (or the body of any other being) while only considering your cells (that is, only using the instructions found in your genome). Therefore, we depend on the microorganisms around us and inside us and should treat them with respect.

In our fermentations, we'll be working alongside microorganisms from the Monera (bacteria) and Fungi (fungi) kingdoms. Bacteria are the remnants from the most basal beings found in our world. They do not have complex organelles nor a nucleus protecting their DNA: their genetic material is loosely floating within the cytoplasm, carrying vulnerable information that could easily be damaged by viruses and other misfortunes. Fungi and yeasts, on the other hand, are more complex: their genetic material is protected by a nucleus, their organelles can carry out specific duties, and a sturdy external structure, called cell wall, prevents viruses and pathogens from entering. We'll create the necessary conditions so each of these microorganisms can multiply, creating, and absorbing energy. In exchange, they will healthily transform our foods.

We can rely on a plethora of microorganisms naturally found in vegetables and in other foodstuff, therefore, if we wish to make the most of these supplies as a source of microorganisms, it's better to use organic vegetables whenever possible, not only due to health issues, but also due to the health of the organisms themselves, given ergotoxine and pesticides have bactericidal, fungicidal, and generally antibiotic effect.

We'll briefly introduce a few microorganisms most commonly found in rudimentary fermentations. They will accompany us daily in our living creations. We should get to know them, as they will dictate the quality, the

---

[20] There are many popular scientific books to recount the latest scientific discoveries pertaining to the human microbiome. We suggest a few titles on this subject in the Bibliographical References (page 315).
[21] Juergen Wiegel and Francesco Canganella, "Extreme Thermophiles", 2002.

flavor, and the aroma of our preparations. Besides, those who will frequently be using microorganism colonies will find a few tips on how to keep them separate, albeit it is possible to preserve cultures with microorganisms from differing species. Let's meet them:

▶ *Saccharomyces*

This yeast is definitively man's best friend. Fed and worshiped like a true goddess, it has been with us for millennia and has been fortuitously collected and domesticated, often in different places and at different times. It gives us bread, wine, and beer. What more could a grown human being wish for?

Many historians have argued that the very origin and organization of our civilization stem from the moments when we shifted to a sedentary lifestyle, and agriculture emerged along with the need to ferment grains to produce beverages (even before bread)[22]. Researchers deduce that we began reusing a part of the previous fermentation (those that were successful) as inoculum for new fermentations in an intensive way after the 12th century. Back then, we were still a long way from understanding fermentation as a biological process. Indeed, natural phenomena did not lack explanations that were at the root of cosmological myths.

The ancients believed there was some divine, ethereal force breathing life into each fermentation and it would, somehow, mystically, help the next brewing process if a part of it was ritualistically carried forward[23].

By selecting which cultures of microorganisms would be multiplied and disseminated (separating the successful ones from those that spawned toxic, unpleasant results or rotting), we unknowingly initiated a artificial selection of bacteria and yeasts, choosing those we found to be suitable to our health and palate (you should thank your forefathers who contracted diarrhea and sacrificed themselves in the search for the perfect yeast). Due to the careful selection process that went on for a few centuries, and a sophisticated domestication process, *S. cerevisiae* is the most tractable of all yeasts and humanity's best friend: it rarely generates foul odors or toxic metabolites.

Although this book does not deal with real beer production, we must be thankful for it, as brewing was the reason why we began to domesticate yeasts, although mystically, and its history has taught us, indirectly, about this yeast[24].

Historians indicate the beginning of beer production (or some beer precursor) happened 10 thousand years ago, right after the shift to a sedentary lifestyle. The first beer recipe is found among the first written records we know of, dating back 4000 years, created by the Sumerian, worshipers of the goddess Ninkasi[25]. Many thousands of years later, the first formal definition for the composition of this drink emerged through the first Beer Purity Laws (Reinheitsgebot) developed by Bavarians in 1516. This description still did not include yeast, due to the simple fact that they were unaware of its existence.

It was only in 1680, with the advent of the microscope, that Anton Leeuwenhoek first observed yeasts, although they still were not identified as living beings. We had to wait for another century until Louis Pasteur, at the beginning of 1800, through his genius experiments, finally laid the theory of spontaneous generation to rest and showed that yeasts were living microorganisms that did a lot of exciting things, including transforming sugar into alcohol and carbon dioxide (something Lavoisier had proposed 20 years before).

It's not just that yeasts were now part of the list of required (and, according to the new "purity law," suitable) ingredients for making beer. Those days, researchers still saw microorganisms in a rather colorful manner, as shown in the following fragment in which a scientist describes what he sees through the microscope[26].

"... an incredible number of small spheres are seen which are the eggs of animals. When placed in a sugar solution, they swell, burst, and animals develop from them, which multiply with incredible speed. The shape of these animals is different from any of the hitherto described 600 species. They have the shape of a Beindorf distilling flask (without the cooling device). The tube of the bulb is some suction trunk, which is covered inside with fine, long bristles. Teeth and eyes are not observed. Incidentally, one can clearly distinguish

---

[22] About the transition from hunter-gatherers, I suggest the previously mentioned book by Harari and Pollan (*see page 236*).

[23] For those interested in learning more about the history of beer: Chris White and Jamil Zainasheff, *Yeast: The Practical Guide to Beer Fermentation*, 2010.

[24] Those who wish to deepen their knowledge will find a few recommended scientific articles in the Bibliographic References.

[25] Garrett Oliver, *The Brewmaster's Table*, 2003.

[26] Friedrich Wöhler, *The Demystified Secret of Alcoholic Fermentation*, 1839.

a stomach, intestinal tract, the anus (as a pink point), and the organs of urine excretion. From the moment of emergence from the egg, one can see how the animals swallow the sugar of the medium and how it gets into the stomach. It is digested immediately, and this process is recognized with certainty from the elimination of excrements. In short, these infusoria eat sugar, eliminate alcohol from the intestinal tract, and CO_2 from the urinary organs. The urinary bladder in its filled state has the shape of a champagne bottle. In the deflated state, it is a small bud. After some practice, one observes the inside of a gas bubble is formed, which increases its volume up to tenfold; by some screw-like torsion, which the animal controls using circular muscles around the body, the emptying of the bladder is accomplished... From the anus of the animal, one can see the constant emergence of a fluid that is lighter than the liquid medium, and from their enormously large genitals, a stream of CO_2 is squirted at very short intervals...If the quantity of water is insufficient, i.e., the concentration of sugar too high, fermentation does not take place in the viscous liquid. Because the little organisms cannot change their place in the viscous liquid: they die of indigestion caused by the lack of exercise."

The *S. cerevisiae* still has many brothers (yeasts of the same genus and different species) with amusing names and roles, such as the *S. bayanus*, also used in alcoholic fermentation; the *S. florentinus*, present in ginger and, therefore, in ginger ales; *S. paradoxus*, which is always piggybacking on fruit flies; *S. pastorianus* (in homage to the brave explorer of the microscopic world, Louis Pasteur), the first yeast to receive a scientific name, originally called *S. Carlsbergensis* (and yes, arising from the homonymous brewery), also used in the production of beer; and the tropical *S, boulardii*, a probiotic broadly commercialized by the pharmaceutical industry.

Only in the last decades, the market for alcoholic beverage inputs began to offer specific varieties aimed at different fermentation styles.

The importance of choosing a variety

There is an interesting work[27] on the transformation of beer wort that indicates that, for a given reci-

pe, the yeasts will metabolize 50% to 80% of the wort. What remains are proteins, dextrin, and other non-metabolizable substances. Among that which was transformed, around 46% correspond to carbon gas, 48%, ethane, and 5%, new leaven. Although the sum reaches about 100%, it's precisely within the remaining 1% that we'll find the metabolites responsible for giving that formula its personality. That is, there is no use in having the best malt, hops, and water if you do not pay attention to the yeast. Therefore, with so much diversity and specificities, we hope no one will use bread yeast to make beers, wines, and wild sodas.

▶ *Brettanomyces*

Affectionately nicknamed Brett or Bretta by ferments who have begun to step out of the box, this yeast genus usually dwells on fruit peels and in the porosities found in the casks used in beverage making, where we can find up to a depth of 0.762 cm, and that is probably how it has been sneaking in contaminating beer productions since before the 20th century.

Among industrial alcoholic beverage producers, this yeast is considered a big problem[28], but it has been gathering many followers nowadays, both in the microbrewery industry and among those who brew at home. Discovered in 1904, since the beginning, it fought to be accepted, and to this day the jury is still out on the aroma and flavors it yields.

In that sense, a great deal of the reason behind using this yeast comes precisely from the production of aromatic molecules capable of radically transforming the wort. These are the fruity esters and spicy, smoky phenols that cause the eccentricity of these mashes, and that play a cognitive trick on those who use them. You could get aromas resembling clover, banana, pineapple, green apples, pear, hay, and also saddle-of-a-sweaty-horse-that-just-crossed-the-pampas-and-is-in-need-of-a-shower, stables, and other fancy, yet euphemistic terms enologists use to define these ill-advised aromas. We should note that it can also yield repulsive aromas acrid odors, band-aid, solvents, and medicines in general, rat urine, and even stool.

---

[27] Jean de Clerck, *A Textbook of Brewing*, 1957.

[28] For further technical information on Bretta, see page 316 (Bibliographical References).

In a wild fermentation (that is, with yeasts that were not bought or created in a lab), it's virtually impossible to know the predominant aroma beforehand, nor if there will be undesirable ones. But we shouldn't fret, as this is part of this art of what makes the continuous search of a rudimentary fermentation explorer so rewarding. In Bretta's case, tasters encounter a somewhat puzzling situation in which it's apparently impossible to reach a consensus about the nature and the quality of the aroma and the flavor generated by a fermentation led by this mischievous yeast[29].

Bretta can metabolize large sugar molecules (that is, complex carbohydrates), bigger than their spoiled *S. cerevisiae* cousin.

This means that once the beer, or any other beverage where it is found, is "contaminated" by it, they will be dryer, with less body (given this characteristic mostly derives from the presence of sugars that S. cerevisiae cannot ferment). In that sense, it's interesting to have starch in a wort that will be fermented by Bretta so that the fermentation will take months.

Concerns aside, not all is lost: we know that to produce esters with fruity aroma, it requires de presence of lactic acid, as well as alcohol, which Bretta will then transform into ethyl lactates, aromatic molecules (ethyl and butyls), among other compounds responsible for a rich and complex aroma and an amicable flavor. However, amidst a large concentration of acetic acid, Bretta will produce ethyl acetate – in low levels, it resembles the aroma of apples, but high levels remind us of the smell of solvents. Besides, the fermentation temperature mustn't exceed 27 °C, otherwise, other undesirable characteristics will arise.

It's interesting to note that Bretta is a facultative anaerobic yeast: it can work with or without oxygen but can only produce acetic acid in the presence of this gas. So, there are no significant concerns in that aspect, as long as anaerobic fermentations keep going, which is the general case – to begin fermentation in an open tank (aerobic regime) in which acetic acid is not desired, one must add Bretta only right before closing the container (anaerobic system).

Commercially, there are two preferred types of yeasts (to ensure there will be no unpleasant surprises): *B. claussenii* (named after N.H. Claussen, who discovered it in 1904) and *B. bruxellensis* (or *lambicus*) that can be easily found in stores specialized in articles for brewing. Yeasts of this genus possess double the genes of the *S. cerevisiae*, and that is partially the reason behind such high biodiversity. We know there are many *Brettanomyces* species to be discovered, some still wild and untamed in nature. Being aware that some of them might be in our bottles makes our explorations even wilder. For a natural source, we could use kombucha, although we should have in mind they will be joined by other colleges, which we will mention below.

Maintenance
Since this kind of yeast has a slow metabolism, it's one of the easiest to maintain. Ideally, as fermentation comes to an end, one should add the yeast cake (decanted yeasts) to a water and malt extract solution (1.035 density), then adding nutrients for the yeasts (following the manufacturer's instructions), then boiling the mixture for 10 minutes while covered with aluminum foil (cover after it has begun to boil to prevent the wort from spilling). Afterward, allow it to cool quickly (using an ice water bath), being careful to prevent contamination (do not open the pot/Erlenmeyer). When it has reached room temperature, pour it into sanitized PET bottle and add the yeasts, always leaving some room for air.

▸ *Acetobacter*
A genus with multiple species of bacteria that possess aerobic metabolism (they require oxygen) and are responsible for, among other things, the transformation of alcohol into acetic acid. Great vinegar producers, they are unwanted when in beer, wine, and soft drink productions, as this acid is tart and tangy, not fitting with long, thirst-quenching sips. A shot, perhaps?

Nevertheless, the Acetobacter grants a striking characteristic to Lambic, Flanders, and other beers that go through an initially aerobic phase, and certainly will allow us to experience the flavor of old-time fermentations (before we had the technology to ensure anaerobic fermentation). In biodynamic wines, this flavor is commonly found, as well as in kombuchas.

One of the most exciting features found in this group of microorganisms is their ability to produce cellulose, which enables us to see, with the naked eye, a glimpse

---

[29] For more details on this topic, see page 316 (Bibliographical References).

Brazilian Way Fermentation

of these microscopic processes. Popularly known as biofilms, these supernatant coat ends up becoming a home for many other microorganisms, fostering a real ecosystem, technically referred to as zooglea. That's the case of the mother of vinegar, kombucha, and kefir, among others.

Microorganisms belonging to this genus work better in temperatures between 25 °C and 30 °C, so, if you don't want your beverage to turn into vinegar, ensure an anaerobic environment and have in mind that fermentation temperature should not exceed 21 °C.

Maintenance

In a jar at room temperature, containing a substrate that the zooglea can metabolize (such as black tea and 5% sucrose), covered with a cloth that will enable oxygen exchange while remaining tightly sealed with a rubber band to keep insects out. Exposed, the culture will always be visited by other microorganisms, many of which might eventually settle down, forming a mixed, wild culture.

▶ *Lactobacillus*

A large genus of bacteria that encompassing countless families, among then the *Lactobacillaceae* and *Leuconostocaceae* that, for thousands of years, have accompanied humans and been fed by them. In exchange, they have helped us, particularly with the preservation of vegetables and dairy. They are remarkable producers of lactic acid, the substance responsible for making the medium (the food) more acid, thus inhibiting the presence of a large portion of bacteria harmful to human beings (notably the *Clostridium botulinum*, responsible for potentially fatal botulism, that ceases to function when the pH drops below 4.5). These are aerotolerant bacteria: they do not require oxygen but are not affected by its presence, and usually are thermophile (they enjoy temperatures above 30 °C), as noted by those who make yogurt at home.

The lactobacillus family includes a great deal of the bacteria responsible for the production of cheeses, yogurts, and fermented kinds of milk in general, such as the *L. acidophilus*, *L. kefiri*, *L. casei*, *L. helveticus*, *L. delbrueckii*, among many others. Milk kefir, for example, is a symbiotic community of bacteria and yeasts that probably originates from the process of stocking milk inside purses made from the tripe of muttons, sheep, and other animals whose intestinal flora naturally carried various of species of this genus[30].

Among the cousins of the Leuconostocaceae, the Leuconostoc mesenteroides performs a leading role in the wild fermentation of vegetables. It is a heterofermentative bacteria, yielding not only one, but several interesting metabolites, besides the lactic acid we need to ensure food safety. The diversity of metabolites is responsible for providing preserves with complex aromas and flavors, absent in industrial preserves or even in those started by an inoculum. These are subjects we'll investigate in the chapter about the fermentation of vegetables.

Ever present in the skin of fruits and vegetables, it requires low temperatures to produce a diverse array of byproducts – so make sure that your preserve is kept at temperatures between 15 °C and 21 °C in the first week of fermentation if you wish to ensure your recipe will have deep aromas, otherwise, it will only contain lactic acid, thus resulting in a preserve lacking a complex palate.

Beer producers commonly add lactic acid to mimic the presence of these bacteria in their fermentation process, although knowing (or perhaps not) that this is but a simulacrum and that this artificial adding could lead to a crude, inconvenient flavor, without the subtlety and the complexity that comes with the myriad of natural by-products achieved through genuine lactic fermentation.

Maintenance

These bacteria are lazy and enjoy smaller sugar molecules. So, you can process an apple in a blender, boil it for 10 minutes in a pot covered with aluminum foil, allow it to cool and, when it reaches room temperature, add to the bacteria. There is no need for initial aeration. Remember that they do not work well at a pH below 3.8, and so it's advisable to check and, should the pH be low, correct it with calcium sulfate (gypsum), for example. Measure the amount of sugar regularly to prevent it from being depleted, causing the death of these lactic acid producers.

---

[30] For more information on the milk kefir microorganisms, see page 316 (Bibliographical References).

> ### *Pediococcus*

The bacteria belong to the *Lactobacillaceae* family and produce lactic acid in their fermentations. They display slow growth and require a low amount of oxygen (microaerophilic), perishing in high concentrations of said gas, as it happens in open fermentations that are in contact with atmospheric air. As they are more tolerant of acidic pH than their colleagues of the *Lactobacillus* genus, they are an alternative option for those who wish to attain fermentations that are more acidic than those reached by the *Lactobacillus* group[31]. Depending on some conditions, they might produce small amounts of diacetyl, a substance with a butter-like aroma, entirely unwanted in most of our fermentations. But this will not be a problem if the heroic Bretta is to be found in the same mash, capable transforming this molecule into other substances, eliminating the odor.

Maintenance
Similar to that of their *Lactobacillus* cousins. It's advisable to lightly air the mash only during inoculation while keeping in mind that they produce acetic acid when left in continuous contact with oxygen. A butter-like smell is to be expected (resulting from the produced diacetyl) after long periods in storage. Keep the pH between 5 and 6 (controlling it with the adding of gypsum).

SUMMARY OF THE MAIN CHARACTERISTIC OF THE MICROORGANISMS WE HAVE INTRODUCED

	Tolerance to alcohol	pH*	Lactic acid	Acetic acid	Days**	Oxygen	Temperature (°C)
Acetobacter	18%			8% (P)	30	++	21-43
Brettanomyces	18% (P)	3,4	(P)	(P)	100	+	4-35
Enterobacter	2% (P)	4,3	(P)	0,5% (P)	2	+	10-50
Lactobacillus	8%	3,8	1% (P)	-	4	-	16-60
Pediococcus	8%	3,4	2% (P)	+	100	---	7-60
Saccharomyces	25% (P)	4,5		0,5%–	2	+	7-35

P	Produces
++	Mandatory
---	Toxic
-, +	Moderate effect
*	Approximate level at which the organisms cease to reproduce
**	Number of days for the ideal growth during traditional fermentation

---

[31] Claire Server-Busson et al., "Selection of Dairy Leuconostoc Isolates for Important Technological Properties", 1999.

Proper cleaning and sanitation practices

When working with fermentation, we need to avoid contamination by unwanted microorganisms. So, we'll introduce a few sanitization options for utensils that will be used. This is always a crucial stage and should be a daily habit because, depending on the difficulty and the time devoted to fermentation, it won't be nice to have to throw it away on account of contamination.

For the cleaning, use a new sponge, water, and detergent. Lather and scrub all equipment with a sponge to remove scraps and impurities. Next, dry it carefully and leave it to dry.

Concerning sanitization, there are four possibilities:

Chlorinated water - *use at the rate of 1% active chlorine for 10 minutes (immersion);*
Rubbing alcohol - *adapt the alcohol bottle by installing a spray tip and, after spraying, leave it applied for 15 minutes;*
Peracetic acid - *as advised by the manufacturer;*
Iodophor - *as recommended by the manufacturer.*

Regardless of your chosen sanitizer, do not rinse at the end of the process to avoid recontamination. We recommend peracetic acid, as it's the only one that does not leave unwanted traces. Within 24 hours, it degrades itself and becomes oxygen and water, something that other sanitizers cannot accomplish, thus remaining in your beverage.

Collecting wild and "domesticated" microorganisms

Where to obtain organisms you can use to ferment your food and beverages?

The biotechnological industry has been on the rise during the last decades, selecting microorganisms from different kingdoms for all kinds of purposes - not just nutritional ones, but also pharmaceutical (antibiotics and other drugs), engineering (solvents), among others[32].

The modern technique enables us to attain microorganism for specific purposes quickly, not just through artificial selection and hybridity, but also through transgenic, producing all kinds of "Frankenstein's," often after little or no dialog with society or support from in-depth research into biological safety. These industries (and their managers) are not necessarily concerned with moral standards and frequently go over limits about which the community is not informed or secure enough to define.

Microorganisms that have been domesticated and are routinely produced in laboratories are easily found in stores specialized in beer brewing articles, which are increasingly diverse due to demanding microbrewers and amateur fermenters. There are, for instance, different varieties of *S. cerevisiae* designed for all kinds of needs. Some ferment beer at low temperatures (lager), while others, at high ones (Ale). Other varieties are more suited to wine - red, white, sparkling, or mead. Some kinds are true genetic freaks (like certain dog breeds) and can stand up to 22% alcohol content. The *Brettanomyces* genus is increasingly present, due to growing demands by industrial producers and bold homemakers, as with the *Lactobacillus* genus.

To acquire the desired microorganism, if you can't find it in a store near you, there are online shops that will mail their goods to anywhere in Brazil and worldwide. This is the easiest, surefire way to obtain specific microorganism with pure varieties, with registered patents and source inspection.

On the other hand, when we acquire microorganisms straight from the lab, we won't have the characteristic richness and variety of wild cultures. Let's consider an analogy with dogs: a pack of sheepdogs will keep your sheep safe, but a pack of a few billion mutts surely will carry a few thousands that will display these sheep protecting instincts, while others will be companions, guards, hunters, and all other roles suited for your various purposes.

Besides, we know that crossing between beings of the same stock (endogamy) leads to damaging mutations, which invariably cause the emergence of genetic diseases after a few generations, and, in the case of bacteria and yeasts, this will force us to acquire a new batch periodically. So, when we buy microorganisms with a "pedigree" we need to keep in mind that they won't last forever: even if we know how to multiply them, after some brewing, we'll need to trade them for new ones, as they will be degenerated and won't be suited to carry out their specific purpose.

---

[32] Willibaldo Schmidell et al. *Biotecnologia Industrial*, 2001.

Creating a culture of wild microorganisms

To collect and establish a culture of wild organisms suited to the fermentation of foods, all you need is willingness, knowledge, technique, and creativity. It's a ludic activity that can also be performed at home with children, schools, and even by grad students in universities. It can also be understood as a political stance for the development of technical self-sufficiency, cultural conservation, and preservation of the legacy of our ancestors.

We have nothing against store-bought microorganisms; we use them routinely, and the recipes in this book consider both possibilities (they are always ready to work, aiding us when we are faced with an urgent fermentation assignment).

Eventually, collecting and maintaining microorganisms becomes a hobby. We're always looking for flowers, leaves, and fruit where sugar starved microorganisms might be hiding, willing to get the fermentation party started.

Next, we'll introduce not only a few ideas to inspire your collection but a simple method for gathering and multiplying wild microorganisms, which consists of mixing a selection of vegetables with water and sugar in a container, leaving enough room for oxygen (headspace), closing and shaking it to awaken the wild culture.

Choosing your source of microorganisms

Yeasts metabolize sugar and, therefore, are always found in fruits (rich in fructose) and flowers (devouring their nectar, just like insects and birds), and can also be present in the bark, trunk, seeds, and roots of trees. Generally, they stick to the external parts of vegetables, although lately, we must look deeper into the microorganisms that inhabit their interior (endophytic), which usually are symbiotic, like the ones living inside our bodies.

Should you choose to use store-bought fruits, always go for organic. We prefer to use a source containing moderate amounts of sugar, avoiding, for instance, a puree of overly ripe mangos, as well as using small, whole fruits. A source containing too much sugar will soon launch an intense fermentation process that can hardly be decelerated, even when refrigerated. Keep in mind that you are looking for an ember, not a fire.

In our experience, there is a broad range of vegetables that will work well in starting a wild yeast. Many of them are not found in markets, so you must tap into your inner explorer and look for them in the city[33] streets or the fields. After collecting them, it will suffice to wash thoroughly in running water. Do not soak them in chlorine, as that will eradicate all life forms in them. You always need to check some books or guide on plants to make sure you have not harvested something toxic[34]. Always choose flowers with thick petals that are not easy to pull apart. Balsams (*Impatiens walleriana*), silk floss tree (*Ceiba speciosa*), white ginger lily (*Hedychium coronarium*) are examples of flowers that may be used, although they will quickly degrade upon the first cycle, causing the microorganisms home to have an unpleasant appearance. Begonias, nut-grass, and beggarticks are examples of more long-lasting flowers.

Vegetables can be divided into five groups:

▶ **1. Flowers:** European elderberry, yucca, ponytail palm, para cress, dahlia, dandelions, begonias, Bromelia pinguin, cacti (mandacaru, pitaya, prickly pear etc.), Brazilian pepper tree (Brazilian pepper), hibiscus, flowering banana (*Musa ornata*), broadleaf plantain, yellow iris, turmeric, red ginger lily, white ginger lily, tabebuia, silk floss tree, anise, lavender, calendula, chamomile, arnica.

▶ **2. Fruits:** (always use whole fruits, poking small holes on the peel with the aid of a knife or a toothpick) small palm fruits, (queen and butia palms, and similarly sweet ones), *cacti* (mandacaru, pitaya, prickly pear etc.), achiote, *Cassia fístula* pods, *Cassia leiandra* and their edible cousins of the *Fabaceae* family, red mombin, peanut butter fruit, grapes, raisins,

---

[33] Those who live in São Paulo or any other polluted city should know some studies show that, depending on the kind of pollution (soil or air), its location, and the type of vegetable, the detected levels of toxins are not harmful to human health. For more information on this matter, see the Vegetation section under Metropolitan Regions in the Bibliographical References (page 316).

[34] For more information, see page 317.

Brazilian Way Fermentation

dried figs, apricots, west Indian locust, *solanum paniculatum*, Surinam cherry, Brazilian grape.

▶ **3. Roots:** Ginger, turmeric, white ginger lily, coriander, dandelion, nut-grass, or jointed flatsedge (fermented horchata de chufa).

▶ **4. Seeds:** Cardamom, juniper, pines, Indian cress, millets, quinoa, papaya, achiote, rose pepper, anise, tamarind, blackberry.

▶ **5. Tree bark, trunk, and leaves:** clove vine, cinnamon, guava, eucalyptus, guaco (*Mikania glomerata Sprengel*), mallow, Surinam cherry.

WARNING: Always make sure that the vegetable you will be using is fit for consumption. When facing even the slightest uncertainty concerning identification or quality of the sample, discard it. Do not use flowers bought from florists, as they are treated with insecticide.

Conditioning the ingredients

Wash all ingredients with water and use water and soap to clean the jars that will be used. PET bottles are recommended when using flowers, grains, or fruits (that will go through the container's neck without having to be forced), and glass jars when using large fruits. Ideally, the total volume of the container should be divided as follows: 1/3 for the vegetable, 1/3 for the water solution with 5% sugar (50 g / liter), and 1/3 should be left empty (headspace).

Starting up a wild yeast

The microorganisms we wish to disseminate are in our fruits, roots, and flowers, all we need to do is give them a hand, introducing oxygen in the culture medium, therefore, enabling their propagation.

For this purpose, all we need to do is shake the bottle/jar four times a day, opening the container before every new agitation so that the internal air can be recycled, and the developing microorganisms can get more oxygen. This process can last from one to ten days. Variables such as temperature, chosen ingredients, the initial number of organisms, frequency, and intensity of the agitation will determine how long it takes for the culture to arise.

The main sign that the microorganisms have propagated, and the culture is ready to be used is the formation of carbon gas, which will produce visible bubbles and cause the bottle and the jar lid to be bloated. When that happens, the culture can be used or kept closed in the fridge for later use.

When you are ready to use it, drain out the liquid (which is already packed with suspended microorganisms), keeping the solid parts in the container, always adding more water and sugar so the microorganisms can start propagating again.

Maintaining the wild culture

Once our colony is ready, that is, visibly active and bubbly, it's no longer necessary to agitate the container four times a day. The cellular walls have been established, and the microorganisms are found in enough numbers to avoid contamination from molds and other undesirable agents. If you will not use it daily, you need to leave it in the fridge until the next use, while keeping in mind it will fall into a dormant state, and you will need to keep it outside the refrigerator for a few hours, to reanimate it.

Before using it in a new recipe, take it out of the fridge and wait a few hours so it can come into balance with the room temperature. Taste it. If it is not sweet enough, add 20% of the sugar solution to 5% of the present volume. Drain out and strain the amount of liquid you'll use in the recipe.

After using it, add more water and sugar to the jar containing the microorganisms, agitate to aerate and leave it outside the fridge for a few hours, until carbon gas has formed – they main sign that everything is running smoothly. When this happens, put it back into the fridge. The culture can remain in the fridge, unused, for up to three weeks – after this period, the microorganisms will lose strength and will begin an autolysis process (self-destruction of the cells that will eventually produce undesirable metabolites). Check the culture's aroma periodically, to make sure it's healthy. If it remains inactive, with unpleasant appearance and aromas (putrid), discard it and start over. Often, we become attached to the microorganisms, but should keep in mind that the cost of a new culture is much smaller than that of a discarded brew.

ENGLISH VERSION

GINGER BUG

YIELDS 400 ML
DIFFICULTY EASY
PREPARATION 30 MIN
FERMENTATION 4 DAYS

This is a specific case for the previously described procedure for multiplying microorganisms found in vegetables. This is one of the easiest wild cultures to start and maintain. We'll leave here a few recipe suggestions, and these proportions can also be used with other basic material choices, as described above.

INGREDIENTS
» 100 g of peeled ginger
» 300 ml of filtered water
» 20 g of granulated sugar

PREPARATION
1. Cut the ginger into slices or grate it.
2. Put it inside a PET bottle (previously cleaned and sanitized).
3. Add the water and the sugar.
4. Mix thoroughly.
5. Open the bottle cap four times a day, squeezing it several times to recycle the internal air (replenishing the oxygen that has been consumed), close it, and shake vigorously.

You must repeat this basic process until the bottle begins to bloat due to the formation of internal gases. It is a sign of intense microbiological activity, meaning your yeast is active and ready to be used. If you are not going to use it immediately, it can be kept in the fridge for up to a month.

Kefir
A symbiosis between bacteria and yeasts (containing more than 20 species of each), many of them compatible with those commonly found in the intestinal tract, which causes it to be recognized as a probiotic food. It's one of the most popular wild cultures due to the culture's quick development and the ease with which it is maintained and used.

There are two varieties of kefir cultures which people usually get mixed up. water kefir (tibicos), which feeds on sucrose (glucose and fructose), and milk kefir, which feeds on lactose. It's not possible to "convert" one culture into the other, due to differences in the substrates that are metabolized (vegetal x animal), though both cultures could be used to start a fermentation process.

Essential water kefir care:
- Keep the kefir with water and sugar.
- Exchange the water once a day or once every two days: take out 50% of the liquid volume for consumption and add more water and brown sugar in the rate of 3 tablespoons per liter.
- We recommend the use of brown sugar, as it is less processed, but white, granulated or demerara sugar are also suitable.
- Avoid using running water – kefir multiplies in thin layers which will dissolve with the impact of the water.
- Use a jar covered by a cloth and secured by rubber bands.
- Leave it outside the fridge so fermentation can happen.
- Use glass, ceramic, plastic or stainless steel containers. Avoid iron, copper and aluminum.
- Use filtered water without chlorine.
- If you also have a kombucha culture, keep it in a separate environment.

Essential milk kefir care:
- Use animal milk; the microorganisms metabolize lactose.
- Exchange the milk after at least 12 hours of fermentation. There is no time limit, but the more you leave it to ferment, the more acidic the yogurt will be. Try to leave it fermenting for different periods to find out what result you like the most.
- Avoid using running water – kefir multiplies in thin layers that will dissolve with the impact of the water.
- Use a jar covered by a cloth and secured by rubber bands.

253

Brazilian Way Fermentation

- *Leave it outside the fridge so fermentation can happen.*
- *Use glass, ceramic, plastic or stainless steel containers. Avoid iron, copper and aluminum.*

With water kefir, one can use fermented water to make wild sodas or as a fermentation inoculum. We'll show more recipes in the section devoted to wild sodas.

Milk kefir can be used to transform milk into different foods, which we'll introduce next, as well as extracting whey and using it as a fermentation inoculum. Both are great fermentation inoculum to produce *levain* (natural bread yeast).

EVERYDAY CURD (YOGURT)

YIELDS 500 G
DIFFICULTY EASY
PREPARATION 10 MIN
FERMENTATION AEROBIC
MATURATION 24-72 HOURS

INGREDIENTS
» 500 ml of milk
» 50 g of kefir grains

PREPARING THE YOGURT
1. *In a container, pour in the milk you wish to ferment, preferably the amount you will consume on the following day.*
2. *Put the kefir grains into the milk and wait. Try to leave it for 8, 10, 24, 30, or even 48 hours so that you can feel the different textures and flavors it will produce. Remember to write down the fermentation time that resulted in your favorite flavor.*
3. *Using a sieve, drain out the recipient's content entirely. Return the culture to the jar and add more milk. The drained yogurt should be kept in the fridge.*

PREPARING STRAINED YOGURT AND WHEY
1. *Repeat the process from the previous recipe but allow the kefir to ferment for at least 24 hours.*
2. *Drain out the kefir, returning the grains to the jar, and set aside the drained out fermented milk.*
3. *Using a paper filter, begin to strain the fermented milk. Leave it to strain in the fridge or cover it with a cloth to keep flies away.*
4. *After 5 hours, on average, a paste (the strained yogurt) will be left in the filter; the yellow liquid that oozed out is whey, and it can be used as an inoculum in several recipes in this book. Keep the whey in a bottle in the fridge. It will last for up to 2 months.*

FERMENTED KEFIR BUTTER

YIELDS 150 g
DIFFICULTY MEDIUM
PREPARATION 20 MINUTES
FERMENTATION AEROBIC
MATURATION 3-7 DAYS

INGREDIENTS
» 500 ml of whipping cream
» 15 g of kefir grains
» Salt to taste
» Ice cubes

PREPARATION
1. *Pour the whipping cream into a recipient with a lid and add the kefir grains.*
2. *Allow it to ferment for 72 hours out of the fridge. You will notice a change in the texture of the cream.*
3. *After fermentation, use a spoon to blend the whey with the milk fat and strain to remove the kefir grains. Add salt.*
4. *With a mixer, whip at a low speed until the cream curdles. The separation between the cream's fat and its whey will be visible.*
5. *Add the ice cubes so the butter can begin to solidify and separate from the whey.*
6. *When you can shape the butter, roll it into a ball and carefully squeeze it to remove any excess liquid.*
7. *Transfer the solid butter to a container and keep it in the fridge. It will last for up to 30 days.*

After preparing the butter, the best way to clean the utensils is to use hot water. The liquid you extracted from the butter is buttermilk – "sour" milk with a low-fat content that can be used in several recipes.

....

FERMENTED KEFIR MILK (HOMEMADE YAKULT®)

YIELDS 800 ML
DIFFICULTY EASY
PREPARATION 30 MINUTES

INGREDIENTS
» 300 ml of milk
» 60 g of sugar
» 500 ml of milk kefir whey
» 1 teaspoon of vanilla extract
» Orange peel strips, white layer removed

PREPARATION
1. *Heat the milk the sugar, mixing until boiling. Turn off the stove and wait until it cools.*
2. *Pour the kefir whey into the milk, add the vanilla and squeeze the orange peels next to the surface of the liquid to extract the essential oils from the skin onto the milk.*
3. *Blend thoroughly and serve cold.*

....

Rejuvelac

When we leave grains soaking so they will sprout, the water we usually would discard could be used as a fermentation inoculum, as it is loaded with microorganisms coming from the grains. It is a quick and easy technique, but it is not a stable, predictable culture like kombucha, ginger bug, or kefir, which will force us to continually produce new cultures to be used.

The culture will quickly degrade itself, in a matter of days, a fact that is easily noticeable by the unpleasant aroma. It can be made from unprocessed grains that can sprout, such as pearl barley, wheat, rye, amaranth, quinoa, chickpeas, oat, among others.

As this is not a stable culture, whose microorganisms are unknown, we shouldn't use it to prepare fermented beverages, as there is a good chance the result will be foul-smelling and unpleasant tasting, besides the risks presented by the fact that we cannot ensure our pH will be acidic enough to prevent the proliferation of pathogens.

Any wild fermenter worthy of this title needs to try *rejuvelac*, so they can decide if they wish to use it in their fermentations. And so, we'll now explain how to prepare it:

1. *In a glass jar, allow 100 g of your chosen grains to soak in water (each seed has its particular soaking period; refer to the chart in the chapter about grain fermentation).*

2. *Drain out the water and seal the jar with a cloth until the grains begin to sprout (you'll see the roots emerging). Should the seeds take more than a day to grow, we recommend rinsing them out four times a day, preventing the proliferation of mold producing microorganisms.*

3. *As soon as the roots emerge, rinse the seeds out one last time and add four times as much water as there are grains (so, if you have 100 g of grains, add 400 ml of water).*

4. *The water in contact with the grains will be the Rejuvelac, which you can drink, blend with fruits, or use as an inoculum in fermentations.*

Activating commercial yeasts

Wild yeasts, as we've explained in the introduction, grant us more complex flavors, but will not ensure a high alcoholic content like the one provided by commercial yeasts.

In the store specialized in beer brewing, you'll find a vast variety of yeasts for all purposes. They come in envelopes, just as they "cousins" used in bread production (and that never should be used to make beverages, unless you want a soft drink, wine, or beer that tastes like bread). The envelopes contain from 5 g to 10 g of freeze-dried yeasts that need to be activated (in some envelopes, in liquid form, have already been activated).

Should you choose to use a commercial yeast designed to make beer, wine, or sparkling wines, proceed as follows:

1. *In a sanitized PET bottle, add 1 liter of water previously boiled and cooled to room temperature.*

2. *Add 10% (in relation to the volume of water) of malt extract or sugar and the contents of the en-*

velope (or the amount that is proportional to the volume of wort you wish to produce, according to the manufacturer's instructions).

3. *Agitate hourly, as to oxygenate the yeast, recycling the internal air with every new agitation.*

4. *Repeat the movement every 30 minutes until the exterior of the PET bottle begins to stiffen, a proof of gas formation and microbiological activity. This process can take from 1 to 12 hours.*

Oxygen is essential in this initial stage of the process, as it's responsible for the initial production of energy (aerobic breathing), as well as for strengthening cellular walls, enabling yeasts to multiply and become active in the wort. Once the yeast is active, it can be added to the wort.

To store the active years, keep it in the PET bottle inside the fridge. When you are ready to use it, remove the years and feed it with water and malt extract, or some other source of sugar at the specified rate. Agitate it until there is gas and, only then, use it.

CHAPTER 2

BEVERAGE

There is not much literature devoted to teaching how to make beverages as they were made in ancient times, and our research work in this realm was demanding. It was encouraging to find a fantastic work on the fermentation of wild beverages by writer Pascal Baudar[35], even if only reached us at a later stage when we had already figured out a great deal of the required processes. This liberating book freed us from our creative solitude that beer brewing colleagues had condemned us to, with their purity laws and prohibitions whose origins are obscure (and detrimental), for they exclude the wealth that characterizes the historical diversity derived from hits and misses, lucky breaks and the misfortunes that humankind has experienced. This chapter is inspired by Baudar's book, and we recommend it to those who wish to go deeper in their quest for rudimentary brews.

Now we introduce a tropical, Atlantic version, inspired by Baudar's book that, in its turn, is based on a temperate climate and bathed by the Pacific.

Making fermented beverages is sheer fun, be it by yourself or with family members, or as a form of learning.

This chapter is divided into two parts: non-alcoholic and alcoholic beverages. Both types contain – when produced using wild fermentation, that is, with microorganisms that came from the environment, as explained in the introduction – various metabolites that will grant characteristic flavors, and that may vary with each new bash.

Kombucha

An ancient beverage, fermented with the aid of wild bacteria and yeasts (the mother of kombucha or culture, as it is colloquially known) derived from a tea or an infusion, which can be flavored with fruits and spices. Of Chinese origin, it has, for more than 2 thousand years, been used to preserve teas, as well as transforming any sweet juice into vinegar (a topic that will be discussed in the next chapter), depending on how we guide the fermentation. Those born in the 1970s and 1980s might have some recollection of a deep plate inside which there was black tea and weird, gelatinous layer on the surface, perhaps in their grandparent's kitchen. Known by many names, such as tea jelly, a tablespoon a day was said to be "good for your health."

---

[35] Pascal Baudar, *The Wildcrafting Brewer: Creating Unique Drinks and Boozy Concoctions from Nature's Ingredients*, 2018.

ENGLISH VERSION

To further understand what kombucha is, let's begin by its name: kombu means "seaweed" and cha is the infusion of *Camellia sinensis* leaves we drink in the different versions, such as white tea, green tea, black tea, red tea, among other variations. In ancient times, the rule was to keep the culture only in black tea (and black tea only), a practice that has been altered in recent times (thus allowing other usages). The kombucha we drink is a tea that has been in contact with the culture and is characterized by slightly acidic and sweet flavor, and that may or may not have carbonation.

During the last ten years, this beverage has conquered the globe being commercialized by large brands that began to produce and bottle it. This, in turn, encouraged people to keep culture once again and produce them at home, given how simple it is to make it and how creative we can get with the flavors.

To begin making kombucha, you first need to find a culture, also known as the mother of kombucha or SCOBY (Symbiotic Culture of Bacteria and Yeast), which might be donated to you or acquired at the Companhia dos Fermentados website. Regardless of the source, make sure that, along with the culture, you also have a bit of tea that has already been fermented (the starter).

Kombucha is relatively simple to prepare and will allow you to create a flavor that suits your palate, and so there is no "right recipe." If at some point preparation seems confusing, remember that in the past, there were no equipment such as fridges, digital scales, thermometers, and modern gauges, and people still successfully made and drank kombucha. Next, we'll introduce the kombucha culture and explain a few details concerning preparation, so you'll make the world's best kombucha: your own.

Mother of kombucha or SCOBY

We call the culture "mother of kombucha" because it generates new layers of cultures over time. All of them will be responsible for transforming the tea into kombucha through the action of microorganisms found in the culture. Its growth happens in successive horizontal layers, and the new culture will always be sitting at the top of the fermentation jar, where it might or might not be merged with the main culture. The SCOBY needs an acidic environment; it feeds on tannin,

sucrose, fructose, caffeine, and requires oxygen. We always need to keep this in mind.

The scientific name is zooglea. It's a wild culture comprised of more than 20 different kinds of bacteria and yeasts that might present a wide microbiotic range (regarding the quantity and quality of the different species) depending on the place, temperature, and formulation that make each mother unique. Nevertheless, academic studies[36] have revealed that in all kombucha cultures, we can usually find microorganisms of *Acetobacter*, *Saccharomyces*, *Brettanomyces*, *Lactobacillus*, *Pediococcus*, *Gluconacetobacter kombuchae* and *Zygo-saccharomyces kombuchaensis* genus. Notice that the last two microorganisms are named after kombucha, as they were first isolated in that culture.

The formation of new cultures always happens on the surface of the fermentation jar, slowly and gradually. In the first stage, whitish dots emerge on the surface (between the first and the fourth day), later evolving into a thin, transparent layer (fifth to the tenth day), then acquiring more color and thickness after, at least, 20 days.

Basic culture care

» **Always keep it at room temperature:** *In a range between 16 °C and 38 °C, the kombucha microorganisms will be able to work and generate the metabolic residues required for maintaining and defending the culture. When we store the culture in the fridge, the microorganisms enter a dormant state, and their medium becomes vulnerable to other microorganisms that are more adapted to the cold and live inside fridges, possibly resulting in an unwanted contamination. Also, be careful not to add any liquids in temperatures above 40 °C to the culture, as that will inactivate the microorganisms.*

» **The culture needs oxygen!** *Never close the SCOBY into a pot with an airtight lid. Always use a cloth secured by elastic bands. Cotton, voile, or even on-woven fabrics are preferable. Do not use a paper towel, as it usually gives rise to unwanted contaminations (mildew).*

---

[36] Natalia Kozyrovska et al. "Kombucha Microbiome as a Probiotic: A View from the Perspective of Post-Genomics and Synthetic Ecology", 2012.

» **Water kefir x kombucha:** *Keep these two cultures apart! The kefir is easily overpowered by the kombucha microorganisms, so, if you already have this culture at home, prepare the kombucha in another room, or perhaps even in a different building.*

» **Sugar:** *Only use white. Granulated, or demerara sugar. These sugars undergo a refining process and have a molecular structure that is compatible with the metabolism of the microorganisms. Brown sugar or molasses have a more prominent molecular structure that hinders and impairs fermentation. Other sweeteners (stevia, aspartame, sorbitol etc.) should not be used, as their ingredients cannot be fermented by kombucha.*

» **Teas and infusions:** *For the first fermentation, use natural herbs, such as black, green, white, matte, and hibiscus tea.*

» **Bottling:** *Do not use glass bottles to package the tea. Fermentation requires strict control over the whole process, thus preventing accidents and explosions. Industrially, the use of glass if made possible by specific equipment and a lot of studies. We'll only teach you how to use PET bottles for packaging.*

» **Keep the culture protected:** *Do not leave your kombucha exposed without being covered by cloth secured by elastic bands. Fruit flies love kombucha, and when they get into the fermentation jar, they lay eggs that will spawn a legion of larvae in the culture.*

» **If it becomes infected by mold**, *discard it.*

SCOBY hotel

When we begin to produce kombucha more frequently or stop producing it, there will be a frequent proliferation of mothers and, therefore, the need to store the spare cultures (that have not been discarded or adopted). To do so, one needs to create a "resting hotel" where they will be kept and fed at room temperature, with enough tea so they will be totally immersed. An easy way to do it is to have another fermentation jar with sweetened tea where the other cultures when be kept in case they are not used for the next 30 days. When preparing the

beverage, all you need to do is choose a culture and use the liquid part of the hotel as a stater.

Should the production period last more than 30 days, make a concentrated, sweetened tea and add to the hotel so the cultures will continue to be fed. The most important thing is that we should never allow the liquid to dry out, for it would leave the cultures exposed and vulnerable to mold contamination.

Required ingredients and utensils:

» **Water:** *Use filtered water you would normally drink. Kombucha lives in an acidic medium, so, use alkaline waters (with a pH higher than 7).*

» **Sugar:** *Use white, granulated, or demerara sugar. They undergo a refinement process that causes their molecular structure to be smaller, which enables microorganisms to metabolize them. Brown sugar and other ingredients used as sweeteners (aspartame, xylitol, steviol) should not be used at the beginning of fermentation (known as the first fermentation) but can be used to flavor the beverage after it is done (during bottling, or second fermentation).*

» **Teas and infusions:** *Use only teas belonging to the Camellia sinensis family (white, black, green teas, among others) and infusions like hibiscus and matter. Flavored teas and infusions should not be used in the first fermentation, as they contain preservers and essential oils that could impair fermentation. Kombucha is flavored during bottling, a process known as second fermentation.*

» **Kombucha starter:** *A flavorless kombucha derived from a previous production. As it already contains fermentation microorganisms, it is an excellent inoculum that can help to make the medium more acidic and colonize a new tea with microorganisms that will begin fermentation. We should use a 5% to 10% starter ratio with the volume of the new tea.*

» **Fermentation jar:** *Choose a container that can be easily handled and cleaned. The material could be glass, 304 stainless steel, food-grade plastic, or ceramic. Aluminum, iron, copper, and other metals, except (food-grade) stainless steel, should not be used, as tea fermentation has a high content of lactic and acetic acids that could extract toxic metals.*

ENGLISH VERSION

Stages: from tea to kombucha

To make kombucha that pleases your palate, begin by thinking about what your final drink will be like. The presence of gas, the degree of acidity, the adding of fruits and spices: these are all choices to be made. Observe that the kombucha microorganisms can metabolize sugar and the nutrients of the tea at room temperature, that is, the entire process must happen outside the fridge, from the first to the second fermentation.

» **Preparing the tea (wort):** *It is the moment in which we infuse the dried leaves with hot water to prepare the tea we will ferment. At this stage, you can choose the desired intensity of the tea: strong (the flavor of the selected herb will be very present on the palate) or mild (the taste of the tea will be less noticeable). You can also work with concentrations between 4 g to 20 g of dried leaves per liter of tea. To know what concentration your palate finds more agreeable, take a few hours to prepare teas at different concentrations, and write down (in grams to liter ratio) which recipes you liked the best. Teas from the Camellia sinensis family generate different results when we alter the temperature and the duration of the leaves infusion, that is why it is advisable to study more about the different tea extraction methods, as well as the stages of oxidation and leaves grinding. When in doubt, follow the manufacturer's instructions.*

After having prepared the tea (or infusion) you will be fermenting, strain in until the liquid as sheer as possible, then add the sugar. Remember that this is one of the main ingredients in the preparation and that the microorganisms, generating various metabolic residues, such as carbon gas, lactic acid, and acetic acid, will consume it. So, to maintain control over the whole fermentation process, it will be necessary to add sugar at the beginning of the fermentation (consider from 50 g to 80 g in the first tries).

» **First Fermentation (bringing your tea to life):** *This is the initial stage of fermentation when we must add the culture (SCOBY), the starter (± 10% of the previous production), tea, or a cold infusion, and the sugar in a container. We cover it with a cloth, secure it with elastic bands, and wait for fermentation. It is when aerobic fermentation (with oxygen exchange) takes place, and the tea or infusion "turns into" kom-*

bucha, acquiring characteristics given by the mother and the microorganisms found there.

This phase can last from 3 to 10 days, and variables such as temperature, culture strength, an initial amount of sugar, and the amount of tea can influence the duration and the results as the process comes to an "end." The microorganisms will transform into carbon gas (that will lose itself into the atmosphere), lactic acid, and alcohol (that will be converted into acetic acid because aerobic bacteria metabolize alcohol), among many other metabolites.

The first fermentation isn't measured in an exact number of days, so we recommend you taste the tea once a day after the second fermentation day so you can decide when it is done. After tasting, when the flavor and the acidity are agreeing to your palate, the first fermentation is finished. Then, you can choose to flavor your kombucha (second fermentation) or store it in a PET bottle in the fridge and consume it.

» **Second Fermentation (flavoring and carbonation):** *Now that the fermented tea suits your palate, we can begin the second process of adding new aromas and flavors and of carbonation. To do so, transfer the strained liquid from the fermentation jar to a pitcher, adding the desired inputs, and then bottle it in PET bottles, where fermentation will still happening, although in an anaerobic regimen (without oxygen). During this process, the residual sugars will be transformed into carbon gas (resulting in natural gas), lactic acid, and alcohol, but without the formation of acetic acid (the vinegary flavor), as the aerobic bacteria that feed on alcohol do not work in an anaerobic medium.*

The culture could remain in the fermentation jar, to be used in the next kombucha batch, or be transferred to the hotel for cultures.

» **Ways to flavor kombucha:** *When flavoring kombucha, avoid diluting the fermented tea. This way, when using fruit juices, dilute your fermented kombucha with these liquids at a maximum rate of 10%.*

Let's say you have 3 liters of kombucha and want to use chamomile tea to flavor it. Prepare

Brazilian Way Fermentation

the chamomile infusion in a way it will concentrate all the dried flowers in only 300 ml of water, so then you can dilute it into the 3 liters of kombucha. This way, kombucha's original characteristics will be kept.

FLAVORING WITH FRUITS: This is a quick and tasty alternative for kombucha. To do it, add pieces of fruits, their juice, or even an infusion made from the whole fruit soaked in a bit of hot water.

PRO: *Intense carbonation caused by adding more fructose (sugar), which will also be fermented.*

CON: *It expires more quickly (between 10 and 20 days), plus there is the flavor of the decaying fruit caused by the fermentation of the fruit's fibers. Dehydrated fruits have a concentrated flavor and have proved to be a good alternative.*

FLAVORING WITH SPICES: Use cloves, cinnamon, cardamom, coriander seeds, tonka beans, puxuri, imbiriba seeds, pimenta-de-macaco, imburana, and other spices through infusion or by placing them in the bottle after bottling. Explore beyond the best-known spices; you'll be surprised by the resulting flavors.

PRO: *more control over the fermentation and a longer (from 30 to 90 days), as there is no further adding of fructose or fruit fibers.*

CON: *If all sugars were consumed in the first fermentation, there could be low carbonation due to the bacteriostatic properties of spices (which hinder microorganisms).*

FLAVORING WITH OTHER TEAS: Use other flavored teas – such as apple, cinnamon, lemon, and red berries – while trying to concentrate the tea's flavor in a minimum amount of water, thus avoiding the dilution of the kombucha's first fermentation.

PRO: *more control over the fermentation and a longer (from 30 to 90 days), as there is no further adding of fructose or fruit fibers.*

CON: *If all sugars were consumed in the first fermentation, there could be low carbonation.*

» **Bottling (storing kombucha in bottles):** *When the pitcher flavoring is done (mixing the first fermentation kombucha with the flavor), set aside the PET bottles, wash, and sanitize them thoroughly, and bottle it, filling the bottle leaving some room before the bottleneck. Always prefer 500 ml PET bottles; that way, when the bottle is opened, the whole content is consumed. Should you choose to use bigger bottles, a loss of gas will happen each time the bottle is opened (it would work well during lunches, dinners, and parties).*

The duration of the second bottle fermentation goes from 2 to 10 days outside the fridge (room temperature) when the formation of gas will be noticeable due to the external stiffness of the bottle. When this happens, place the bottle in the fridge to slow the fermentation down.

Getting to work

At this point in the book, we hope you have understood what is kombucha, how to care for a culture, the first fermentation, the second fermentation, the

FLAVORING	CARBONATION	ALCOHOL	DURATION
Spices or other infusions	controlled	controlled	60 days or more
Pieces of fruit	uncontrolled	uncontrolled	Up to 20 days
Fruit juice	uncontrolled	uncontrolled	Up to 15 days
Infusion of dried or fresh fruits	uncontrolled	uncontrolled	Up to 60 days

ENGLISH VERSION

flavoring methods, and bottling. So, it's time to put it to practice. If this is your first time making kombucha, start with a basic recipe, and then, after you've succeeded, experiment with your formulations.

GREEN TEA KOMBUCHA WITH GINGER

YIELDS 1 LITER
DIFFICULTY MEDIUM
PREPARATION 30 MINUTES
FERMENTATION AEROBIC
MATURATION 2-14 DAYS

INGREDIENTS
» 1 liter of water
» 8 g of dried green tea leaves
» 50 g of sugar
» 100 ml from the previous kombucha batch (starter)
» 1 kombucha SCOBY
» 8 g of peeled ginger

PREPARATION

[FIRST FERMENTATION]

1.   *Heat the water, but do not let it boil.*
2.   *Add the tea and wait 5 minutes.*
3.   *Strain it and allow it to cool to room temperature.*
4.   *Add the sugar, the starter, and the SCOBY.*
5.   *Cover it with a cotton cloth and secure it with elastic bands.*
6.   *Wait for the first fermentation period. Taste the kombucha once every other day so you can choose when the flavor suits you.*

[SECOND FERMENTATION]

7.   *Once it has reached the ideal flavor, transfer the liquid to a pitcher.*
8.   *Set aside 300 ml of kombucha and combined it with the peeled ginger in a blender.*
9.   *After blending the ginger and the kombucha, strain it and add the liquid portion to the remaining kombucha.*
10. *Bottle it in PET bottles. If you want carbonation, leave the bottle out of the fridge until its outside is stiff.*
11. *Put it in the fridge and drink it cold.*

Enhancing, controlling and improving kombucha production

The enhancement of kombucha production comes down to managing the fermentation variables, which calls for hands-on experience. Our goal is to have greater control over the fermentation process, so the bottled drink has stability: without the risk of explosions or a weak flavor after bottling.

Controlling acidity, alcoholic content, sweetness, and carbonation

When we get a flavor right, we are met with the more significant challenge: reproducing it in an equalized fashion. Acidity, sweetness, carbonation, and alcoholic content are the variables we find most challenging to control, and they all are related to one single ingredient: sugar.

The sugar we've added at the beginning of the fermentation will be metabolized by the microorganisms until the end and, in turn, will generate metabolic residues that we want to control. Kombucha stability is attained when the organisms consume all of the sugar remaining after bottling, when they will run out of nourishment. To have more control over theses variables, consider fermenting kombucha between 18 °C and 23 °C. Above this temperature, fermentation will happen too quickly, and the result will be an acidic beverage without a depth of flavor.

Alcoholic content

Yeasts transform the alcohol that emerges as a metabolic residue from sugar. It happens during the two preparation processes: the first and second fermentations. In the first fermentation (aerobic), the acetic, aerobic bacteria transform alcohol into acetic acid. Just as soon as the yeasts generate alcohol, the acetic bacteria turn it into acetic acid, so the alcoholic content of kombucha will be always low, when not null, during the first fermentation.

In the second fermentation (anaerobic fermentation), the acetic, aerobic bacteria will quit metabolizing; therefore the alcohol generated by the yeasts will remain in the drink. Thus, the sweeter is the kombucha upon bottling – be it through the adding of sugar or fruits –, the greater are the chances alcohol is present.

Acidity

Acidity is generated when aerobic bacteria transform alcohol into acetic acid, so, after bottling, kombucha

261

no longer grows vinegary. To define the desired acidity, try the kombucha once every other day during the first fermentation and stop the fermentation process when the flavor suits your palate.

Note that the temperature will significantly influence the resulting acidity: the hotter the environment is during the first fermentation, the fastest and the stronger will be vinegar taste be. Therefore, during fermentation, favor colder environments that are not above 23 °C.

Carbonation

Like alcohol, carbon gas is a metabolic residue of the transformation of sugar carried on by yeasts, and it occurs during both preparation processes: the first and the second fermentations.

In the first fermentation, the gas gets lost into the atmosphere because the container is open. In the second fermentation, as we close the entrance and the exit, the carbon gas that is generated ends up solubilized into the kombucha, naturally carbonating the drink. As such, the sweeter the kombucha upon bottling – be it through the adding of sugar or fruits –, the greater are the chances it will present excessive carbonation, and the liquid will pour out once the bottle is opened.

Residual Sweetness on the Palate

Knowing that added sugar will always be transformed into some metabolic residue, to obtain a sweeter kombucha, one must always:

- *Stop fermentation by storing the bottles in the fridge;*
- *Submit the kombucha to a pasteurization process (inactivating the microorganisms);*
- *Adding industrial preservatives;*
- *Allow the fermentable sugars to run out and add other ingredients as sweeteners.*

In other words, we cannot have a stable kombucha as sweet as a popular soft drink (without pasteurization and industrial chemicals) at room temperature without the risk of spillage and bottle explosions. If that is what you are looking for, consider that the kombucha will need to be refrigerated at all times, something impossible in large productions.

Producing stable fruit extracts for the second fermentation

Knowing that the adding of fruits in juice form, or raw, during the second kombucha fermentation could introduce a decaying fruit flavor and super carbonation that would prevent us from attaining a stable beverage, we've developed a method of extracting the fruit flavor in a stable manner using organic acids (lactic and acetic, among others) from the own kombucha. The goal is to get the aroma and the flavor of the substrate, leaving behind the fibers and the solid mass of the inputs, which are responsible for the unpleasant off-flavors.

To create these flavoring extracts, make a cold infusion using the desired ingredient in the first fermentation kombucha, remove the solid bits and, after a while use the extract to flavor the remaining kombucha before bottling.

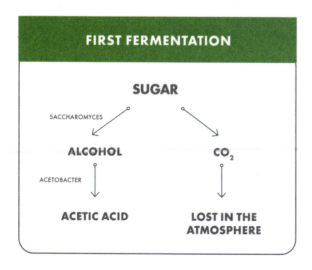

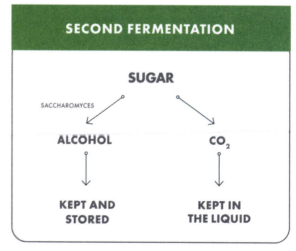

ENGLISH VERSION

STEP-BY-STEP GUIDE

1. *Transfer part of dry (acidic, long fermentation) first fermentation kombucha to a jar without the culture, then add the ingredients that will flavor all of the kombucha (fruits and or spices).*

2. *Close the jar hermetically (to create an anaerobic environment) and leave the infusion in the fridge. At this stage, we do not want the kombucha microorganisms to ferment the substrate we've added.*

3. *The infusion time could vary from 12 to 72 hours, depending on the desired flavor intensity and the kind of substrate. After 12 hours, taste the substrate to check the strength of the flavor and add more substrate if you think it's too mild.*

4. *When you've reached an intensity that suits you, strain the kombucha and discard the solid portion. Depending on the flavor concentration, you can dilute the extract into more kombucha or bottle it at once.*

5. *After flavoring with the extract, should you want gas, leave the bottle outside the fridge for the second fermentation.*

To facilitate the filtration process, consider using a hop bag, which is an inert fabric that works as a sieve and can be inserted into the wort that will be fermented, allowing you to make temporary infusions without having to sieve the entire wort.

Adapting the culture so it will ferment other substrates besides tea

Until recently, the general belief stated that kombucha could only be made from *Camellia sinensis* infusions. Tests and researches have determined that it is possible to produce this drink from other infusions, such as from the Brazilian native *Ilex paraguariensis*, popularly known as Mate, without adding any *Camellia sinensis* leaves.

If we consider this possibility, we can adapt and develop other SCOBYs for different substrates. The main difference between these cultures will be the amount of yeasts and bacteria, that is, their microbiota.

When we alter the fermentation substrate, many microorganisms won't be able to adapt, but others will be favored, and so the overall composition of the microbiota will change. However, we cannot radically alter the substrate. To adapt a culture to other substrates, we required a gradual transition in the wort used in the first fermentation.

We can quickly adapt a culture so it will ferment beet, malt, honey (jun), fruits, and wine, among other worts.

This process can take up to 90 days, and there are no guarantees it will work – it depends on the chosen substrate. So, do not attempt to do this if you have only a single SCOBY.

STEP-BY-STEP GUIDE

Let's suppose that our goal is to exchange granulated sugar for honey, that is, after undergoing this transition, the culture will be fed with green tea and honey, also known as jun. The original recipe (which will be altered) indicates a ration of 10 g of green tea and 60 g of sugar per liter. Observe how this transition will be made:

*1) **Preparing the first wort – 1 liter with 10 g of green tea:***
- 75% of the original formulation
45 g of granulated sugar
- 25% of the new formulation
15 g of honey

Allow it to ferment at room temperature until you notice the formation of a new culture at the surface, which could take from 10 to 30 days. When you see signs that the fermentation is working well (smell and taste), remove 90% of the fermented volume that could be used as vinegar. Use the remaining 10% of the culture to prepare the second wort.

*2) **Preparing the second wort – 1 liter with 10 g of green tea:***
- 50% of the original formulation
30 g of granulated sugar
- 50% of the new formulation
30 g of honey

Allow it to ferment at room temperature until you notice the formation of a new culture at the surface, which could take from 10 to 30 days.

263

Brazilian Way Fermentation

When you see signs that the fermentation is working well (smell and taste), remove 90% of the fermented volume that could be used as vinegar. Use the remaining 10% of the culture to prepare the third wort.

3) Preparing the third wort – 1 liter with 10 g of green tea:
- 25% of the original formulation
15 g of granulated sugar
- 75% new formulation
45 g of honey

Allow it to ferment at room temperature until you notice the formation of a new culture at the surface, which could take from 10 to 30 days. When you see signs that the fermentation is working well (smell and taste), remove 90% of the fermented volume that could be used as vinegar. Use the remaining 10% to prepare the kombucha with the new, altered

Remember to write down all of the ingredients and the recipe and method for altered wort – after altering your culture's microbiota, it is not guaranteed it will ferment its original substrate.

Equipment for measuring kombucha
Generally, we measure beverage fermentation through the sugar consumed by the microorganisms. When we have the initial concentration of sugar (at the beginning of the fermentation) and the final concentration of sugar (during bottling) and subtract one from the other, we'll know the total volume of consumed sugar, which will allow us to foresee the amount of metabolites into which the sugar has been transformed.

There are several types of equipment and ways of measuring fermentation in beverages, such as the densimeter saccharimeter and the refractometer. There are accessible, affordable instruments, made to measure the specific metabolic residues of "traditional" alcoholic fermentation, where alcohol is the primary metabolic residue.

Kombucha fermentation yields many other metabolites besides alcohol: lactic and acetic acids, vitamins and enzymes. When we measure kombucha using the previously mentioned equipment, the presence of these metabolites will influence the reading, giving us unrelia-

ble numbers – we won't be able to trust our equipment and use it to control and gauge. However, with time, we'll have our statistics about each fermentation. That is how we, at Companhia dos Fermentados, over two years, managed to produce kombuchas that would remain indefinitely stable even if kept at room temperature.

After long and diverse testing, we've found the most stable measuring tool was the densimeter saccharimeter.

Flavoring kombucha
The following recipes use the same basis as that of the first fermentation. You can follow these suggestions or use your formulation, which will result in a base with a mild tea flavor, which will enable the flavoring to be more noticeable.

....

KOMBUCHA BASED ON MILD GREEN TEA *(see page 75)*

YIELDS 1 LITER
DIFFICULTY MEDIUM
PREPARATION 30 MINUTES
FERMENTATION AEROBIC
MATURATION 2-14 DAYS

INGREDIENTS
» 1 liter of water
» 6 g of green tea
» 50 g of sugar
» 100 ml of your previous kombucha (starter)
» 1 kombucha SCOBY

Note: this recipe can also be used to make alcoholic kombucha (hard kombucha, recipe on page 280).

PREPARATION
1. *Heat the water, but do not let it boil.*
2. *Add the dried tealeaves and wait 5 minutes.*
3. *Strain it and allow it to cool to room temperature.*
4. *Add the sugar, the starter, and the SCOBY.*
5. *Cover it with a cotton cloth secured with elastic bands.*
6. *Wait for the first fermentation period. Taste*

the kombucha once every other day so you can choose when the flavor suits you.

7. After reaching the ideal flavor, drain out the liquid and begin the second fermentation.

STANDARD FRUIT EXTRACT

YIELDS 1 LITER
DIFFICULTY EASY
PREPARATION 20 MINUTES
MATURATION 12-24 HOURS

INGREDIENTS

» Fruits of your liking, such as guava, passion fruit, uvaia, mango, pineapple
» 1 liter of dried first fermentation kombucha (long fermentation, little residual sugar)

PREPARING THE STANDARD EXTRACT

1. Cut the fruits into small pieces.
2. Transfer to an airtight jar and allow this kombucha infusion to rest in the fridge for 12 to 48 hours. Taste every 12 hours until it has reached the desired flavor intensity.
3. When the infusion time is over, remove the pieces of fruit.
4. Bottle it.

SUMMER NAVEL ORANGE

YIELDS 1 LITER
DIFFICULTY EASY
PREPARATION 20 MINUTES
FERMENTATION ANAEROBIC
MATURATION 1-5 DAYS

INGREDIENTS

» 100 ml of navel orange juice
» 1 fresh thyme sprig
» 2 g of fresh sage leaves
» 900 ml of first fermentation kombucha

PREPARATION

1. In a blender, combine the orange juice, sage, and thyme.

2. Strain thoroughly and mix it with the first fermentation kombucha.
3. Bottle it.

PASSION FRUIT AND BRAZILIAN PEPPER

YIELDS 1 LITER
DIFFICULTY EASY
PREPARATION 30 MINUTES
FERMENTATION ANAEROBIC
MATURATION 1-5 DAYS

INGREDIENTS

» 1 whole passion fruit, with the pulp and peel
» 1 liter of first fermentation kombucha
» 1 g of Brazilian pepper
» 200 ml of water
» 5 g of sugar

PREPARATION

1. Wash the passion fruit, extract the pulp, and set aside the peel.
2. Transfer the first fermentation kombucha into an airtight jar and add the passion fruit pulp and the Brazilian pepper. Allow the infusion to rest in the fridge for 24 hours.
3. Cut the remaining peel into pieces and heat it with water. Allow it to simmer over low heat for 10 minutes. Strain and set aside.
4. After 24 hours, remove the jar from the fridge, strain the kombucha discarding the pulp and the peppers. Add the liquid from passion fruit peels, the sugar, and bottle it.

CARROT

YIELDS 1 LITER
DIFFICULTY EASY
PREPARATION 10 MINUTES
FERMENTATION ANAEROBIC
MATURATION 1-5 DAYS

INGREDIENTS

» 100 g of carrots
» 1 liter of first fermentation kombucha

Brazilian Way Fermentation

PREPARATION

1. Cut the carrot into pieces and use a blender to mix it with 500 ml of first fermentation kombucha.
2. Transfer to an airtight jar and leave the infusion in the fridge for 24 hours.
3. After 24 hours, the formation of carrot deposits will be visible. Carefully drain out the liquid, discarding the carrot deposits.
4. Mix with the remaining first fermentation kombucha and bottle it.

....

COFFEE

YIELDS 1 LITER
DIFFICULTY EASY
PREPARATION 24 HOURS
FERMENTATION ANAEROBIC
MATURATION 1-5 DAYS

INGREDIENTS

» 1 liter of first fermentation kombucha
» 10 g of ground coffee

PREPARATION

1. In an airtight jar, combine the first fermentation kombucha with the ground coffee and sugar.
2. Allow the infusion to rest in the fridge for 24 hours.
3. After 24 hours, strain the kombucha using a paper or cloth filter.
4. Bottle it.

....

CUCUMBER AND MINT

YIELDS 1 LITER
DIFFICULTY EASY
PREPARATION 24 HOURS
FERMENTATION ANAEROBIC
MATURATION 1-5 DAYS

INGREDIENTS

» 100 g of cucumber
» 1 liter of first fermentation kombucha
» Mint leaves
» 5g sugar

PREPARATION

1. Peel the cucumber and cut into pieces.
2. In a blender, combine 500 ml of first fermentation kombucha with the mint leaves.
3. Transfer to an airtight jar and allow the infusion to rest in the fridge for 24 hours.
4. After this period, the formation of cucumber deposits will be visible. Carefully transfer the liquid, straining, and discarding the deposits.
5. Mix it with the remaining first fermentation kombucha, sugar and bottle it.

....

ROASTED MATE AND LIME
(see page 80)

YIELDS 1 LITER
DIFFICULTY EASY
PREPARATION 30 MINUTES
FERMENTATION ANAEROBIC
MATURATION 1-5 DAYS

INGREDIENTS

» 100 ml of water
» 15 g of roasted mate
» 10 g of lime peel
» 50 ml of strained lime juice
» 900 ml of first fermentation kombucha
» 5 g of sugar

PREPARATION

1. Heat the water, but do not let it boil.
2. Add the mate and the lime peel and wait 10 minutes.
3. Strain it and allow it to cool to room temperature.
4. Once it is cold, add the lime juice and sugar and blend with the first fermentation kombucha.
5. Bottle it.

....

HIBISCUS, GINGER, AND BRAZILIAN PEPPER

YIELDS 1 LITER
DIFFICULTY EASY
PREPARATION 24 HOURS

FERMENTATION ANAEROBIC
MATURATION 1-5 DAYS

INGREDIENTS
» 1 liter of first fermentation kombucha
» 8 g of dried hibiscus
» 8 g of grated ginger
» 0,5 g of Brazilian peppercorns
» 5 g of sugar

PREPARATION
1. *In an airtight jar, combine all the ingredients.*
2. *Allow the infusion to rest in the fridge for 24 hours.*
3. *Strain and bottle it.*

Consuming the SCOBY

The structure of the bacteria and yeast culture that makes us the mother of kombucha (SCOBY) mostly comprises of water and cellulose. A great deal of the motivation for consuming it lies in ingesting the micro-organisms and their alleged probiotic benefits. However, even in formulations that involve the cooking of sourdough, we'll reap the functional benefits of the cellulose and non-digestible fibers, which are very important for the functioning of the intestinal tract.

You could cut up the SCOBY into sashimi-like shapes and season it with soy sauce, sesame oil, thus creating an impressive "vegan sashimi." You could also chop it into smaller pieces, season with pepper, lime (just a touch, as the SCOBY is pretty acid on its own), ginger, salt, and cilantro, or any other marinade you choose, creating a classic ceviche.

A few preparations use dehydration as a manner of processing. If you do not own a drying oven, we suggest you use a conventional oven at the lowest temperature and keep the door ajar (you can prop it open with a cork, for example). The dehydration time will be shorter, and the temperature will probably go over 60 °C, and that will deactivate microorganisms and enzymes in the fruit and in the SCOBY. In the drying and the also in the traditional oven, we'll use silicone sheets and, should you not have any, use a non-stick baking tray, carefully removing it later, or even baking waxed paper. You could also grease it lightly with vegetable oil.

Recipes and procedures are divided into two fronts: whole pieces or puree.

Whole pieces

These recipes involve cutting the SCOBY into small pieces, then seasoning and processing them. Next, we'll show a few recipes that might inspire you.

SCOBY IN SYRUP

YIELDS 2,2 KG
DIFFICULTY MEDIUM
PREPARATION 1 HOUR

INGREDIENTS
» 500 g of peaches
» 500 g of SCOBY
» 500 g of sugar
» 1 liter of water

PREPARATION
1. *Wash the peaches, cut them in half, and remove the pit. You can peel them if you want.*
2. *Cut the SCOBY into pieces similar to the peaches.*
3. *Boil the sugar and water for 5 minutes, then add the remaining ingredients.*
4. *Boil for about 20 minutes, then allow it to cool. Store in a sterile jar and keep in in the fridge for up to 2 weeks.*

SCOBY BANANA JAM
(*see page 83*)

YIELDS 1 KG
DIFFICULTY MEDIUM
PREPARATION 1 HOUR

INGREDIENTS
» 100 ml of water
» 300 g of sugar
» 350 g of SCOBY, cut into small pieces
» 350 g of banana, sliced

PREPARATION
1. *Boil the water with the sugar.*
2. *Add the remaining ingredients and simmer over low heat until the banana dissolves.*

Brazilian Way Fermentation

3. Store in sterile jars and keep in the fridge for up to 2 weeks.
4. You can replace the banana for any other fruit and puree the SCOBY to obtain a more homogeneous jam.

VEGAN SCOBY JERKED BEEF

YIELDS 250 G
DIFFICULTY DIFFICULT
PREPARATION 20 MINUTES
MATURATION UP TO 3 DAYS

INGREDIENTS
» 80 ml of soy sauce
» 50 g of ginger
» 2 garlic cloves
» 5 g of roasted sesame seeds
» a bit of sesame oil (optional)
» 2 kg of SCOBY cut into strips

PREPARATION
1. Combine and process all of the seasonings in a blender.
2. Add the SCOBY and allow it to marinate for 24 hours.
3. Put it in the dryer over at 42 °C for 20 to 40 hours, until the right texture has been reached.

Tip: Give it a Hungarian twist by replacing the oriental seasonings for sweet, smoked or hot paprika, and dehydrated garlic, onions, and carrots.

GINGER CANDY

YIELDS 250 G
DIFFICULTY DIFFICULT
PREPARATION 20 MINUTES
DEHYDRATION UP TO 3 DAYS

INGREDIENTS
» 500 g of SCOBY cut into 3 cm x 3 cm cubes
» 30 g of grated ginger
» 50 g of sugar

PREPARATION
1. Combine the ingredients and allow them to marinate for 24 hours.
2. Dehydrate at 42 °C for 20 to 40 hours, until reaching the desired texture and size.

Tip: Add 50 g of processed passion fruit pulp, mint, or any other spices, to taste.

Consuming blended SCOBY (puree)

When we process SCOBY in a blender, we can use it in traditional recipes, be them raw or cooked ones. Just like cooked green banana biomass, you could approach your SCOBY puree as a "microbiomass." Its main characteristic is acidity, and you should always keep that in mind. Consider adding the microbiomass to soups, risottos, bread, cookie and pasta dough, pie fillings, ice creams etc.

Next, we'll introduce a few recipes for dehydrated fruit rolls made from microbiomass. They sometimes are also known as "fruit leather."

GUAVA FRUIT ROLL

(see page 86)

YIELDS 80 G
DIFFICULTY DIFFICULT
PREPARATION 20 MINUTES
DEHYDRATION UP TO 3 DAYS
INGREDIENTS
» 400 g of guava
» 400 g of SCOBY
» 50 g of granulated sugar (optional)

PREPARATION
1. Combine all the ingredients in a blender.
2. Add water if necessary, always remembering that, the more water you add, the longer it will take to dehydrate.
3. Spread the mixture across a silicone sheet and dehydrate at 42 °C for 20 to 40 hours, until you can easily peel it off without cracking. Then, roll up this sheet and cut into smaller pieces so that you can fit them into a jar or airtight zipper bags. When vacuum-packed, the pieces could last up to 6 months.

Tip: Add spices and herbs so your fruit roll will have more depth. To do so, always keep in mind the final weight, which will be about ten times smaller, and calculate so the amount of added spices will not be over 1%. In this recipe, for instance, we have an initial mass of 800 g, yielding 80 g after dehydration. Therefore, the amount of spices should not be over 0.8 g.

....

CUPUAÇU FRUIT ROLL

YIELDS 300 G
DIFFICULTY DIFFICULT
PREPARATION 20 MINUTES
DEHYDRATION UP TO 3 DAYS

INGREDIENTS
» 400 g of cupuaçu
» 400 g of SCOBY
» 50 g of granulated sugar (optional)

PREPARATION
Follow the method described in the Guava Fruit Roll recipe (page 268).

....

BANANA FRUIT ROLL

YIELDS 250 G
DIFFICULTY DIFFICULT
PREPARATION 20 MINUTES
DEHYDRATION UP TO 3 DAYS

INGREDIENTS
» 500 g of banana
» 500 g of SCOBY
» 80 g of granulated sugar (optional)
» 1 g of ground cinnamon

PREPARATION
Follow the method described in the Guava Fruit Roll recipe (page 268).

....

PASSION FRUIT ROLL

YIELDS 150 G
DIFFICULTY DIFFICULT
PREPARATION 20 MINUTES
DEHYDRATION UP TO 3 DAYS

INGREDIENTS
» 300 g of passion fruit pulp, blended and sifted
» 350 g of passion fruit peels, cooked for 15 minutes in a pressure cooker
» 700 g of SCOBY
» 5 g of verbena leaves, infused in 50 ml of water

PREPARATION
Follow the method described in the Guava Fruit Roll recipe (page 268).

Wild sodas

Although historically wild sodas stem from fruit juices, most of us grew up drinking wild sodas that were virtually deprived of any nature-obtained ingredients (vegetal). Including some that are black and whose manufacturers boast about the secrecy surrounding their formula and their production procedure. In hindsight, it is amazing we spent so much time marveled by the fact we were consuming a product whose formula and production was a mystery. How could the law be so soft (and it still is) in that regard? When we consider the forces that influence public regulatory offices that define what can be considered a wild soda.

Nowadays, we've noticed the population is growing more aware of the importance of proper nutrition, and industrialized wild sodas have made their way into the list of great villains (whose primary victims are children). Should someone crave a fizzy, non-alcoholic drink without chemical additives, unfortunately they will not find it in the supermarket. What was common until a few decades ago now is only found in ultra-processed, industrialized versions that lack any probiotic, nutritional or therapeutic benefits.

One should wonder: are wild sodas a recent creation, crafted by an industry that can spawn rivers of phosphoric acid (great for unclogging sinks), flavorings, and artificial sweeteners within minutes, or was there, in a previous time, a rudimentary process that lasted days and also sought to preserve fruits?

The reader surely guessed it: "wild sodas" – here we'll take the liberty of stepping beyond the Bra-

Brazilian Way Fermentation

zilian law's definition[37] so we can encompass that which was never established by law, but has always existed – are carbonated drinks consumed by various cultures across time and space. They are flavorful, healthy, and also extremely interesting and fun to make with friends, a form of bonding for parents and their kids, and even a teaching mechanism, as there is a technical component pertaining to the microbiology of the process that can be explored and understood at different levels – from a child in elementary school to a researcher that is blazing the biotechnological trail.

We'll break the process of making wild sodas into three basic stages:

Choice of inputs and processing to create the wort

Pick a fruit, infusion or spice that pleases you the most to make the soda, strain and filter it to avoid fibers and solids. You can also choose different produce such as cucumber, sweet potato, corn and others.

Choice of starter, presented in the introduction for this book:

· wild;
· commercial yeast (see pages 255-256);
· kombucha;
· ginger bug;
· water kefir;
· milk kefir whey;
· rejuvelac;
· a fraction from a previous batch of wild sodas.

Use a 5% to 10% ratio of starter in relation to the volume of drink you will be fermenting.

Inoculation and fermentation

Mix the wort (fruit juice or infusion) with the starter, bottle it in a PET bottle designed for carbonated drinks (that previously contained sparkling water or even a commercial soft drink) and allow it to ferment outside the fridge. Soft drink fermentation always happens in an anaerobic medium (without oxygen).

Over hours and days, you'll notice the bottle's internal pressure has increased (the bottle being stiff to the touch), and the beverage is ready to be cooled and consumed. You should not use glass bottles, as you won't be able to infer anything about the internal pressure of these containers, besides introducing a severe explosion hazard and dangerous consequences.

PINEAPPLE AND MINT SODA (see page 93)

YIELDS 500 ML
DIFFICULTY EASY
PREPARATION 10 MINUTES
FERMENTATION ANAEROBIC
CARBONATION 1-3 DAYS

INGREDIENTS
» 100 ml of water
» 500 g of pineapple, peeled and chopped
» 20 g of peeled ginger (optional)
» 2 mint branches
» 2 g of coriander seeds
» 50 ml of a starter of your choice

PREPARATION
1. In a blender, combine the water, pineapple, ginger, mint, and coriander seeds.
2. Aided by a funnel, pour the liquid into a 1 liter properly sanitized PET bottle. You can strain the juice or not, for a more fibrous version.
3. Add your choice starter.
4. Squeeze the bottle to remove all of the air, then close it. At first, it will be crushed and lacking air, which will ensure anaerobic fermentation (without the presence of oxygen).
5. Allow it to ferment at room temperature (outside the fridge). In a matter of hours or days, the bottle will begin to expand due to the carbon gas produced by microorganisms, and eventually, it will be as stiff as a bottle of sparkling water.

---

[37] Brazil. Ministry of Agriculture, Livestock, and Supplies. Available at: www.agricultura.gov.br/assuntos/vigilancia-agropecuaria/ivegetal/bebidas. Accessed on: June 2018.

6. *When that happens, your soft drink will be ready to be consumed. Put it in the fridge to slow down the fermentation process. Kept in the fridge, it could last up to a month.*

CAMU-CAMU SODA

YIELDS 800 ML
DIFFICULTY EASY
PREPARATION 10 MINUTES
FERMENTATION ANAEROBIC
CARBONATION 1-3 DAYS

This Amazonas fruit is commonly found in flooded terrains and will yield a fantastic soft drink. The last time we were in Novo Airão (Amazonas state), working with Sarapó beer brewing company led by our cousins Tati Schor and Zé Alves, we also made a funky beer that used the soft drink as an inoculum besides the beer yeast.

INGREDIENTS
» 500 g of camu-camu
» 500 ml of water
» 50 ml of starter

PREPARATION
1. *Follow the method described in the Pineapple and Mint Soda recipe (page 270).*

SWEET-POTATO SODA
(see page 94)

YIELDS 1.5 LITERS
DIFFICULT MEDIUM
PREPARATION 20 MINUTES
FERMENTATION ANAEROBIC
CARBONATION 1-3 DAYS

Wild sodas can be made from ingredients beyond fruits. They will be just as delicious if made from the sugars found in roots and tubers. This recipe comes from the British Guiana and uses eggshells to neutralize the characteristic acidity of fermented drinks.

INGREDIENTS
» 200 g of sweet potatoes (if you can find the Bolivian variety, which is orange, it will be closer to the original recipe)
» 5 to 10 grams of ginger
» 1 teaspoon of cinnamon or nutmeg
» 4 tablespoons of honey
» 1.4 liters of mineral water (or without chlorine)
» 50 ml of your choice of starter

PREPARATION
1. *Wash, peel, and grate the potatoes. Rinse quickly to remove excess starch. Set aside.*
2. *Grate the ginger and combine with the potatoes and cinnamon into a 2 liters properly sanitized PET bottle.*
3. *In a blender, combine the honey and the water. This procedure is meant to saturate the liquid with oxygen, which will be essential at the beginning of the process. Add the mixture to a previously sanitized bottle.*
4. *Allow it to ferment at room temperature until the bottle becomes filled with pressure.*
5. *Strain the liquid when serving, avoiding fibers.*

Tip: The recipe can stand a few variations. You can increase or decrease the amount of ginger, add other spices (clover, cardamom, juniper, nutmeg, lime peel, fruits in general), para cress (an exciting option), as well as increasing or decreasing the amount of honey (that can also be replaced by sugar).

BEET SODA

YIELDS 500 ML
DIFFICULTY MEDIUM
PREPARATION 20 MINUTES
FERMENTATION ANAEROBIC
CARBONATION 1-3 DAYS

In our classes about wild sodas, we've tried a few times to reproduce the same beet juice recipe, but using different starters. It is a great way to understand the differences between the many cultures of microorganisms and how they play into the results, demonstrating the importance of health,

Brazilian Way Fermentation

as well as the choice of the starter. Beets are a great source of sugar and will generate a flavorful and nutritious refreshment. We suggest this exercise so you'll grow more familiar with different kinds of starters: wild, water kefir, milk kefir whey, kombucha, and commercial yeast. Prepare a large amount of beet juice and make several bottles at once, that way, you can enjoy them simultaneously and write observations on the results.

INGREDIENTS
» 1 medium beet
» 1 pinch of salt
» 350 ml of water
» 50 ml of starter

PREPARATION

1. *Combine the beet and the water in a blender, then strain it. If you want your drink to be translucent, we recommend grating and boiling the beet, or simply grating it and allow it to rest in a cold infusion for a few hours in the fridge.*
2. *Add the remaining ingredients to the bottle and carry out the basic fermentation procedure.*

Tip: You can also do this exercise replacing the beets with carrots or oranges.

....

CUCUMBER, LEMON BALM AND LIME SODA

YIELDS 500 ML
DIFFICULTY EASY
PREPARATION 10 MINUTES
FERMENTATION ANAEROBIC
CARBONATION 1-3 DAYS

INGREDIENTS
» 1 medium cucumber
» 1 lime
» 400 ml of cold lemon balm tea (or lemon balm processed in a blender and then sieved)
» 50 ml of wild starter

PREPARATION
Follow the method described in the Pineapple and Mint Soda recipe (page 270).

ACEROLA AND ORANGE SODA

YIELDS 500 ML
DIFFICULTY EASY
PREPARATION 10 MINUTES
FERMENTATION ANAEROBIC
CARBONATION 1-3 DAYS

INGREDIENTS
» 450 ml of acerola and orange juices, combined
» 50 ml of starter

PREPARATION
Follow the method described in the Pineapple and Mint Soda recipe (page 270).

Tip: If you cannot find acerola, replace it for jocote, açai berry pulp, or any other fruit of your liking.

....

MELON AND GREEN TEA SODA

YIELDS 700 ML
DIFFICULTY MEDIUM
PREPARATION 30 MINUTES
FERMENTATION ANAEROBIC
CARBONATION 1-3 DAYS

INGREDIENTS
» ½ ripe melon, with seeds (it will also work with a watermelon)
» 500 ml of green tea
» 50 ml of starter
» 50 g sugar (optional, if the melon isn't sweet enough)

PREPARATION
Follow the method described in the Pineapple and Mint Soda recipe (page 270).

....

GINGER ALE
(see page 97)

YIELDS 1 LITER
DIFFICULTY EASY

PREPARATION 20 MINUTES
FERMENTATION ANAEROBIC
CARBONATION 1-3 DAYS

INGREDIENTS
» 45 g of peeled ginger
» 1 cardamom
» 800 ml of water
» 50 g of sugar (or honey)
» 50 ml of starter

PREPARATION
1. Combine the ginger, the cardamom, and 500 ml of water in a blender. Strain the liquid. If you want a cleaner drink, boil it for 5 minutes and allow it to cool down.
2. Mix in the sugar and add the remaining water and the starter, following the method described in the Pineapple and Mint Soda recipe (page 270).

GINGER SODA

YIELDS 1 LITER
DIFFICULTY MEDIUM
PREPARATION 20 MINUTES
FERMENTATION ANAEROBIC
CARBONATION 1-3 DAYS

INGREDIENTS
» 160 g of ginger
» 900 ml of water
» 80 g of honey
» 100 ml of kombucha vinegar

PREPARATION
1. In a blender, combine the ginger with 500 ml of water. Strain it. If you want a cleaner drink, boil it for 5 minutes and allow it to cool down.
2. Add the honey and the vinegar.
3. Add the remaining water and the vinegar, following the method described in the Pineapple and Mint Soda recipe (page 270).

Vinegar

In Brazil, our culture does not value good vinegar, especially those made from various inputs. We tend to believe vinegar can only come from wine or a neutral alcohol, but we can also make it from many different inputs, and it is one of the most stable processes for preserving fruits in general[38].

Besides, most vinegar is made industrially and quickly through the injection of oxygen into the wort, causing the bacteria to become suspended. This technique allows the product to rapidly reach a target defined by the law (a minimum acidity of 4%) but does not create the rich aromas and flavors of a slow fermentation (known as the French method, or d'Orleans), which we'll introduce in this chapter.

Vinegar production is very similar to that of kombucha, but the amount of sugar is larger and the fermentation takes longer. In each of the presented formulations, we'll produce a wort that will be fermented with the aid of a kombucha mother (we suggest you read the section on kombucha [pages 256-269], so you'll be familiarized with the procedures). Note that, as we are using a kombucha culture, we'll always add a bit of green tea to make sure the culture has the minimum amount of nutrients it needs to survive.

Some methods tell us that first, we should carry out an alcoholic fermentation keeping the wort in a strictly anaerobic medium and then introduce and aerobic regimen, introducing the bacteria that will perform acetic fermentation. That's how it is industrially done.

We've gone through both processes and were successful in both. Here, we'll adopt a procedure analogous to the one we've performed with kombucha while noting that the two main processes (alcoholic and acetic fermentation) will co-occur during the stage kombucha makers refer to as first fermentation.

Over time, the sugar will be converted into alcohol, and the latter, into acetic acid. At room temperature, this process takes from 2 to 3 months, depending on the type of wort. When sugar ceases being converted into alcohol and alcohol ceases being converted into acetic acid, the wort has reached the maximum level of acetic acid.

If left exposed (continuously in touch with atmospheric air), acetic acid will degrade over time,

---

[38] Oscar Maldonado et al. "Wine and Vinegar Production from Tropical Fruits", 1975. Sara P. F. Carvalho, *Desenvolvimento de Vinagres a partir de Chás e Infusões*, 2016.

Brazilian Way Fermentation

losing its vinegary flavor; therefore, at the end of the process, we will need to bottle the vinegar and allow it to rest for at least four months. After said period, the vinegar will be even more flavorful with the smoothening of the sharp acetic corners. If you make vinegar and think it's pretty good after the first few months, keep in mind that it will be even better after MATURATION.

At Companhia dos Fermentados, we measure the acid concentration (acidity) over time through a process called titration, which is beyond the scope of this book. It's not a necessary process when dealing with home production. In this case, it suffices to keep sampling until the flavor is pleasing, and all the sugar has been spent – then bottle and store it.

Depending on the vinegar you'll be making, consider converting a kombucha SCOBY to the substrate you'll be fermenting, as to ensure the success of the fermentation. Alter the wort gradually, as we've explained in the chapter on beverage (*pp. 263-264*).

GREEN TEA VINEGAR

YIELDS 3 LITERS
DIFFICULTY MEDIUM
PREPARATION 1 MONTH
FERMENTATION AEROBIC
REST 1-6 MONTHS

INGREDIENTS
» 2,5 liters of water
» 20 g of green tea
» 250 g of granulated sugar
» 1 mother of kombucha
» 300 ml of green tea kombucha or of a previous batch of vinegar (inoculum)

PREPARATION
1. Heat 500 ml of water until 90 °C and add the tea.
2. Wait for 5 minutes, add the remaining water, and strain it.
3. After it has cooled down to room temperature, add the sugar and stir thoroughly until it completely dissolves.
4. Add the mother of kombucha and the inoculum.

5. Keep it somewhere cool and well ventilated, undisturbed for at least a month, until the first sampling.
6. After a month, sample it. If it is still sweet, wait another week, testing it weekly until it is acid and dry (sugar-free).
7. Bottle it, add spices if you wish, and leave it to rest for a period of 4 months to 2 years.

Tip: This is a basic recipe for vinegar made from teas and infusions. Replace the green tea for mint, mate, hibiscus, mallow, elderberry flowers, roses, chamomile, Suriname cherry leaves etc.

APPLE VINEGAR

YIELDS 3 LITERS
DIFFICULTY MEDIUM
PREPARATION 1 MONTH
FERMENTATION AEROBIC
REST 1-6 MONTHS

INGREDIENTS
» 5 kg of apples
» 200 ml of water
» 5 g of green or black tea
» 300 ml of green tea kombucha or some previous vinegar batch (inoculum)
» 1 mother of fruit vinegar (or adapted kombucha)

PREPARATION
1. Using a juicer, a cold press or a blender, process the apples with just enough water to liquefy them.
2. Strain thoroughly, using a chinois or cotton strainer. Set aside.
3. Heat the water to 90 °C and add the tea. Wait for 5 minutes, strain it, mixing with the juice.
4. Add the inoculum and the mother of kombucha.
5. Keep it somewhere cool and well ventilated, undisturbed for at least a month, until the first sampling.
6. After a month, sample it. If it is still sweet, wait another week, testing it weekly until it is acid and dry (sugar-free).

7. Bottle it, aided by a siphon, discarding the dead cells and the fibers that have settled in the bottom. Add the spices of your liking and allow it to rest for four months to 2 years.

Tip: You can add a bit of lime to the apple juice so it won't grow dark due to oxidation. You can also try to do it with pears, carrots, celery, melon, passion fruit, starfruit, Braziilian grape, Surinam cherry, camu-camu, umbu, jocote, or any fruit you like. Note that some fruits will produce thick juices with lots of fibers – like mangos – while others will result in translucent vinegar. Some will not contain enough sugar, and it will be necessary to add it. Those who have acquired a hydrometer or a refractometer ideally should begin the process with 10 BRIX of sugar = 100g of sugar/liter.

BEET VINEGAR

YIELDS 3 LITERS
DIFFICULTY MEDIUM
PREPARATION 1 MONTH
FERMENTATION AEROBIC
REST 1-6 MONTHS

INGREDIENTS
» 2 large beets (will also work with pumpkins and celery)
» 2,5 liters of water
» 5 g of green or black tea
» 250 g of granulated sugar
» 1 mother of fruit vinegar (or adapted kombucha)
» 300 ml of green tea kombucha or some previous vinegar batch (inoculum)

PREPARATION
1. Grate the beets and boil them in 2 liters of water for 10 minutes.
2. Add the remaining 500 ml of water, stir and add the tea. Wait for 5 minutes and strain the infusion.
3. Add the sugar and stir thoroughly until it completely dissolves.
4. Wait until the wort's temperature and the room temperature come to a balance and add the mother of kombucha and the inoculum.

5. If necessary, add more water until you have 2,5 liters (perhaps the water partially evaporated during the process).
6. Keep it somewhere cool and well ventilated, undisturbed for at least a month, until the first sampling.
7. After a month, sample it. If it is still sweet, wait another week, tasting it weekly until it is acid and dry (sugar-free).
8. Bottle it, aided by a siphon, discarding the dead cells and the fibers that have settled in the bottom. Add the spices of your liking and allow it to rest for four months to two years.

RANGPUR VINEGAR

YIELDS 3 LITERS
DIFFICULTY MEDIUM
PREPARATION 1 HOUR
FERMENTATION AEROBIC
REST 1-6 MONTHS

INGREDIENTS
» 150 ml of water
» 5 g of green or black tea
» 2.5 liters of rangpur lime juice (or another citrus fruit)
» 250 g of granulated sugar
» 1 mother of fruit vinegar (or adapted kombucha)
» 300 ml of green tea kombucha or some previous vinegar batch (inoculum)

PREPARATION
1. Heat the water to 90 °C and add the tea. Wait for 5 minutes, strain it.
2. Mix the tea with the juice and the sugar.
3. Add the mother of kombucha and the inoculum.
4. Keep it somewhere cool and well ventilated, undisturbed for at least a month, until the first sampling.
5. After a month, sample it. If it is still sweet, wait another week, tasting it weekly until it is acid and dry (sugar-free).
6. Bottle it, aided by a siphon, discarding the dead cells and the fibers that have settled in the bottom. Add the spices of your liking and allow it to rest for four months to two years.

Brazilian Way Fermentation

MALT VINEGAR

YIELDS 3 LITERS
DIFFICULTY MEDIUM
PREPARATION 1 HOUR
FERMENTATION AEROBIC
REST 1-6 MONTHS

INGREDIENTS
» 250 g of malt extract (can be found in stores specialized in beer brewing supplies)
» 2.5 liters of water
» 200 g of Belgian black castle malt, or any other you prefer (roasted malts will ensure the vinegar is full-bodied)
» 5 g of black tea
» 1 mother of kombucha
» 300 ml of green tea kombucha or some previous vinegar batch (inoculum)

PREPARATION
1. *Combine the malt and 500 ml of water in a pot and let it soak and hydrate for 1 hour.*
2. *Boil for 10 minutes. Allow it to cool down, then process it in a blender and strain the liquid through a cotton strainer.*
3. *Mix in the other ingredients and the remaining water.*
4. *Keep it somewhere cool and well ventilated, undisturbed for at least a month, until the first sampling.*
5. *After a month, sample it. If it is still sweet, wait another week, tasting it weekly until it is acid and dry (sugar-free).*
6. *Bottle it, aided by a siphon, discarding the dead cells and the fibers that have settled in the bottom. Add the spices of your liking and allow it to rest for four months to two years.*

Alcoholic beverages

Alcoholic beverages probably arose before agriculture. Yeasts are found in any vegetable product that hasn't been subjected to thermal or chemical processing or radiation, particularly in fruit peels, flowers, and even in insects themselves. Just leave some fruit juice in a container, and in a matter of hours, you'll be able to notice the microbiological activity: the flavor and the aroma will change, and gas production will be made visible by bubbles on the surface. This practice is a beautiful experiment for children, as we can demonstrate how matter transforms. And in this case, living beings are changing it.

If no techniques are set into place, and it is left to its own devices, the fermentation process will degenerate, and the result will be that which we call putrefaction: without any gastronomic appeal and possibly toxic.

Since the end of the 19th century, we've been perfecting ourselves, seeking to produce fermented drinks that are increasingly better, in the sense of controlling the process, its purity, and reproducibility. The alcoholic beverages we've consumed throughout the last millennia were not "ice-cold," and certainly did not "go down smooth," or any other slogan that modern industry has tried to push down our throats.

Since Pasteur's seminal 1876 study, we've learned that there is a specific yeast that is ideal for making wines, beer, and other alcoholic beverages: *Saccharomyces cerevisiae*. We learned to isolate it and transform it to fit the product we wish to develop. The same way we have developed dog breeds (in a somewhat perverse manner, sacrificing gene diversity and consequently degrading the genome) for particular purposes such as racing, hunting, companionship, sleigh pulling, and aesthetics (a blue tongue!), from extremely big to extremely small, there is a myriad of yeasts meant for white and red wines and various beers that were perfected so they could sustain a higher or a lower alcohol concentration, different ranges of temperature etc.

Before Pasteur's study, it made no sense to write a book about wild fermentation, as fermentation through the inoculation of specific microorganisms did not exist. Nowadays, beverage fermentation are painstakingly controlled to avoid contamination from wild microorganisms – hence, on the one hand, our "domesticated" yeasts are very good at their job but, on the other hand, they are helpless when it comes to fighting for their place in the sun and will quickly be overrun by their stray, mutt cousins (imagine for how long a yappy Chihuahua would survive in the amazon forest).

In the last 50 years since Pasteur's findings, many researches and discoveries about the *S. Cerevisiae* have emerged, putting aside their less appealing comrades, *Brettanomyces*, *Lactobacillus*, *Pediococcus*, among many others that have been selected by humankind, although not consciously, during the first

ENGLISH VERSION

thousands of years we spent perfecting beverage fermentation techniques.

It is gratifying to find, in our kombucha course, an ever-growing number of beer brewers that, having exhausted (or just grown tired of) the variations that different inputs could generate (which are themselves an endless realm of possibilities), wish to alter the microorganisms that are present in the fermentation process. Adding kombucha, or any other well established wild culture of microorganisms is a way of getting a bigger thrill and adding a depth of flavors to the mash without the risk of contaminating it with pathogens (microorganisms that are harmful to health).

It's interesting to note that some breweries resisted against the normative pressures from big industries and society (what are the purity laws but a way to standardize and facilitate tax collection?[39]), notably in Belgium, and continued to produce beer the way it was always made (lambics). Our friends from Zalaz make fermented beer in wooden casks and wild cultures from Serra da Mantiqueira, north of Minas Gerais state. When it comes to wine, there are many activists in the South willing to guarantee the right to produce wine according to the secular tradition. This is known as biodynamics, and it respects the use of the soil, the planting, and fermentation periods. There is no adding of commercial yeasts, much less chemical preservers (such as the sulfites that give us a headache).

Over time, techniques for fermenting alcoholic beverages have been perfected, and probably have been developed more than once. In that sense, preparing a fermented drink at home does not require sophisticated tools, yeasts that have been selected and created in a lab, or hard to find inputs, as they existed even before we had perfected agricultural techniques. However, this does not mean we need to reinvent the wheel and turn our back to all the devices that are now within our reach. Our goal is to use them, but also use natural inputs (as much as possible) along with methodologies and procedures that do not rely on the structure of great labs or industries: that is, which are accessible to all.

In the next subchapter, we will be dealing with the alcoholic fermentation of mead (a honey-based drink),

wines, ciders, beers, and hard kombucha. The production logic behind all of these drinks is very similar. Next, we'll introduce the materials and steps involved in alcoholic fermentation and, then, the drinks and their recipes. The more specialized items can be acquired in stores specialized in beer brewing or over the internet.

Required materials and supplies
(see pages 110-111)

1 BOTTLES FOR FILLING: *PET bottles meant to contain sparkling water; or glass, if you are sure and in full control of what is fermenting.*

FERMENTATION CONTAINER AND 2 WASTE RETENTION TAP: *a bucket with a small opening on top for an airlock and, if possible, an inferior tap for liquid extraction. During fermentation processes, we need to transfer the wort more than once. Thus, consider investing in a conical fermenter – with a third opening on the back through which the decanted material can be removed (muck, as we'll call it here).*

3 ERLENMEYER: *for diluting and heating liquids.*

4 CHEESECLOTH AND 5 CHINOIS STRAINER: *fine filters that will be helpful when it comes to filtering the wort.*

6 DIGITAL SCALES: *the minor for measurements from 0.1 g to 10 g, such as spices and yeasts; the bigger for measurements starting at 1 g.*

7 PIPETTE: *dropper.*

8 ANALOG AND 9 DIGITAL THERMOMETERS: *some fermentations need to be prepared at a specific temperature.*

10 DENSIMETER SACCHARIMETER AND 11 REFRACTOMETER: *equipments meant to measure the gravity (sugar) of a wort. They will be needed to determine the alcoholic concentration of your beverage.*

---

[39] The history of the regulation of beer as a commodity is dark and begins in the East, in medieval times, when it was taken from women (as they were the keepers of this knowledge and were labeled witches) by men and their intensive means of production. See Judith M. Bennett, *Ale, Beer and Brewsters in England: Women's Work in a Changing World, 1300-1600*, 1996.

Brazilian Way Fermentation

⑫ METALLIC CAPS AND ⑬ BOTTLE CAPPER: *for metalic caps close bottles.*

⑭ FUNNEL WITH STRAINER: *for bottling.*

⑮ AIRLOCK: *coupled in different covers, guarantees the anaerobic regimen, preventing oxygen to get in.*

⑯ AUTO-SIPHON: *for transferring (racking) more easily.*

⑰ HOP BAG: *to strain or infuse.*

ALCOHOL 70 FOR SANITIZATION: *use it in this graduation, because the alcohol 90 is very concentrated and evaporates before the necessary action time, and the 46 INPM version is very diluted, with no efficacy for hygiene.*

YEAST NUTRIENTS: *for some drinks, their addition avoid off flavors.*

POTS: *for boiling the wort.*

STOVE: *gas or electric.*

Designing your beverage

Before beginning to prepare your drink, take some time to write down the recipe, make sure you have all the ingredients and tools you'll be using throughout the process. Establish a schedule with the target days and steps to be completed. Sometimes, fermentation takes a long time, and we end up forgetting about the next steps. Proper planning will ensure a quality beverage.

Choosing and activating the leaven

Depending on the drink you'll be making, you will need to enable the leaven or the collection of wild yeasts. Read the topics on collecting microorganisms (page 250) and activating yeasts (page 255).

Wort and pasteurization

Every alcoholic beverage is born from a sweet wort and, depending on your goal it will be necessary to subject it to pasteurization, a thermal process that inactivates any organism found in the wort so fermentation will only be carried out by selected yeasts.

Pasteurization is not mandatory, but, should you opt to make an unpasteurized drink, consider that the end result will be slightly different from what you expected due to the action of other microorganisms found in the original wort. This is where lies the fun of preparing so-called "semi-wild" alcoholic beverages, after all, besides the wort microorganisms, we add comercial yeasts that will ensure the beverage has the desired alcoholic content, without turning our backs on the joy brought on by *Saccharomyces*'s wild cousins.

To pasteurize a wort, put all the liquid into a pot and raise the temperature to 65 °C – with the help of a culinary thermometer, maintain that temperature for about 30 minutes. When using an ordinary stove, it will be necessary to turn the stove on and off several times. Higher temperatures will compromise the aroma and the flavor of the natural ingredients.

After pasteurizing for 30 minutes, the wort will be deprived of active microorganisms and vulnerable to contaminations. To prevent this problem, you will need to cool down the wort as quickly as possible, aiming to get it down to room temperature. We recommend submerging half of the pot into a bowl of ice-cold water. You can also use chillers available in brewing stores.

When the wort cools down to room temperature, pour the fermenting container along with the yeast. Take a sample to measure the wort's initial gravity (we'll call it og, meaning original gravity), then close using the airlock. Allow it to ferment in a cool place (between 18 °C and 24 °C).

Fermentation

The fermentation process will begin within 48 hours, although it could take longer in very low temperatures or if the yeast hasn't been properly activated. You will notice microbiological activity due to bubbling in the airlock.

Remember that, when it comes to the majority of commercial and wild yeasts, the fermentation temperature should not go over 25 °C. Although the yeast could easily sustain a temperature of up to 40 °C, a more complex aroma will be brought on by the production of esters (aromatic molecules), which can only happen at lower temperatures (at around 20 °C).

Depending on the kind of fermented product you'll be making, besides making a nutritious wort available to the yeast, we'll also need to add other nutrients that are not found in every wort. In brewing supplies stores you'll find a compound, in powder form, containing nitrogen and thiamine (B1 vitamin).

Fermentation time varies according to the beverage being made:

- *mead: 3 months;*
- *wines and ciders: 1 month;*
- *beers and hard kombucha: from 1 week to 1 month.*

Should you use 100% wild yeasts, the fermentation time could double.

You'll know fermentation is coming to an end when the bubbling at the airlocks diminishes or comes to an end. Once this stage is over, wait one or two weeks to make sure all the sugar has been converted into alcohol. In mead's case, for instance, wort fermentation could take months and require several rackings due to the complexity of the sugars found in honey. When it comes to beers, wines, and ciders, fermentation is much quicker and racking happens for bottling purposes. In the recipes we'll introduce, we'll mention when racking is necessary.

Maturation – removing wort residues through settling and temperature

During fermentation, yeasts and fibers will always be in liquid suspension; if we keep them in the finished drink, it will develop unpleasant odors and tastes – off-flavors.

The simple and effective solution is maturation, which consists of removing the airlock and leaving the fermenter inside the fridge for 7 to 15 days. At low temperatures, yeasts will become inactive and settle, just like most of the solids found in the wort, thus clarifying the drink. Besides, a portion of the metabolites that bring out unwanted aromas will be resorbed, significantly improving the result.

Racking – transferring the wort

Racking is meant to discard all of the suspended material that has settled, such as fibers and yeasts, during fermentation or maturation.

To rack the liquid, place one end of surgical tubing into the wort and use your mouth to suck on the other end (this is less advisable) or pour the liquid out of the fermenter by tipping it into the other jar (more straightforward, less effective), or use an auto siphon (most advisable and most effective), an equipment that will siphon the liquid without the need to suck on the tubing.

Priming – adjusting sugars for carbonation

The primary goal of fermentation is consuming all available sugar. If that indeed happens, and you wish to have a carbonated drink, you'll need to add a bit more sugar to produce gas after bottling.

To do so, we recommend adding 3 to 6 grams of granulated sugar per liter after racking and immediately before bottling. This could be done by weighting the total amount of sugar, considering the volume that will be bottled. Then, in a jar, the liquid and the added sugar will be mixed, and bottling will ensue.

Bottling

Before you begin bottling, remember to measure the wort's gravity again, should you want to know the final alcoholic content. Wash and sanitize the bottles properly, thus avoiding wort contamination – this is one of the most delicate moments when it comes to contamination. Poorly sanitized bottles have cost us many beverages. Spend time cleaning the bottles and ensuring the sanitizing product has had time to act.

After combining the wort and the priming, fill the bottle, stopping at a two fingers width from the bottleneck, then close it. Leave it at room temperature.

Carbonation time could last from 5 to 10 days at room temperature. After it is carbonated, put the whole batch in the fridge.

Alcohol content

The final alcohol content by volume depends on many factors. The most important ones, to which we must pay close attention and have control over, are: the amount of sugar and the kind of starter. The quantity of sugar is measured according to gravity or brix – two different units for the same measurement. There are two types of brix and gravity gauges: the densimeter saccharimeter and the refractometer (manual or electronic).

To determine the alcoholic content of the final product, we'll use the original gravity (*og*) data, from the beginning of the fermentation, and the final gravity, measured upon bottling. The estimated alcohol content is determined by the following formula:

$$abv=(og-fg)*131.25$$

Where:

abv *is alcohol by volume or alcohol content;*
og *is the original gravity;*
fg *is the final gravity.*

If you use a refractometer, the produced alcohol will also alter the medium's refractive index, and you'll need to adjust. The best way to make this measurement is to use a densimeter ou a mobile app can automatically do the math, taking the changes into account.

The final gravity will also depend on the kind of yeast used – the *S. Cerevisiae* variety has different tolerances when it comes to producing alcohol. While wild species will hardly exceed a 5% alcohol content, some lab varieties can withstand a medium with more than 20%!

By this same logic, there is a maximum amount of sugar that can be metabolized by yeasts and consequently, an alcohol concentration they are capable of withstanding. Fermentation will eventually cease before all of the sugar has been consumed, and the drink will remain sweet because the yeast has reached their limit.

There is a sweetness classification for wines that is based on final gravity:

DRY: 990 to 1.006 (and yes, it could be below 1.000, as water is thicker than alcohol);
SEMI-DRY: 1.006 to 1.015;
SEMI-SWEET: 1.012 to 1.020;
DESSERT: 1.020+.

The formula we've introduced is employed in fermentations that only use commercial yeasts in a pasteurized wort. In wild and semi-wild fermentations, other metabolites are produced and influence the equipment's readings. So, if we apply the formula to a wild drink, we'll probably read a number that is greater than the real thing.

Hard kombucha

We've taught you to make traditional kombucha using a process that prevents excessive alcohol formation, resulting in a drink that the whole family can enjoy. Now, we can add one more step to the fermentation process so it will become an alcoholic beverage – and we can control the drink's approximate alcohol content.

We know the primary metabolites produced by SCOBY are: carbon gas, alcohol, lactic acid, and acetic acid. During the first fermentation – that is, in an aerobic regimen –, all the microorganisms are working, therefore, producing all kinds of metabolites.

But, when we change to an anaerobic regimen, microbiological activity of the *Acetobacter* and *Gluconacetobacter* (strictly aerobic), ceases and the production of acetic acid stops (as well as gluconic acid and other metabolites belonging to the *Aceto-bacteraceae* family), but carbon gas and alcohol will continue to be produced.

Hard, alcoholic kombucha is born during the first regular wort fermentation, in which we will control the intensity of the acidity. Next, instead of jumping to the second fermentation, in the bottle, we'll transfer the wort into an anaerobic fermenter with an airlock, add the desired flavors, sugar, and yeasts. When the alcoholic fermentation is through, we'll do the first racking, transferring the liquid into a clean jar while the wort will mature while refrigerated. Then we'll move on to our second racking, priming (only if you want a carbonated drink), and bottling – the methods we've just described.

Any conventional kombucha recipe containing fruits, spices, or just plain kombucha, can be subjected to the alcoholic process. These six steps could take from 20 to 30 days.

ENGLISH VERSION

HARD AÇAI BERRY KOMBUCHA (5% VOL.)

YIELDS 2 LITERS
DIFFICULTY HARD
PREPARATION 30 MINUTES
FERMENTATION ANAEROBIC
REST 1-3 MONTHS

INGREDIENTS
» 2 liters of first fermentation kombucha
» 200 g of açai pulp, without added sugar
» 200 g of sugar, for the alcoholic fermentation
» Ale beer yeast (for fermenting at room temperature)

PREPARATION
1. *Make first fermentation kombucha following the recipe based on mild green tea (page 264).*
2. *When the first fermentation has reached the desired acidity level, transfer the liquid into a fermentation container equipped with an airlock.*
3. *Do the procedure to activate commercial yeasts (pages 255-256).*
4. *Into the fermentation container, add the liquid, the açai berry pulp, the sugar, and the active yeasts. Combine thoroughly. Next, close the container and set up the airlock.*
5. *Allow it to ferment at room temperature for 14 days, always paying close attention to the airlock.*
6. *When the bubbles have ceased, carry out the first racking and place the jar inside the fridge, without the airlock, and leave it to mature for ten days.*
7. *Do the second racking and measure the final volume to be bottled.*
8. *Add 5 g of sugar per liter (priming). Stir gently (preventing oxygen from getting into the wort).*
9. *Wait for carbonation and allow it to rest for a month.*

Remember to take the original gravity measurement (at the beginning of fermentation) and the final one (upon bottling), so you'll know the final alcohol content. Replace the açai pulp for any other fruit or spices, and, if you want gas, do the priming along with the bottling.

Mead

It is a fermentation made from water and honey, considered the oldest beverage made by men (probably older than wine and beer) and, therefore, one of the earliest fermentation techniques for producing alcohol for culinary, recreational, and spiritual purposes. It was developed and refined throughout history, so different cosmogonies consider it to be the nectar for the Gods, among them the ancient Norse mythology, in which mead is said to be Odin's (the god of wisdom, magic, poetry, and war) gift to men.

The beverage was present in ancient Greece and Rome, all over Eastern Europe and Southeast Asia, and is archeological evidence that it was also present in Central America, among the Mayans. Production techniques were probably created and reinvented several times, given a sweet solution filled with nutrients will quickly begin to ferment – it suffices to perfect certain precautions and techniques that will keep the wort from rotting. Nowadays, mead emerges when we mention ancient people, appearing in literature, movies, and, ever more often, on the tables of those who have tried and enjoyed it.

Types of mead

There are several kinds of mead, that can vary in the body (the persistence of the flavor), alcoholic content (from 4% to 16%), coloration, the intensity of the tannins (astringency upon the palate). Upon being combined with other ingredients besides honey, they receive other names:

· **capsicumel** *(with peppers of the* Capsicum *genus);*
· **melomel** *(with fruits);*
· **metheglin** *(with herbs).*

In Brazil, the beverage is regulated through MAPA (Law nº 6.871 from June 5, 2009), whose definition is:

"mead is a drink with an alcoholic content between 4% and 14% in volume, at 20 °C, obtained through alcoholic fermentation of a solution made from honey bee, nutrients, and drinking water."

That is, it doesn't account for the richness that comes from adding fruits or spices – and that we will be teaching next.

281

CLASSIC MEAD

YIELDS 2,5 LITERS
DIFFICULTY DIFFICULT
PREPARATION 3 MONTHS
FERMENTATION ANAEROBIC
REST 6 MONTHS TO 4 YEARS

INGREDIENTS
» 1 kg of honey
» 2 liters of mineral water
» 0,3 g of mead yeast
» Yeast nutrients (following the manufacturer's instructions)

PREPARATION
1. Heat the water at 70 °C for 25 minutes.
2. Allow it to cool and pour it into the fermentation container along with the previously activated yeast and yeast nutrients, following the manufacturer's instructions.
3. After two weeks of fermentation, carry out the first racking and add the remaining yeast nutrients.
4. After 3 months, remove the airlock, put it in the fridge, and allow it to mature for 1 to 2 weeks.
5. Rack it for the last time, taking care to discard the sediments that have settled on the bottom.
6. Bottle it and allow it to rest for at least six months.

Tip: Mead can have different alcohol contents. The content will be defined by the dilution of honey into the water. To have a less alcoholic mead, add more water than our recommended amount. It will cause the original gravity to drop and, consequently, the beverage will have less alcohol.

BRAZILIAN METHEGLIN

YIELDS 2,5 LITERS
DIFFICULTY DIFFICULT
PREPARATION 3 MONTHS
FERMENTATION ANAEROBIC
REST 1-3 MONTHS

There are countless metheglin recipes. Here, we've gathered the most iconic herbs that are frequently found in these formulations. Feel free to eliminate or add spices, and let this recipe be but a guide in your experimentations.

INGREDIENTS
» 1 kg of honey
» 2 liters of mineral water
» 1 tablespoon of chopped rosemary
» 1 bunch of Surinam Cherry leaves
» 1 bunch of wormseed leaves
» 1 bunch of billygoat weed leaves
» 2 sage leaves
» 3 g of mint
» 1 bay-leaf
» 3 allspice peppercorns
» 4 g of grated ginger
» 2 cloves
» 1 coffee spoon of orange zest
» 1 coffee spoon of rangpur lime zest
» 1 tablespoon of black tea
» 0,3 g of mead yeast
» Yeast nutrients (following the manufacturer's instructions)
» Juices of ½ lime + 1 orange

PREPARATION
1. Heat up the honey and the water at 82 °C for 20 minutes. Optional: you could pasteurize the honey and ferment it only with lab-grown yeasts.
2. Add the herbs and spices and allow it to cool.
3. In the meantime, make the black tea infusion in 100 ml of water and pour into the wort.
4. When it has reached room temperature, pour the mixture into the fermentation container along with the previously activated yeast, yeast nutrients (following the manufacturer's instructions) and the fruit juices.
5. Close the fermentation container, put in the airlock, and wait for fermentation.
6. After two weeks of fermentation, carry out the first racking and add the remaining yeast nutrients.
7. After 3 months, remove the airlock, put it in the fridge, and allow it to mature for 1 to 2 weeks.
8. Rack it for the last time, taking care to discard the sediments that have settled on the bottom.
9. Bottle and allow it to rest for at least six months, until it has matured.

ENGLISH VERSION

BRAZILIAN GRAPE MELOMEL

YIELDS 2,5 LITERS
DIFFICULTY DIFFICULT
PREPARATION 3 MONTHS
FERMENTATION ANAEROBIC
REST 1-6 MONTHS

INGREDIENTS
» 1 kg of Brazilian grapes
» 1 kg of honey
» 1,5 liter of mineral water
» Juice of ½ lime (optional)
» 0,3 g of mead yeast
» Yeast nutrients (following the manufacturer's instructions)

PREPARATION

1. Crush the grapes with your hands and cook them for 10 minutes. Allow them to cool then press down on them until you've obtained the juice and pulp, separating them from the peels. You'll need to get half a liter of juice. If you can't get that much, add more water to the juices you've obtained until you have the required amount. If you wish for your melomel to have more tannins (and be darker), set aside a few peels to add to the fermentation.
2. Heat up the honey, the water, the grape juices (and a few peels, if you want) at 70 °C for 25 minutes.
3. Allow it to cool and pour it into the fermentation container along with the previously activated yeast and yeast nutrients (following the manufacturer's instructions).
4. After two weeks of fermentation, do the first racking, removing the grape peels (if they were used), and at the remaining yeast nutrients.
5. After 3 months, remove the airlock, put it in the fridge, and allow it to mature for 1 to 2 weeks.
6. Rack it for the last time, discarding the sediments that have settled at the bottom.
7. Bottle and allow it to rest for at least 6 months.

Tip: Replace the Brazilian grapes by other tannin-rich fruits, such as Malabar plum, red guava, gabiroba, cattley guava, açai berries, cashew, cereja-do-rio-grande, plums of any other you wish to try.

Wild beers

We're devoted brewers of conventional beers, and there is a vast array of literature on the matter, but the production of barley and hops in our country remains underdeveloped and cannot meet the demand. It means that beers made in Brazil, even homemade ones, have a huge environmental impact (just imagine the carbon footprint left by Belgian barley as it crosses the ocean).

Therefore, our research let us make beer from Brazilian ingredients; that is, they do not use barley nor hop in their formulation. So, technically, none of them could be called beer, given that, under the current legislation, the beer must necessarily contain barley and hop in its formulation. But out bold move won't prevent our wild beer from having the same characteristics one would expect from an authentic one: alcohol, bitter flavors, sweet and sour, body, and aroma.

Besides exchanging the basic ingredients for local ones, we can also use the wild microorganisms we've collected – that way, we'll be even closer to the original beer-making process.

All of the following recipes use brown sugar as an energy source, color, and body (instead of barley), and branches and leaves are a source for aroma and bitterness (instead of hops). And all of them follow the same steps: boil the water with the brown sugar for 10 minutes, add the remaining ingredients, and boil for another 30 minutes. Sieve the wort, allow it to cool, and follow the basic steps (described on pages 278-280), beginning with fermentation.

WEST INDIAN LOCUST AND QUINA-QUINA BEER

YIELDS 2,5 LITERS
DIFFICULTY DIFFICULT
PREPARATION 2 HOURS
FERMENTATION ANAEROBIC
CARBONATION 10 DAYS

These are just a few suggestions amidst the vast array of Brazilian botanical products. Researching these fields is very fruitful; all you need to do is visit a place that sells herbs and begin your experiments. We kept a notebook where we recorded the color, aroma, and flavor characteristics of each of them, as well as the ideal amount for the wort.

283

INGREDIENTS
» 2.5 liters of water
» 290 g of brown sugar
» 25 g of quina-quina
» 150 g of cipó-cravo
» 18 g of West Indian locust powder
» 5 West Indian locust seeds
» 40 g of the bark for the West Indian locust fruits
» 9 g of quinaquina
» 10 g of ginger

PREPARATION
1. Boil the water and the brown sugar for 10 minutes.
2. Add the remaining ingredients and boil for another 30 minutes.
3. Strain the wort, allow it to cool down, and follow the basic steps described in the introduction for this chapter, beginning with the fermentation.

BRAZILIAN ROOT BEER

YIELDS 2,5 LITERS
DIFFICULTY DIFFICULT
PREPARATION 2 HOURS
FERMENTATION ANAEROBIC
CARBONATION 10 DAYS

INGREDIENTS
» 2,5 liters of water
» 250 g of brown sugar
» 10 g of roasted barley
» 20 g of sassafras twigs
» 50 g of cipó-cravo

PINK IPÊ BEER

YIELDS 2,5 LITERS
DIFFICULTY DIFFICULT
PREPARATION 2 HOURS
FERMENTATION ANAEROBIC
CARBONATION 10 DAYS

INGREDIENTS
» 2,5 liters of water
» 250 g of brown sugar
» 400 g of pink ipê bark
» 22 g of dried billygoat-weed

Suggested brazilian botanicals *(photos 130-131)*

#	POPULAR NAME	SCIENTIFIC NAME
1	Catuaba	*Anemopaegma arvense*
2	Pink Ipê	*Handroanthus impetiginosus*
3	Cedron	*Simba cedron*
4	Cipó Cravo	*Tynnanthus fasciculatus*
5	Vilca	*Anadenanthera colubrina*
6	Jurubeba (root)	*Solanum paniculatum*
7	Imburana	*Commiphora leptophloeos*
8	Brazilian Sassafras	*Ocotea sassafras*
9	Jurubeba (leaves)	*Solanum paniculatum*
10	Billygoad-weed	*Ageratum conyzoides*
11	Wormseed	*Dysphania ambrosioides*
12	Yerba Mate (roasted)	*Ilex paraguariensis*
13	West Indian locust	*Hymenaea courbaril*
14	Sucupira	*Pterodon emarginatus*
15	Imbiriba	*Xylopia xylopioides*
16	Pimenta-de-macaco	*Xylopia aromática*
17	Guaraná	*Paullinia cupana*
18	Golden Shower	*Cassia fistula*
19	Achiote	*Bixa orellana*

Wines and ciders

Wines and ciders are a way of preserving fruit through fermentation. The name "wine" is usually given to fermented grape beverages, while "cider" refers to fermented apple drinks. However, as we looked at both fermentation processes, we observed both procedures are fundamentally similar, and the technique could also be applied to other fruits, including Brazilian ones, producing surprising results.

According to the Brazilian legislation, wine is the product of a fermented grape wort, with an alcohol concentration between 8% and 14%. Cider, on the other hand, is the fruit of fermented apples, with an alcoholic content between 4% and 8%. The difference between wine and cider mostly comes down to the alcoholic content, since the processing is basically the same. Since we are focused on home made products, and not on the legislation, we'll take the liberty of using these names to refer to our fermentations, regardless of the fruit.

Wine and cider fermentation is much slower than that of beers, considering the alcoholic content will be greater, and the so-called aging will last much longer. This additional time before bottling is necessary so that the chemical processes following fermentation can take place, smoothing out those sharp flavors, gracing these beverages with unique characteristics.

Unknowingly, we discarded many preparations, and now we regret not having allowed them the time to age. Thus, from now own you must know that each wine and cider you make should be "forgotten" for a while, so that, later, they will be remembered for their flavor.

CASHEW CIDER

YIELDS 2,5 LITERS
DIFFICULTY DIFFICULT
PREPARATION 3 WEEKS
FERMENTATION ANAEROBIC
CARBONATION AND REST 2 MONTHS

INGREDIENTS
» 2,5 liters of whole cashew juice (with no added water) thoroughly strained
» 1 g of cider or fizzy wine yeast, activated

PREPARATION
1. *Prepare the cashew juice in a blender, combining the fruits with as little water as possible, straining it with a chinois or cheesecloth to separate the liquid from the fibers.*
2. *After filtering, add the yeast and allow it to ferment for three weeks or until the airlock stops bubbling. Do the first racking.*
3. *Allow it to ferment for another week then begin maturation.*
4. *Bottle and prime it (adjust the sugar) if you want a carbonated cider.*
5. *Allow it to age for at least two months.*

Tip: Replace the cashew juice with jocote, malabar plum, mancaba, starfruit, blackberry, cacao honey, or any other fruit that is not gooey. The recipe won't work too well with mango, cupuaçu, or any other fruit that produces a stringy and thick juice.

DRY BRAZILIAN GRAPE WINE
(*see page 134*)

YIELDS 2,5 LITERS
DIFFICULTY DIFFICULT
PREPARATION 3 WEEKS
FERMENTATION ANAEROBIC
REST 6 MONTHS - 2 YEARS

INGREDIENTS
» 2,5 kg of Brazilian grapes
» 400 g of organic granulated sugar
» 1,5 g of activated fizzy wine yeast

PREPARATION
Squeeze the grapes with your hands. Should you want a rosé wine, filter and discard the peels (that is where the tannins are concentrated). For red wine, mix all of the ingredients and allow them to ferment for 2 weeks at the most. After that, do the first filtration, discarding the solid fruit residues. Follow the steps outlined in the Cashew Cider recipe (page 285).

Brazilian Way Fermentation

....

BRAZILIAN GRAPE DESSERT WINE

(Recipe by Paulo de Tarso Carvalhaes, Fernando's father)

YIELDS 2,5 LITERS
DIFFICULTY DIFFICULT
PREPARATION 3 WEEKS
FERMENTATION ANAEROBIC
REST 3 MONTHS – 4 YEARS

This is a recipe from the rural, southeast region that does not require any yeast as long as it is made with fresh, organic Brazilian grapes. You can apply this to any fruit, while keeping in mind the result will be a sweet, liqueur wine.

INGREDIENTS
» 2 kg of Brazilian grapes
» 600 g of organic granulated sugar or rapadura (also known as panela)

PREPARATION
1. Squeeze the grapes with your hands and store them in a fermentation jar, alternating layers of fruit and sugar.
2. Close the jar, put in the airlock, and allow it to ferment for 7 days.
3. One week after it has stopped bubbling, strain the liquid and discard the residues.
4. Pour the liquid back into the fermentation jar, close and set up the airlock and leave it to ferment for another 2 weeks.
5. Put it in the fridge and allow it to mature for 10 to 15 days.
6. Rack is discarding the residues that have settled on the bottom. Strain and bottle.
7. Allow it to age for, at least, 3 months before drinking.

Tip: If you want a less tannic wine, do the racking after 1 or 2 weeks, at the most, after the beginning of the process.

....

MATE WINE

(see page 137)

YIELDS 2,5 LITERS
DIFFICULTY DIFFICULT
PREPARATION 3 WEEKS
FERMENTATION ANAEROBIC
REST 2 MONTHS – 2 YEARS

INGREDIENTS
» 2.5 liters of water
» 50 g of nonroasted mate leaves
» 500 g of organic granulated sugar
» 1.5 g of fizzy wine yeast, activated

PREPARATION
1. Heat up the water to 90 °C. Add the mate leaves and allow it to cool down to 40 °C.
2. Strain it and add the sugar, stirring until it has dissolved.
3. Follow the steps on the Cashew Cider recipe (page 285).

ENGLISH VERSION

CHAPTER 3

FOOD

"Any vegetal can be fermented." That is the sentence Sandor Katz uses to open his lectures to the general public. Following simple steps that trace back to ancient techniques, we can transform any vegetal. Some techniques produce fermented goods that can remain preserved for many years, others have a shorter lifespan and must be approached as a quick transformation that will bring out flavor, aroma, and digestibility, but in the short run.

The microscopic dynamics of succeeding species of microorganism that begins with each new fermentation inside a container recreates the dance that began life on Earth in a much smaller, and quicker, scale. Each fresh sauerkraut you make can be thought of as a tiny planet bursting with a primordial soup in which life arises, and the mutation and selection process happens at breakneck speed (in days, weeks, months, and not billions of years).

Just like the *Cyanophyceae* bacteria that managed to transform Earth's atmosphere over at least 1 billion years, producing oxygen (initially nonexistent), our bacteria and yeasts transformed vegetables into flavorful dishes, which are devoured in a few days or weeks.

An astronaut observes this placid, pale blue dot from space and sees a stable surface that says nothing about the intense euphoria amidst oceans, vulcans, plants, and animals. The same way, when we look at glasses filled with water, we're not able to see the essence of violent molecular euphoria among those particles that move at speeds higher than 2,000 km/h. Upon doing a visual assessment of a preserve, we won't be able to notice that, even after the initial carbon gas production phase has ended, an ongoing transformation is still in course, along with the production of other metabolites that will ensure the product is stable.

Having said that, this chapter will introduce different ways to work with vegetables, beginning with lactic preserves, sauerkraut, and kimchi among them, also including some Brazilian versions.

Lactic vegetable preserves

Once, during the Naturebas fair[40], organized by chef Lis Cereja in São Paulo, we were offering samples of our preserves when a big, blonde, foreign-looking guy approached us and, with a mistrusting glance, tried our sauerkraut. His reaction was: EUREKA! You could see in his eyes the kinesthetic feeling of traveling through time and space back to a table in his hometown, sitting in his grandmother's lap. Through a thick accent, he said: "Oh boy! I've been in Brazil for two years, and I had never tried a sauerkraut like the one back home!"

There is no point in searching, as you won't find anything like it in the shells of Brazilian supermarkets. No industry nowadays is interested in investing time into carrying out a product's original process, which could take months, when you can choose to do it in hours, despite losing quality and scorning tradition.

Vegetable preserves for sale nowadays are only simulacra and have lost – in Brazil, decades ago – the qualities the original ones possessed.

In the old days, the slow process followed the time the fermentation requires, and that is responsible for the acidification of the medium besides creating depth of flavor and an original palate. The understanding of medium acidity as a prerequisite for food safety led to industrial processes that were designed to artificially reproduce that state, seeking to speed up a natural process that happens through fermentation. It is brought on by thermal treatment (pasteurization) and artificial acidification of the medium by addition of acetic, ascorbic, or citric acids.

Besides robbing the product of the original's characteristic, this process eliminates the existing flora of microorganisms that, as we now know, is important for the proper functioning of the metabolism besides complementing the vegetable's nutritional content, as we've argued before.

Besides the acetic acid, and many more, produced by the chemical industry, often we also see

---

[40] A fair that is made up of small producers who approach food through a sustainable perspective, most of them biodynamic wine producers. To know more: www.saintvinsaint.com.br/feira. Access on: 6 Sep. 2019.

287

Brazilian Way Fermentation

the addition of preservers, stabilizers and other products that also detract from the original formulation. This perversely reinforces the ultra-processed foods movement, which ends up being responsible for the annihilation of a cultural heritage that has existed for millennia in various cultures.

In this section, we'll go over basic techniques that will ensure the success of your lactic preserves. Lactic acid, as we've seen on the introduction, is a metabolite generated by microbiological activity, that is, a by-product of fermentation.

While keeping that in mind, in the production methods we'll go over, this substance is never previously or posteriorly added. The result is a formulation with a sophisticated, harmonious flavor when compared to the artificial ones that use added vinegar (acetic acid) our other acidulates. We'll introduce a few reinterpretations of recipes from various cultures that will be a base for your creations.

Lastly, the term "lactic preserve" comes from the fact they contain lactic acid and has nothing to do with lactose (sugar found in milk), as the name might suggest.

The initial adding of selected microorganisms

On the internet (and even in contemporary literature) we have found several recipes that recommend the use of starters to begin the lactic fermentation of vegetables.

We've seen recipes that call for the brine from a previous preserve, whey, kombucha, kefir, and even bread yeast, to speed up the process. We could do that, and we could rest assured, knowing that food safety would be ensured as long as we used starter we know to be healthy.

However, scientific literature and academic publications discourage this kind of adding because, as we inoculate a greater amount of active microorganisms (like a microbiome transplant), they overpower and subdue the biota that is naturally found in vegetables, and that isn't necessarily the best when it comes to flavor. The characteristic, native flora that develops without adding starters has shown itself to be unbeatable when it comes to building complex flavors in lactic preserves.

Studies on the microbiota found in industrial vegetable fermentations begin in 1950[41] with the aim, as one might expect, of making industrial process-

es more efficient (that is, quicker and cheaper). They experimented with adding different kinds of microorganisms found in the outer part of the vegetables, from endophytes (that live inside plants) to those that are not found in vegetables, following many lines of research seeking to streamline industrial producing, besides making it cheaper.

The most exciting part about this search is the fact that all attempts to improve biotechnology have failed. Scientists and technicians from the leading industries and universities had to budge and acknowledge that the original, ancient and rudimentary process with a natural succession of alternating microorganism is subjected to changes in the medium (pG, concentration of acids and other substances) they themselves have caused, intertwined in a dynamic, non-linear, chaotic dance that can be observed anywhere organisms interact with the ecosystem.

Therefore, the elaboration of a vegetable preserve with inoculated microorganisms will not have the same deep aromas and flavors as those made only with water and salt at mild temperatures (below 21 °C). For those who have used starter in their preserver and have done so for many years after learning this method, we propose an experiment: prepare two jars with precisely the same ingredients, but only use the starter in one, while you apply the techniques we'll teach you on the other. We've done this several times just to be sure, and there is a dramatic difference. For those who are interested in knowing more about it, the main characters at play, transforming the production of aromatic esters into something magical, is the *L. mesenteroides*, which we presented in our introduction. It produces many metabolites, besides carbon gas and lactic acid, but it cannot withstand a pH below 6. Therefore, they quickly multiply in the brine as soon as the fermentation process begins (ensuring an anaerobic medium) and will prevail over aerobic microorganisms for a few hours. However, when metabolization lasts a few days, they become limited by the acidity they created. At that moment, other organisms emerge and step up the production of other substances, mainly lactic acid.

So, to make sure your preserve will have a deep, complex flavor, forget about acidifying the medium or dropping a bomb filled with microorganisms (starter)

---

[41] For more technical details on this subject check the references we've included in the Industrial Fermentation section in the Bibliographical References (page 317).

in it to speed up the process. If you add an inoculum, you will lose all of the sophistication the *L. Mesenteroides* and its associates can bring to your preserve.

Basic procedure

The success of vegetable fermentation lies in respecting two essential points: salting and anaerobic regimen (that is, to ensure there will be no contact with oxygen throughout the process). Next, we'll break down both of these points:

Brining

When we mention salting, we're talking about a fixed concentration of salt, that is, the ratio of salt to the amount of vegetables + brine. For example, 1% salting means 1 gram of salt for every 100 grams of the preserve (vegetables + liquids).

You can add as much salt to the vegetables as you wish, always keeping in mind that 0.6 g/kg is the threshold for salt perception among humans (that is, up to that concentration, we do not note its presence in the mixture). To a large portion of the population, the palatable concentration is 2% (20 g/kg).

So, you will need to calculate the amount of salt in relation to the weight of the vegetables and the liquid (water) you've added to them. The reason behind this is the diffusion process that causes salt to migrate to the interior of the vegetables, so, if you want your vegetables to end up with a 2% concentration of salt, you need to keep in mind the brine surrounding the vegetable will need to have this same concentration.

For example: let's say you have 1 kg of radishes to ferment in brine and you plan to do a 2% salting; You calculate that, for this amount, you will need 20 g of salt, then you add another 1 liter (1 kg) of water to cover them. After fermentation is through, you taste your preserve and notice it lacks salt. Where did it go wrong?

The problem is that the added water diluted the overall concentration – in this case, it cut it down to half because the total weight was 2 kg (1 kg of radishes + 1 kg of water) that, added 20 g of salt, arrived at a final concentration of 1%, half of the intended 2%.

Overall, in most recipes, we'll use 2%, a number that can be applied to the brine as well as to the salting of vegetables:

*   *20 g of salt for each liter of water;*
*   *20 g of salt for each kilo of vegetables.*

If you do not own a digital scale (which we recommend), you can use 2 level tablespoons of salt per every liter of water, and you'll be close to the recommended salinity.

Important: the more salt you add, the crispier will your vegetables be, given salt reinforces the cellular walls. Industrial productions usually use an initial brine of 5% to 8% and, at the end of the process, discard a portion of the liquid and add fresh water to dilute it and make the product palatable. The problem is that, along with the brine, they also discard part of the aroma, flavor, vitamins, and minerals. Tannin rich vegetables are also responsible for cellular hardening that causes crunchiness, like leave grapes, hibiscus, shiso, apples, passion fruit, clovers, cinnamon, coffee (husk), arrowleaf elephant ear, pineapple (leaves).

Note that, while preparing the preserve, before fermentation, you will probably take it to be too salty, but keep in mind that the result will be much milder, as the vegetables will release water and, as a result, salinity will invariably decrease.

When it comes to foliages (cabbage, chard, stalks in general), it suffices to add salt and crush them to obtain the water you need to cover the vegetables. But, should the crushing of the leaves not yield enough water, or should you be using more solid vegetables (carrots, garlic, turnips, radishes), you will need to add the brine to ensure everything will be immersed.

Lastly, concerning the recommended kind of salt: we've tested various types, including iodized, and all have worked. We recommend sea salt, which is packed with minerals that are beneficial to the microorganisms, but in its absence, you can use any other kind without any effect on the results.

An anaerobic medium (without oxygen)

The best way to ensure a medium without oxygen is using a fermentation container identical to the one we used to prepare the alcoholic beverages we presented in the previous chapter: a container with an airlock that allows the produced carbon gas to be released while preventing oxygen from entering. You could make one or buy one on the Companhia dos Fermentados website.

Should you do NOT have a container with an airlock (much like our ancestors), there is no problem. It suffices to make sure all the vegetables remain permanently submerged. The carbon gas produced during the fermentation process will quickly saturate the liquid medium, expelling the oxygen. Besides, it reacts with water and forms carbon acid, lowering the pH and ensuring pathogens will not proliferate.

During the process, the pH will go down to levels below 4.5. If you wish to monitor the pH variation and control the development of the fermentation, we suggest you acquire a pH test strips or even an electronic pH gauge. Note that these measurements are not a requirement, given we're talking about ancient (and safe) techniques that were developed in a time when the very concept of pH was nonexistent, least of all pH gauges.

The vegetables need to be permanently submerged, and so you must use something to weigh them down – it could be a glass object (marbles look beautiful), ceramic, or even a sanitized stone. Remember not to close the jar hermetically; cover it with a cloth to keep bugs out, as the carbon gas production could eventually cause the container to explode.

All preserves made without the use of appropriate fermentation jars require double attention, as the vegetables are at risk of contamination should they come in contact with atmospheric oxygen. Should this occur, the problem will soon be detected; you will feel an unpleasant smell, and the preserve will go moldy.

Beware: if a small portion of the vegetables comes in touch with the air, the whole preserve will be compromised. Should this occur, discard it entirely and start over.

What is fermentation time?

This is an easy question to answer: the fermentation time is what you say it is. Many cultures (notably the Japanese) make quick preserves that are done after one or two days. Others require a more extended period, as it is the case of some Korean kimchis that are left buried for years.

To store and keep outside the fridge (a stable product), we usually let it ferment for a minimum of two months so that the gas production will cease. This does not mean fermentation has come to an end, just that this particular metabolite is no longer being produced.

As we've clarified before, the initial pH drop is mostly caused by the production of carbon gas, which reacts with water and generates carbonic acid. It is a stable acid and a reversible reaction – should the preserve be opened, the acid will dissociate itself from its initial components, and the gas will escape into the atmosphere. This means the pH will once again rise and could, eventually, settle above 4.5 - a range in which problems with botulism arise, for example.

Behind this lies the difference between pH and acidity: by knowing only the pH (that is, the amount of H+ ions in the solution), we cannot know which acids are to be found, nor their concentration. Therefore, we need to have patience if we wish our preserve to become stable.

Once your preserve's fermentation is through and you are pleased with the results, to slow down the fermentation process and maintain the texture and flavor characteristics, all you need to do is store it in the fridge. At low temperatures, the microorganisms' metabolism tends to slow down and, therefore, the process could become stable. Note that, when we remove the preserve from the fridge and leave it at room temperature, the microorganisms will resume their activities.

Another way to stop fermentation is to pasteurize the preserve. To do so, bottle the vegetables in a glass jar and leave a 3 cm headspace before the jar lid. Close the jar hermetically, wrap it in a dishrag to prevent shocks (beware when placing several jars inside a pot, the jars shouldn't come into direct contact, always keep the dishcloth between them) and cook them in a pressure cooker for 45 minutes. Let them cool down naturally. This way, your preserves will last, if kept closed, for up to 2 years.

Note the pasteurization process will kill any life form present in the preserve, as well as the enzymes produced by the microorganisms.

Can I add other vegetables to my preserve after it is done?

Once we were invited to one of the best-known restaurants in Brazil to teach the chefs to make pepper preserves. Things ran smoothly but, a few months later, we were once again invited, as a problem arised: the pepper preserves were rotting. We went over the process, the preserves had been allowed to ferment for a month, which is more than enough time to have lactic acid production, besides carbonic acid. It was indeed a mystery.

Then I decided to ask how the bottling process was done, and the chef informed us that he added fresh herbs, garlic, and various other vegetables to "season" the sauce. There, the mystery was solved, and we learned there was something we needed to teach: do not add fresh vegetables to the preserve after it is done unless you plan to consume it immediately! The adding of fresh herbs will contaminate the preserve, raise the pH, taking it out of the food safety range.

Next, we'll introduce a few recipes that are easier and safer to ferment if you use a fermentation container with

ENGLISH VERSION

an airlock that will be no need to use a leaf to close off the preserve. Should you not use a fermentation container, set aside a cabbage or chard leaf to close the preserve internally, preventing the vegetables from floating and coming in contact with the atmosphere.

....

TRADITIONAL SAUERKRAUT

(see page 151)

YIELDS 1 KG
DIFFICULTY EASY
PREPARATION 5 DAYS - 3 MONTHS
FERMENTATION ANAEROBIC

INGREDIENTS
» 1 kg of cabbage
» 20 g of salt (2% of the weight of the cabbage)
» 10 g of mustard seeds (or any other spices of your liking)
» A 2% brine, if necessary, to make sure the leaves will remain submerged entirely.

PREPARATION
1. *Remove a few of the outer cabbage leaves, choose 2 or 3 whole leaves and set them aside.*
2. *Wash the cabbage, cut it in half, and remove the central stalk, and it will generate an unpleasant aroma during the fermentation process.*
3. *Wash and cut the leaves into the desired thickness, which could be very thin or thick, up to 2 cm wide.*
4. *Add the salt and begin to crush the leaves with your hands, rubbing them against each other, seeking to bruise them to facilitate the dehydration process.*
5. *After handling them for a few minutes, you will notice the leaves will begin to release water. The more water they release, the softer (and less crushy) will your preserve be.*
6. *Pour in the mustard seeds, combining them thoroughly.*
7. *Place this mixture into the fermentation container, covering it with the leave you had previously set aside. It will serve as an inner*

cover that will make sure everything will remain submerged throughout the fermentation. Should it be necessary, add the brine to make sure all the leaves are submerged.
8. *We recommend a minimum of 15 days fermentation period, so the characteristics of fermented foods will be present.*

Tip: Create your own variations with other leafy vegetables chards, Barbados gooseberry, Malabar spinach, garden nasturtium, green amaranth, puntarelle, chicory, sorrel, endive, sow thistle, shepherd's needle, hibiscus leaves, dandelion, broadleaf plantain etc., as well as a combination of them. Unless you are interested in having a paste of fermented leaves – which, indeed, is interesting –, avoid lettuces, arugula, watercress, and spinach, as their leaves are too thin and the initial processing and latter fermentation will reduce them to a paste.

....

COLLARD GREENS SAUERKRAUT

YIELDS 300 G
DIFFICULTY EASY
PREPARATION 2-4 MONTHS
FERMENTATION ANAEROBIC

Collard greens pack a lot more sulfur than cabbages do. This element is found in the glucosinolates, compounds that are broken down during the fermentation process, and become isothiocyanates, known as anticancer substances[42]. Although they are suitable for your health, the fermentation of Collard greens will yield very stinky compounds, which will make you want to throw your fermentation away during the first days. Do not. Wait two months, and things will get back on track, always keeping in mind that sulfur compounds are volatile and, little by little, they will leave the fermentation jar, and the greens will be palatable once again. For the same reason, cauliflowers also need time before they can be enjoyed appropriately.

[42] Ross Grant, "Fermenting Sauerkraut Foments a Cancer Fighter", 2002.

Brazilian Way Fermentation

INGREDIENTS
» 300 g of Collard greens
» 6 g of salt (2% of the weight of the Collard greens)
» 2% brine, if needed be
» Optional: mustard or fennel seeds

PREPARATION
Follow the instructions for the Traditional Sauerkraut recipe (page 291), removing the stalks and veins from the leaves as much as possible, they carry a higher concentration of sulfur and can be consumed raw or braised.

....

CARROT PRESERVE

YIELDS 300 G
DIFFICULTY EASY
PREPARATION 5 DAYS - 3 MONTHS
FERMENTATION ANAEROBIC

A simple, light, and incredibly flavorful recipe that is an excellent way to begin your experimentations with the fermentation of vegetables that do not release water during the salting process. It is the basis for many other formulations you can develop – all you need to do is change the input. You can use it to ferment West Indian gherkins, cucumbers, scarlet eggplants, okra, eggplants, mini zucchini (use them whole, or else they will come undone), garlic, onions, unpeeled green bananas, young corncobs, beets, pumpkins, bell peppers, peppers etc.

INGREDIENTS
» 2% brine, if needed be
» Optional: grated ginger, garlic, dill, mustard seeds, coriander roots or leaves, parsley, and other fresh or dehydrated herbs, pimenta-de-macaco (*Xylopia aromatica*), allspice, bay leaves, cumin, black pepper, paprika, thyme, great basil, garden nasturtium seeds, succor etc.
» 300 g of peeled (only if they are not organic) carrot, cut into matchsticks
» 6 g of salt (2% of the weight of the carrots)
» 1 cabbage leaf, to close off the vegetables

PREPARATION
1. Prepare the brine and set it aside. Depending on the size of the pot you'll be using, you could need from 300 to 600 ml.
2. Place the seasoning on the bottom of the fermentation container, followed by the carrots, salt, and brine.
3. Put in the cabbage leaf, so it covers the whole surface.
4. The ingredients need to be submerged throughout the process. If necessary, add more brine until everything is submerged, including the cabbage leaf.
5. Allow it to ferment for 5 days to 3 months, opting for cooler places where the temperature won't rise above 21 °C.

....

GRATED CARROT AND TURNIP PRESERVE

YIELDS 1 KG
DIFFICULTY EASY
PREPARATION 5 DAYS - 3 MONTHS
FERMENTATION ANAEROBIC

In this preserve, vegetables are grated and, therefore, release water more easily. If the amount of water they release is not enough to submerge the vegetables, add the brine following the same salt concentration. To do so, add 5 g of salt for every 250 ml of water (approximately 1 teaspoon of salt for each glass of water).

INGREDIENTS
» 500 g of grated carrots
» 500 g of grated turnips
» 20 g of salt (2% of the weight of the vegetables)
» 1 cabbage leaf, to seal off the contents
» 2% brine, if needed be

Tip: At Companhia dos Fermentados we always add masala (curry), and the results are amazing.

PREPARATION
1. Combine the turnips, carrots, and salt thoroughly in a bowl, then place them in the fermentation container.

2. Cover with the cabbage leaf, then pour in the brine until everything is completely submerged.
3. Allow it to ferment for 5 days to 3 months.

KABOCHA AND FENNEL PRESERVE
(see page 154)

YIELDS 600 G
DIFFICULTY EASY
PREPARATION 5 DAYS-1 MONTH
FERMENTATION ANAEROBIC

INGREDIENTS
» 600 g of kabocha thinly sliced
» 1 small fennel bulb
» 8 g of salt
» 1 cabbage leaf to close off the vegetables
» 2% brine, if needed be

Tip: Add chopped garlic and/or onions to alter the results radically. Should you choose to do that, consider replacing the fennel with cumin.

PREPARATION
1. Place all the ingredients in the fermentation container.
2. Cover with the cabbage leaf, then pour in the brine until everything is completely submerged.
3. Allow it to ferment for 5 days to 1 month.

PRESERVED RANGPUR LIME
(see page 158)

YIELDS 1 KG
DIFFICULTY MEDIUM
PREPARATION 30 MINUTES
FERMENTATION ANAEROBIC
MATURATION 15 DAYS-2 YEARS

Coming all the way from Morocco, this straightforward recipe will forever change your outlook on this fruit. With it, you can enrich sauces, salads, stews, and your Moroccan couscous will be closer to the original recipe, where its presence is fundamental. Unlike other preserves, the salt content for this one is 15%. When completed, normally the pulps are discarded, and the peels are washed and then cut into tiny bits. Our recipe does not reject anything.

INGREDIENTS
» 6 rangpur limes (you can also try with different lime, including the classic lemon preserve)
» Salt corresponding to 15% of the weight of the limes
» 15% brine, if needed be
» Optional spices, to taste: cumin, coriander, dill, mustard, red peppers, ginger, onions, fennel, black pepper, juniper etc.

Tip: The original recipe does not use any of the above mentioned spices, and we suggest you refrain from adding additional ingredients the first time around, so you'll become acquainted with the flavor of fermented lime.

PREPARATION
1. Divide the limes into 4 pieces (8 if the limes are big), lengthwise.
2. Coat the limes in salt and place them in the fermentation container, pressing them down, so there are no air bubbles.
3. As you press down on the limes, juices will also begin to be released. Check to see if you have enough liquid to cover the limes and, if necessary, add brine until they are submerged.
4. Close the fermentation container and allow it to ferment at room temperature (15 °C to 25 °C) for at least 10 days. After this period, they will keep for up to 3 years in the fridge. And they continue to get even tastier!

PRESERVED LIME VINAIGRETTE

YIELDS 1 KG
DIFFICULTY MEDIUM
PREPARATION 20 MINUTES

INGREDIENTS
» 5 large tomatoes
» 1 large onion
» Chives
» ½ bunch of coriander
(or parsley, if you prefer)
» 1 clove of garlic
» Juice of 2 lemons
» ½ preserved lemon
» Salt and olive oil to taste

PREPARATION
Dice the onions and tomatoes. Chop the chives and the coriander and combine them. Peel and grind the garlic clove. Wash half of a preserved lemon and remove the pulp. Cut the peel into small strips and mix with the remaining ingredients. Allow it to marinate for 30 minutes in the fridge, then serve.

Kimchi

Koreans love kimchi just like Brazilians love feijoada. Its main characteristic is that it is made from a great mixture of vegetables that can vary according to the region where the kimchi is being made. Chards, cabbages, turnips, cucumber, radish, chives, ginger, garlic, peppers, fish sauce, shoyu, and whatever leftovers you can find in the fridge.

There are over 900 kinds of kimchi across the world, and their method and the way they are elaborated vary according to the seasons and the seasonality of ingredients. On our website (www.ciadosfermentados.com.br), we have publications where we introduce the history of the kimchi along with various recipes using a variety of greens.

TROPICAL KIMCHI

YIELDS 3 KG
DIFFICULTY MEDIUM
PREPARATION 5 DAYS-1 MONTH
FERMENTATION ANAEROBIC

Here is our suggestion for kimchi with typically Brazilian ingredients. Since this is a preserve containing lots of vegetables that traditionally respect the seasonality of ingredients, feel free to replace them as you see fitting and alter the quantities. But pay close attention to the amount of salt, which should be calculated according to the total weight of the ingredients, including the water, while the amounts of soy sauce, fish sauce, and any ingredients that already contain salt should be excluded from the calculation.

INGREDIENTS
» 1 kg of chards, cut at the width of 4 fingers
» 50 g of West Indian gherkins, halved
» 120 g of turnips, cut into matchsticks
» 100 g of whole small okras
» 50 g of green mango, peeled and sliced
» 20 g of garden nasturtium leaves and flowers
» 20 g of jurubeba
» 100 g of beets, peeled and sliced
» 50 g of ripe cashews, cut into 4 pieces
» 20 g of minced garlic
» 20 g of sliced ginger
» 70 ml of soy sauce
» 40 ml of fish sauce
» 50 g of onions, sliced
» 60 g of chives, chopped
» 70 g of whole chicory or puntarelle
» 100 g of pimientos or bell pepper diced into squares with the width of 2 fingers
» 10 g of chopped chili peppers
» 20 g of sweet murupi pepper
» 2% brine, enough to submerge all the vegetables

PREPARATION
1. *Chop and prepare all of the ingredients.*
2. *Combine all the ingredients and place them in the fermentation container. Add brine to cover them, if necessary.*
3. *Allow it to ferment for 5 days to 1 month.*

ENGLISH VERSION

SUMMER KIMCHI
(see page 160)

YIELDS 3 KG
DIFFICULTY MEDIUM
PREPARATION 5 DAYS-1 MONTH
FERMENTATION ANAEROBIC

INGREDIENTS
» 1 kg of bok choy
» salt at 2%, to salt the bok choy
(from 20 g to 30 g)
» 20 g of minced garlic
» 20 g of fresh ginger, peeled and thinly sliced
» 50 g of Korean chili pepper (or any other pepper)
» 50 ml of fish sauce (nam pla)
» 50 ml of regular soy sauce
» 120 g of chives, chopped into 3 centimeter-pieces
» 60 g of carrots, cut into 3 centimeter-matchsticks
» 60 g of turnips, cut into 3 centimeter-matchsticks
» 100 g of bell peppers, cut into strips

PREPARATION
1. *Wash the bok choy thoroughly and cut into 4 pieces, lengthwise.*
2. *Sprinkle salt between the leaves, use a heavy object to weigh it down, and leave it to marinate for 1 hour. Set aside the bok choy juices, you'll use them in the brine.*
3. *Place everything into the fermentation container and, if necessary, add more brine until everything is submerged.*
4. *Allow it to ferment for 5 days to 1 month.*

FRUIT KIMCHI
(see page 162)

YIELDS 3 KG
DIFFICULTY MEDIUM
PREPARATION 2-7 DAYS
FERMENTATION ANAEROBIC

This recipe is flavorful, versatile, and ferments quickly. Due to its high fructose content, brought on by the fruits, we suggest adding an inoculum to ensure the proper amount of bacteria responsible for lactic fermentation, which should be found in a higher number than those responsible for alcoholic fermentation.

Lactic fruit preserves with a high fructose content (that is, ripe and sweet) aren't real preserves, in the sense that they will preserve the fruit for longer than it usually would last. The trick is to always leave the fruit at room temperature (18 °C to 25 °C) for 2 to 7 days (until fermentation has begun, which can be easily noticeable through gas production), and afterward keep in in the fridge, consuming it in up to 20 days.

INGREDIENTS
» 350 g of apples, diced
» 140 g of red plums, diced
» 270 g of nectarines, dices
» 350 g of whole grapes
» 50 g of cashew nuts
» 500 g of pineapple, peeled and diced
» Juice of 1 lime
» 10 g of chilli peppers, sliced
» 8 g of garlic, thinly sliced
» 1 pinch of salt
» 100 g of grated onions
» 40 g of coriander
» 60 g of ginger
» 38 g of salt (2% of the total weight)

PREPARATION
1. *Wash and cut all of the fruit, leaving only the grapes whole.*
2. *Squeeze the lime and keep the juice.*
3. *Combine all of the ingredients and place them in the fermentation container, covering them with brine, if necessary.*

MANGO CHUTNEY

YIELDS 500 G
DIFFICULTY DIFFICULT
PREPARATION 2-7 DAYS
FERMENTATION ANAEROBIC

My grandmother taught me how to make chutney. She made the classic version as a way of preserving the mangos from the ranch. Here I present my fermented version as a tribute to her.

295

INGREDIENTS

» 300 g of mangos, diced
» 1 medium onion, sliced
» 2 cloves of garlic, minced
» 20 g of ginger, grated
» 1 chili pepper, deseeded and chopped
» 50 g of raisins or dried figs
» 100 ml of fermentation inoculum (starter): kombucha, water kefir, brine from a previous preserver or milk kefir whey
» 12 g of salt
» Recommended spices: black pepper, cardamom, cumin, mustard seeds, coriander, clover, and cinnamon.

PREPARATION

1. *Cut and prepare all of the ingredients.*
2. *Combine all of them in a bowl, then place them into the fermentation container.*
3. *Add brine to submerge them, if necessary.*
4. *Follow the fermentation procedure for the Fruit Kimchi recipe (page 295).*

ZUCCHINI AND PINEAPPLE RELISH

YIELDS 1 KG
DIFFICULTY MEDIUM
PREPARATION 2-7 DAYS
FERMENTATION ANAEROBIC

Yet another versatile recipe where fermentation transforms preserves, as we know them, into something new.

INGREDIENTS

» 500 g of zucchini, diced
» 300 g of pineapple, diced
» 50 g of onion, sliced
» 1 chili pepper, sliced
» 100 ml of fermentation inoculum (starter): kombucha, water kefir, brine from a previous preserve, or milk kefir whey
» 2% of salt (in relation to the total weight of the ingredients)
» Recommended spices: black pepper, nutmeg, celery, and turmeric

PREPARATION

1. *Cut and prepare all of the ingredients.*
2. *Combine all the ingredients and place them into the fermentation container.*
3. *Add brine to submerge them, if necessary.*
4. *Follow the fermentation procedure for the Fruit Kimchi recipe (page 295).*

Tip: In your future experiments, to replace the zucchini with eggplants or squash, and the pineapple with starfruit.

BRAZILIAN GRAPE (JABUTICABA) PRESERVE

YIELDS 1 KG
DIFFICULTY EASY
PREPARATION 7 DAYS-1 MONTH
FERMENTATION ANAEROBIC

This is one of the most surprising preserves we've ever tasted – and it's easy to make. It results in fruit with no residual sweetness, extremely crispy, that can be eaten whole, including the seeds, which most people usually discard.

INGREDIENTS

» 1 kg of fresh Brazilian grapes
» 25 g of salt (2.5% in relation to the weight of the grapes)
» 2.5% brine, enough to submerge the fruits

PREPARATION

1. *Place the whole fruits and the salt into the fermentation container.*
2. *Add enough brine to submerge them.*
3. *Allow fermenting for 7 days to 1 month.*

Tip: Serve as an entrée as you would serve olives, but do not warn the guests. Let them find out for themselves – if they can!

ENGLISH VERSION

BACUPARI PRESERVE

YIELDS 1 KG
DIFFICULTY EASY
PREPARATION 7 DAYS-1 MONTH
FERMENTATION ANAEROBIC

Similarly to the Brazilian grape, the result will be even more acidic and very aromatic, with more character.

INGREDIENTS
» 1 kg of bacupari
» 25 g of salt (2.5% of salt in relation to the weight of the bacupari)
» 2.5% brine, enough to submerge

PREPARATION
1. *Place the whole fruits and the salt into the fermentation container.*
2. *Add enough brine to submerge them.*
3. *Allow it to ferment for 7 days to 1 month.*

Tip: Serve as an entrée, as you would serve regular olives.

CEYLON OLIVES PRESERVE

YIELDS 1 KG
DIFFICULTY EASY
PREPARATION 14 DAYS-1 MONTH
FERMENTATION ANAEROBIC

In our opinion, this is the best way to process the fruits from this leafy tree that is commonly found in cities and orchards across the country, but that cannot be eaten raw due to its unpleasant taste – just like it happens with actual olives. Unlike the olives we're familiar with, these do not call for successive brine exchanges that go on for months, and can be enjoyed after two weeks.

INGREDIENTS
» 1 kg of Ceylon olives
» 20 g of salt (2% in relation to the weight of the olives)
» 2% brine, enough to submerge

PREPARATION
1. *Place the whole olives and the salt into the fermentation container.*
2. *Add enough brine to submerge the olives.*
3. *Allow it to ferment for 14 days to 1 month.*

Tip: Serve as an entrée, as you would serve olives.

GREEN MANGO PRESERVE
(*see page 171*)

YIELDS 1 KG
DIFFICULTY EASY
PREPARATION 7 DAYS-1 MONTH
FERMENTATION ANAEROBIC

All across Southeast Asia green mangos as commonly eaten with salt and pepper. The fruit can be found in any fruit stand when it is in season. It's a genius idea, because if we only eat mangos when they are ripe, we have a very short time window to enjoy them, and a lot of it goes to waste (if you have a mango tree in our backyard or your orchard, you know what we are talking about). For us, serving green mangos to unsuspecting dinners has been a source of wonder and joy.

These green mango pickles are an excellent option for those who have access to large amounts of this fruit and eventually see them go to waste. After the fermentation period, which should happen at room temperature (15 °C to 25 °C), the preserve will hold for up to 1 year if kept inside the fridge and can be paired with cheeses, used in pies (enriching the filling), or even as a side dish in a meal.

INGREDIENTS
» 4 very green Palmer mangos, washed, peeled, and cut into matchsticks
» 2.5% of salt in relation to the weight of the mangos (25 g for each kilogram of mango)
» 2.5% brine, enough to submerge (25 g for each liter of water)
» Red pepper, galangal, and kaffir lime leaves to taste (optional)

PREPARATION

1. Prepare the mangos and place them in the fermentation container.
2. Add the salt and enough brine to cover the fruits.
3. Allow it to ferment for 7 days to 1 month.

....

CAMBUBOSHI, UMBUBOSHI, FIGBOSHI, BILIMBOSHI

YIELDS 1 KG
DIFFICULTY EASY
PREPARATION 1 MONTH-1 YEAR
FERMENTATION ANAEROBIC

We've had a lot of fun making umeboshi (the iconic Japanese plum preserve) and next, we'll introduce our variations using Brazilian fruits. The process remains the same, only the fruits vary.

One of the most successful Brazilian versions was the one made with imbu, a fruit commonly found in the Brazilian cerrado eco region. When it comes to the Atlantic Forest fruits, we've achieved great results with cambuci. Lastly, we tried to use bilimbi, very commonly found in the Amazon (although of South Asian origin). These are Brazilian tsukemonos that can be enjoyed the same way as their Japanese cousins: with gohan rice, sesame oil, and roasted nori seaweed, or as a side dish, bringing sour, salt, and umami to the table.

INGREDIENTS

» 1 kg de cambuci, imbu or bilimbili, or any small fruit of your liking
» 100 g of salt (10% of salt in relation to the weight of the fruit)
» 5 g of hibiscus infused in 100 ml of water (optional, for adding color, replacing the shiso leaves from the original formulation)
» 10% brine, if necessary

PREPARATION

1. Combine the fruits and the salt and use a heavy object to press down on them. Allow the liquid to drain for 2 hours. Set aside the juice from the fruits.

2. Make the hibiscus infusion, allow it to cool, then combine with the salted fruits.
3. Add the mixture to the fermentation jar and, if necessary, pour in the brine until everything is submerged.
4. Let it ferment for at least 30 days.

....

FERMENTED HOT SAUCE (see page 175)

YIELDS 1 KG
DIFFICULTY MEDIUM
PREPARATION 7 DAYS-1 MONTH
FERMENTATION ANAEROBIC

Yet another versatile recipe where fermentation transforms preserves, as we know them, into something new.

INGREDIENTS

» 800 g of peppers of your choice (biquinho, fidalga, cumari, murupi, adjuma, jiquitaia etc.)
» Garlic to taste
» Spices
» 200 ml of water
» 2% of salt in relation to the weight of all ingredients, water included.

PREPARATION

1. Combine all the ingredients in a blender and, aided by a funnel, pour them into the fermentation jar or a PET bottle.
2. Should you use the bottle, we suggest you leave some space about the width of 3 fingers before the opening. Squeeze the bottle to remove all the internal air and close it. This way, you'll ensure an initial anaerobic medium. Within a few days, you'll notice the formation of carbon gas, which will be very intense during the first week (during this period, it would be wise to leave the cap somewhat loose, just enough so gas can escape).
3. Allow it to ferment for 20 days – but it should be noted Tabasco® ferments for 2 years in wooden casks.

Tip: Try to add spices, tomatoes, or even a bit of fruit to your sauce (pineapples, for instance).

The result never ceases to amaze. If you want, after the gas production has come to a halt (after fermenting for at least a month at room temperature), combine the sauce with a bit of sunflower or olive oil. We usually add about 10% to 30% of the volume, that is, for each liter of pepper, 100ml to 300 ml of oil, to create an emulsion.

FERMENTED SALAD DRESSING

YIELDS 1 KG
DIFFICULTY MEDIUM
PREPARATION 2-5 DAYS
FERMENTATION ANAEROBIC

INGREDIENTS
» 4 tomatoes, peeled
» 1 small onion
» 1 clove of garlic
» 1 chili pepper (optional)
» Black pepper, to taste
» Chives and parsley and/or fresh cilantro
» 2% of salt in relation to the total weight of the ingredients

PREPARATION
Dice all the ingredients, combining them in a classic vinaigrette and place them into the fermentation jar, or do it similarly to the fermented hot sauce: combine everything in a blender. Note that the fermentation time is very short, like with the fruit preserves. Allow it to ferment for 2 to 5 days, then keep it in the fridge.

ACHAR (TRADITIONAL PRESERVED PEPPERS FROM MOZAMBIQUE)

YIELDS 800 G
DIFFICULTY MEDIUM
PREPARATION 1-3 MONTHS
FERMENTATION ANAEROBIC

INGREDIENTS
» 250 g of chili peppers, chopped (or any other you might prefer)
» 500 g of lime, sliced (Rangpur limes also work

wonderfully, you could try to vary or combine limes and lemons)
» Fresh (or dehydrated) garlic, ginger, and turmeric, to taste
» 2% of salt in relation to the total weight of all ingredients (except for the oil)
» Sunflower oil

PREPARATION
Combine all the ingredients, place them into a glass jar, and cover with oil. Allow it to ferment for at least 2 months.

Tip: Mustard, coriander, and cumin seeds are a great fit with this preserve, but we recommend only using the key ingredients during your first try so that you can experience the intense flavor of limes and peppers fermented together. It's truly striking.

LA JIAO JIANG
(*see page 178*)

YIELDS 700 G
DIFFICULTY MEDIUM
PREPARATION 1 MONTH-1 YEAR
FERMENTATION ANAEROBIC

Inspired by de doc series *A Journey through the People's Republic of Fermentation* (2017), which registers Sandor Katz and Mara King's visit to China, seeking to record the production of fermented foods, here we've reproduced our version of the pepper and spices preserve that is big hit at Companhia dos Fermentados.

INGREDIENTS
» 600 g of fresh peppers of your liking (we usually opt for aji amarillo and murupi)
» 24 g of salt (4% in relation to the weight of the peppers)
» 1 tablespoon of Sichuan pepper
» 1 bay leaf
» 3 cardamom pods, ground
» 20 g of grated ginger (the original recipe calls for galangal, a root of the same family)
» 3 star anises, grounded
» 1 tablespoon of mustard seeds

Brazilian Way Fermentation

» Sunflower oil, just enough to cover the preserve (it will be mixed in at the end of the fermentation process)

PREPARATION

1. *Slice the peppers and process them in a food processor. Add the salt and combine thoroughly.*
2. *Place a heavy object on top of this mixture and allow the water to drain out of the peppers for 6 to 12 hours. Rinse out and discard the excess water.*
3. *Add the spices and the ginger, move everything to a baking tray and arrange it in a thin layer, and leave it in the sun for 3 to 5 days, until the mixture is thoroughly dry (we use a dehydrator to speed up this process).*
4. *Place everything in the fermentation jar and beware of lingering air bubbles. Add the oil until it completely covers everything, forming a layer with at least the width of one finger.*
5. *Let it ferment for at least a month. It will be delicious after 1 year.*

Tip: Feel free to replace or remove any of the spices mentioned above, as to create a sauce for your taste.

....

Cassava

For thousands of years, it was the single most important source of carbohydrates in our territory, until it was gradually replaced by wheat, introduced by the Portuguese colonizers and, more recently, rice and corn.

Those who cultivate and harvest cassava know how quickly it begins to decay as soon as it leaves the earth. Over the course of thousands of years, the natives developed techniques to preserve it based on fermentation processes. Those are used to this day, although we are not aware of them, or take them for granted.

Among the byproducts of cassava, generated by fermentation processes, we could name farinha d'água, cassava starch (without which we wouldn't have pão de queijo), puba, tucupi, caxiri, cauim, and various other kinds of flours, ever-present on the tables on the North and Northeast of the country.

In this case, the basic technique that has been developed consists of submerging the roots into water – be it in a river, inside canoes that are weighed down, be it in paddocks. In the case of the bitter cassava, the fermentation process helps to break down the cyanogenic compounds, responsible for the production of potentially fatal cyanide.

The process of submerging the cassava into water is called pubagem, and often it results in a dough with a pungent, less than inviting aroma, which then is submitted to a cleansing process during which is considerable part of the material is lost.

Should we conduct the process inside a fermentation jar, securing an anaerobic environment (which, fortunately, cannot happen in a river, where oxygen is present and if it wasn't for it, we wouldn't have fishes and life forms that possess an aerobic metabolism), we can use 100% of the roots and even the fermentation water (which, in this case, is not salted) to make cakes, breads, flours, among other products.

To understand the origin of the different cassava products, the best thing one can do is process it themselves – grate it and squeeze out the juices. If you have a blender, you could chop it into small pieces and process them, adding as little water as possible. We use a juicer, that easily separates the liquid from the pulp. A cold press could also get the job done.

The milky-yellow liquid that is drained from the dough is called *manipueira*. Put it inside a fermentation jar and see that within a few hours, it will lose its murky quality, and part of the flour, previously suspended, will settle. This is cassava starch, that is not soluble in water. When dried, it is also called sweet cassava starch and, when cooked in water, forming a kind of mush, it's called *goma*, the basis for tacacá one of the most famous dishes of native origin in the north of Brazil.

The starch, the liquid, and the pomace derive from cassava fermentation, which will be presented in the following recipes.

Note that all our tests were carried out using sweet cassava, also known as macaxeira or aipim. Although there are several studies[43] that attest food safety of the fermentation process followed by cooking or baking, successfully decreasing the cyanide levels in bitter cassava, we do not recommend working with it.

---

[43] See, for example, Renan Campos Chisté and Kelly de Oliveira Cohen, "Teor de Cianeto Total e Livre nas Etapas de Processamento do Tucupi", 2011.

ENGLISH VERSION

Pull all the cassava
Put it inside the basket
Fry that fish
Cassava to be grated
Oh, get that sieve ready
Put it in a bowl
Take the tipiti
Get that tucupi
I made my home on the riverbank
The best place for the cassava pit
I made my home on the riverbank
The best place for the cassava pit
Made from arumã or miriti
I asked for the famous tipiti
Made from arumã or miriti
I asked for the famous tipiti
Tipiti, piti, piti, piti, piti, piti
Made from arumã or miriti
Take that grater, boy!
Put it to the cassava, girl!
Get that dough
Squeeze the tipiti
As the sieve sways
The tipiti it at play
The pomace is there
And that tasty tucupi farinha-d'água, tapioca starch
There are vitamins at the cassava root

Dona Onete
Tipiti

CASSAVA PUBA

YIELDS 1 KG
DIFFICULTY EASY
PREPARATION 10 MINUTES
FERMENTATION ANAEROBIC

INGREDIENTS
» **1kg of cassava**
» **Enough water to submerge the cassava**

PREPARATION
1. *Add the cassava to the fermentation container and cover it with water. Close and set up the airlock.*
2. *Wait for 1 weeks to 2 months, until it is soft and tender.*

TUCUPI

YIELDS 1 LITER
DIFFICULTY MEDIUM
PREPARATION 3-15 DAYS
FERMENTATION ANAEROBIC

INGREDIENTS
» **5 kg of sweet cassava**
» **1,5 liters of water (if you do not have a cold press or a juicer at your disposal)**
» **4 garlic cloves, halved**
» **2 bunches of cilantro**
» **1 bunch of great basil**
» **30 g of murupi pepper, or any other of your liking**
» **20 g of salt**

PREPARATION
1. *Chop the cassava and run it through a juicer, separating the liquid portion from the solids. Set the dough aside for future recipes.*
2. *Should you not have this equipment at your disposal, process the chopped or grated cassava in a blender, straining, and reusing the water at each turn. The less water you manage to use, the better: this will result in a sauce that is not as diluted, with a deeper flavor. As a rest resort, you can grate the cassava and squeeze it with your hands or inside a cotton or voile rag, thus extracting the juice. Natives press the grated cassava with a remarkable instrument called tipiti.*
3. *Filter the liquid (manipueira) thoroughly, aided by a voile or cotton rag. The remaining solid dough will also be used on the next recipe.*
4. *Allow the liquid to settle in a jar, waiting 4 to 12 hours.*
5. *Pour the liquid into an anaerobic fermentation jar equipped with an airlock. Set aside the settled starch.*
6. *Allow it to ferment for 3 to 15 days, as you please. The longer it ferments, the sourer it will be.*
7. *After the desired fermentation period, cook the liquid with the remaining ingredients.*
8. *The solid dough and the starch resulting from this recipe will be used in the two following recipes.*

Brazilian Way Fermentation

SOUR CASSAVA STARCH

YIELDS 250 G
DIFFICULTY MEDIUM
PREPARATION 15-40 DAYS
FERMENTATION ANAEROBIC

If we dehydrate the starch that settled in the manipueira from the previous recipe, we'll obtain sweet cassava starch, the basis to many Brazilian recipes. Just cook the starch with a bit of water, and you'll get the transparent dough called goma, found in any bowl containing tacacá. To obtain sour cassava starch, we must ferment it.

INGREDIENTS
» Cassava starch from the previous recipe

PREPARATION
1. Put the starch (still moist) in a fermentation container.
2. Wait for 15 to 40 days.

PUBA CASSAVA DOUGH (CARIMÃ)

YIELDS 4 KG
DIFFICULTY MEDIUM
PREPARATION 5 DAYS-2 MONTHS
FERMENTATION ANAEROBIC

INGREDIENTS
» The solid cassava dough (pomace) leftover from the Tucupi recipe (page 301)

PREPARATION
1. Put the starch (still moist) in a fermentation container.
2. Wait for 5 days to 2 months.
3. After you've allowed it to ferment until reaching the desired acidity, you can put the dough into the fridge to slow down the process, or even dry it out in dehydrator, an oven, or by leaving it exposed to the sun (a 9% moist content would be ideal).

PUBA BLINIS (see page 186)

YIELDS 200 G
DIFFICULTY EASY
PREPARATION 15 MINUTES

INGREDIENTS
» 150 g of puba cassava
» 1 egg
» 50 ml of puba water

PREPARATION
1. Combine all the ingredients in a blender.
2. In a frying pan, heat a bit of butter.
3. Pour in a small portion of the mixture, creating little pancakes about 10 centimeters wide.
4. Flip them as soon as they become rigid. Serve with jams and pâtés.

TUCUPI ICE-CREAM
(recipe by Fumie Sakai, pastry chef)

YIELDS 3 KG
DIFFICULTY EASY
PREPARATION 2 HOURS

INGREDIENTS
» 800 g of sugar
» 1 liter of water
» 1,2 kg of tucupi

PREPARATION
1. Combine the sugar and water and cook over medium heat until boiling. Allow it to boil for 2 minutes and remove from heat.
2. Wait until it cools, pour in the tucupi, and put it in the ice-cream maker.

PUBA CASSAVA CAKE
(see page 189)

YIELDS 850 G
DIFFICULTY MEDIUM
PREPARATION 2 HOURS

ENGLISH VERSION

INGREDIENTS
- » 400 g of puba cassava (carimã)
- » 200 ml of coconut milk
- » 150 g of sugar
- » 100 g of grated coconut
- » 50 g of sunflower oil
- » 10 g of baking powder (optional)

PREPARATION
1. Preheat the oven to 180 °C.
2. In a blender, combine the puba cassava, coconut milk, sugar and oil, blending until you have a smooth, uniform dough.
3. Transfer to a bowl and add the grated coconut.
4. A few minutes before you put the cake into the oven, add the baking powder and combine thoroughly.
5. Bake for 50 minutes or until the top portion is golden.
6. Remove from oven, allow to cool, then remove it from the baking pan.

Tip: The baking powder is optional. You could allow it to fermente at room temperature for 6 hours before baking.

....

PÃO DE QUEIJO (CHEESE BREAD)

(see page 190)

YIELDS 30 PIECES
DIFFICULTY MEDIUM
PREPARATION 1 HOUR

INGREDIENTS
- » 480 ml of milk
- » 240 ml of corn oil
- » 240 ml of water
- » 40 g of salt
- » 1 kg of sour cassava starch
- » 300 g of partly-cured cheese, grated
- » 5 eggs

PREPARATION
1. Preheat the oven at 180 °C.
2. In a pot, heat up the milk, the oil and the water. Turn off the heat before it begins to boil.
3. Combine the salt with the sour cassava

starch in a bowl and pour in the warm liquids, forming a rough crumbly. Let it cool.
4. Add in the cheese and, lastly, the eggs.
5. The dough will be a bit too soft – allow it to rest for 15 minutes.
6. Grease your hands with corn oil and shape the cheese bread balls.
7. Bake for 20 minutes or until they are lightly browned.

....

UARINI COUSCOUS WITH TUCUPI AND SHRIMPS

(see page 193)

YIELDS 6 SERVINGS
DIFFICULTY MEDIUM
PREPARATION 2 HOURS

INGREDIENTS
- » 1 kg of large shrimps, peeled and deveined
- » 2 limes
- » 2 garlic cloves, minced
- » 50 g of extra-virgin olive oil
- » 1 onion, chopped
- » 300 g of ovinha uarini flour
- » 350 ml of tucupi
- » 140 g of Brazil nuts, roasted
- » 1 mango, diced
- » 3 tomatoes, deseeded, diced
- » 20 g of preserved rangpur lime (page 293), chopped into small cubes
- » ½ bunch of coriander, leaves and stems, chopped
- » Salt and black pepper, to taste

PREPARATION
1. Season the shrimp with lime juice, garlic, 2 tablespoons of olive oil, and salt. Set aside.
2. Use the tucupi to hydrate the uarini flour, add a pinch of salt and let it rest for half an hour.
3. Roast the Brazil nuts and grind them until you have a coarse flour.
4. Combine the mangos, tomatoes, lime preserve, and coriander with the flour. Separate some coriander leaves for finishing.
5. In a large frying pan, heat o the remaining olive oil and sauté the onions. Add the shrimps

303

Brazilian Way Fermentation

and seal them on both sides.

6. Remove from heat, put the flour with the vegetables into the frying pan, also adding the Brazil nuts. Combine thoroughly.

7. Season with salt, black pepper, and top it off with the coriander leaves.

STARCH BISCUITS WITH ACHIOTE OIL AND PUMPKIN SEEDS

(see page 194)

YIELDS 2 LARGE BISCUITS
DIFFICULTY MEDIUM
PREPARATION 1 HOUR

INGREDIENTS

» 15 g of achiote seeds
» 120 ml of corn oil
» 120 ml of water
» 5 g of salt
» 20 g of sugar
» 225 g of sour cassava starch
» 75 g of sweet cassava starch
» 80 ml of milk
» 1 egg
» 20 g of pumpkin seeds, peeled
» Corn oil, for greasing

PREPARATION

1. Preheat the oven to 160 °C.
2. In a small pot, heat the achiote seeds in oil for 3 minutes. Run it through a metal strainer and set aside the colored oil.
3. Combine ½ cup of the achiote oil with water, salt, and sugar, and cook it over heat until it begins to boil. Remove from heat.
4. While you're heating the achiote oil, combine the two kinds of cassava starch in a bowl.
5. Add the hot liquids to the starch mixture, scalding the dough.
6. Little by little, add the milk, combining thoroughly and, then, the egg.
7. Use a silicone baking mat or grease the baking tray with oil and line it waxed paper. Spread out the dough, forming a thin layer.
8. Scatter the pumpkin seeds across the dough and bake for 20 minutes, or until

crispy. Store in a closed container.

JERKED BEEF AND PUBA CASSEROLE

(see page 197)

YIELDS 4 SERVINGS
DIFFICULTY MEDIUM
PREPARATION 4 HOURS

INGREDIENTS

» 800 g of jerked beef, desalted
» 800 g of puba cassava, grated
» 3 garlic cloves, minced
» 100 g of unsalted butter
» 700 ml of milk
» 350 ml of water
» 40 g of clarified butter
» 1 medium onion, cut into strips
» 300 g of coalho cheese, grated
» Salt, to taste
» Chives, chopped

PREPARATION

1. Cook the jerked-beef, already desalted; shred it and set aside.
2. Grate the puba cassava, in case you fermented it whole. Braise the garlic in butter; add the grated puba, the milk, the water, and cook for a few minutes. Season with salt and run it through a food processor until you have a smooth puree.
3. In a frying pan, braise the jerked beef in butter and add the onion; season with the chives.
4. Assemble the ingredients in a casserole dish or individual bowls in the following manner: one layer of puree, one of jerked beef, another layer of puree, topping off with the coalho cheese.
5. Brown at 180 °C for 15 minutes, or until golden.

OXTAIL WITH TUCUPI

(see page 198)

YIELDS 4 SERVINGS
DIFFICULTY MEDIUM
PREPARATION 4 HOURS

INGREDIENTS
» 1 kg of oxtail
» 3 garlic cloves, minced
» 40 g of olive oil
» 1 liter of tucupi
» ½ bunch of para cress
» Salt and black pepper, to taste

PREPARATION
1. Cut the oxtail at the joints and season to taste. Set aside for at least 2 hours to marinate.
2. Heat up the olive oil and sear the meat.
3. Cover the meat with water until you have the width of two fingers of water above the meat, and cook for 1 hour in a pressure cooker.
4. Wait until all of the pressure has been let out, open the pressure cooker and, over low heat, cook until the sauce reduces and dries out.
5. When you are about 30 minutes away from finishing it, heat up the tucupi and cook the para cress leaves in it until they are soft.
6. Pour the tucupi and para cress leaves into the oxtail pot. Adjust the seasoning and serve with white rice and cassava flour.

....

CARIMÃ MUSH WITH TONKA BEANS AND BRAZIL NUTS
(see page 201)

YIELDS 1 SERVING
DIFFICULTY EASY
PREPARATION 15 MINUTES
INGREDIENTS
» 80 g of puba cassava
» 40 g of sugar
» 120 ml of coconut milk
» 120 ml of milk
» 80 g of Brazil nuts, roasted and broken down
» Tonka beans and cinnamon, to taste

PREPARATION
1. Combine all the ingredients in a blender, except for the nuts, cinnamon, and tonka beans.
2. Cook over low heat, continually stirring.
3. Turn off the heat and allow it to thicken.
4. Sprinkle cinnamon and grated tonka beans.

5. *Serve with the roasted nuts or fermented cacao nibs.*

Grains and seeds

Currently, we notice the population is growing increasingly aware of the role food has in improving the quality of life and avoiding various kinds of diseases. At the same time, public health problems linked to poor nutrition have been continuously highlighted and are a cause for concern. An example is found in the fact the overconsumption of highly processed wheat flours resulted in a rise in the number of people intolerant to gluten, a protein found in all products made with wheat flour (breads, biscuits, pasta etc.). This gave rise to a great search for new, healthy food alternatives that contain carbohydrates, but are gluten-free.

Any grain can be a source of food, not only wheat. Grain fermentation has been going on for millennia, and there are records of it in ancient Egypt, India, Africa, Japan, America, and Eastern Europe. Different kinds of rice, soy, lentils, beans, chickpeas, quinoa, amaranth, and corn were transformed into falafel, acarajé, idlis, and dosas, among many other traditional ethnic dishes.

Fermentation makes the grains more digestive, nutritious, and flavorful. With it, we obtain naturally aerated dough that can be cooked, baked, steamed, or fried without the further adding of baking soda or any other chemical, that is, in the healthiest way possible, as it was traditionally done.

This is a quick and easy process. Optionally, the grains can be germinated, so their nutrients and enzymes are more easily attainable upon consumption

Choosing the grains

Always choose grains and seeds from reliable suppliers, preferably organic, selected, and fresh. Grains that have been subjected to grain irradiation will not sprout. We divide grains and seeds into three categories:

1) Oilseeds (*contain oily components*). *Examples: sunflower seeds, sesame, linseed, almonds, walnuts, and soybeans. Ideal form of consumption: raw, cold pressed or processed at low temperatures.*

2) Starchy (*contains starch*). *Examples: rice, quinoa, oatmeal, barley and wheat. The ideal form of consumption: cooked or baked.*

3) Protein (*contain more amino acids and protein*). *Examples: beans, peas, and lentils. The ideal form*

Brazilian Way Fermentation

of consumption: cooked or baked.
While it can be fun and flavorful to ferment grains belonging to the three categories at the same time, keep in mind that some grains need to be cooked or baked before they are consumed to prevent the ingestion of undesirable toxins. If you do not know if you need to prepare a grain after fermenting it, remember how this grain would normally be enjoyed and stick to that procedure.

Hydration

All seeds possess a natural defense mechanism against the outside world. Their hard husks or phytates (inhibiting substances) are meant to protect the internal content against bacteria and other microorganisms as much as possible. To "breakthrough" these defenses, we need to subject the grain to a hydration process using natural chemical reactions that are made possible by the enzymes found in their composition (hydrolysis).

It is a simple and easy process that consists of soaking the grains in mineral, potable water for a given amount of time. It's important to exchange the hydration water at least twice so that unwanted substances that are secreted during the process can be discarded.

Choose a plastic, stainless steel, porcelain, or glass container, add the required amount of grains and pour in twice as much water. In other words: if you wish to soak 1 cup of wholegrain rice, use 2 cups of water.

Nuts, peanuts, macadamias, and other oilseeds do not possess these undesirable defense substances (such as beans and other protein-rich grains) because husks that are impenetrable in a natural setting and that frequently have already been peeled before we buy the grain protect them.

The average hydration time for grains lasts for 12 to 24 hours.

Hydration and germination tables

Seed	Hydration	Germination
Alfalfa	4 to 6 hours	5 to 7 days
Arugula	6 to 10 hours	7 days
Canary Grass	6 to 10 hours	2 to 3 days
Coriander	4 to 6 hours	1 to 2 days
Fenugreek	4 to 6 hours	3 to 5 days
Linseed	4 hours	1 to 2 days
Millet	6 to 10 hours	2 to 3 days
Mustard	4 to 6 hours	2 to 3 days

Seed	Hydration	Germination
Pumpkin	10 to 16 hours	2 to 3 days
Sesame	4 hours	1 to 2 days
Sunflower	6 to 10 hours	2 to 3 days
Watercress	4 to 6 hours	7 days

Nut	Hydration	Germination
Almonds	6 to 12 hours	-
Brazil Nut	1 to 2 hours	-
Hazelnut	6 to 10 hours	-
Macadamia	-	-
Pecan	1 to 2 hours	-
Pistachio	-	-
Walnut	1 to 2 hours	-

Cereals	Hydration	Germination
Barley	6 to 10 hours	5 to 7 days
Brown Rice	12 hours	-
Buckwheat	just moisten	2 to 3 days
Oats	4 hours	1 day
Pearl Barley	4 hours	1 to 2 days
Quinoa	3 hours	1 day
Rye	6 to 10 hours	5 to 7 days
Wheat	6 to 10 hours	2 to 3 days
White Rice	4 hours	--

Leguminous	Hydration	Germination
Azuki bean	6 to 10 hours	3 to 5 days
Chickpea	6 to 10 hours	1 to 3 days
Moyashi bean	6 to 10 hours	3 to 5 days
Lentil	6 to 10 hours	1 to 3 days
Pea	6 to 10 hours	1 to 3 days
Peanut	6 to 10 hours	1 to 3 days
Soybean	6 to 10 hours	2 to 3 days

Dried fruits	Hydration	Germination
Apricot	2 to 6 hours	-
Banana	2 to 6 hours	-
Date	2 to 6 hours	-
Plum	2 to 6 hours	-
Raisin	2 to 6 hours	-

Germination

Optionally, after soaking, a few grains can be driven to germinate. This process, besides promoting further breaking down of phytic acid, makes available the vitamins the seed would use for its growth.

The process consists of keeping the grains continuously moist (but not submerged), allowing air to run through them. Within a period of 1 to 3 days, we'll notice the emergence of tiny roots sprouting from the grains. Do not let these roots grow more than 1 centimeter, or the grain might taste slightly bitter.

The germination time can last from 4 hours to 3 days, depending on the kind of grain.

Processing the grains

After the soaking and germination (if undertaken) periods, drain out the water and process the grains in a blender or food processor. This process must be executed with low-speed equipment, eventually shutting down the equipment and stirring the grains with a wooden spoon and, if necessary, water should be slowly added to facilitate the processing.

To avoid pasty results do not add too much water. At this stage, seasonings and other ingredients, like onions and garlic, can be added and processed with the grains.

Fermentation

After you've turned the grains into a paste, transfer it to a cleaned, sanitized glass jar, close the lid and leave it at room temperature. In a few hours, the dough will become aerated (with bubbles). Allow it to ferment for 12 to 24 hours or until it has doubled in size.

If it ferments for too long, the dough will re-condense, and you will see marks where it reached its growth. At his stage, you can put it to use, or store it in the fridge.

····················

BLACK-EYED PEA FRITTERS - VARIATION OF ACARAJÉ

(see page 207)

YIELDS 3 UNITS
DIFFICULTY MEDIUM
PREPARATION 2 DAYS
FERMENTATION ANAEROBIC
MATURATION 2 DAYS

INGREDIENTS
» 200 g of black-eyed peas
» ½ onion
» Vegetable oil, for frying
» 1 tablespoon of palm oil, for frying

PREPARATION

1. Soak the black-eyed peas for 8 hours. Process them with an onion in a blender. This can be a very slow-moving process, as you will need to turn the blender off several times and rearrange the paste with a spoon.
2. Place this mixture in a jar and allow it to ferment for at least a day, or until you notice the formation of huge bubbles.
3. With the aid of a spoon, or using your hands, shape the dough into balls and fry them in palm oil or bake them.
4. Stuff the balls with the classic acarajé fillings or the filling of your liking.

····················

FERMENTED FALAFEL (CHICKPEA FRITTERS)

YIELDS 15 UNITS
DIFFICULTY MEDIUM
PREPARATION 2 DAYS
FERMENTATION ANAEROBIC

INGREDIENTS
» 600 g of chickpeas
» 150 g of onions
» 20 g of garlic
» 50 g of parsley
» 30 g of coriander
» 1 tablespoon of cumin
» 1 leveled tablespoon of salt
» 130 g of water
» black pepper, to taste

PREPARATION

1. Soak the chickpeas for 1 to 2 days, exchanging the water twice within that period.
2. In a blender, process the chickpeas along with the other ingredients.
3. Put it in a glass jar and wait for at least a day, until gas bubbles appear and the

dough becomes aerated.

4. *Shape the falafels and fry them or bake them in the oven.*

Tip: Many recipes mention the need to peel the chickpeas, as their peel supposedly would be a source of indigestion, but, during the fermentation process, the microorganism will do all the work. Try to leave the skin on and see the results for yourself (not only it yields a greater amount, but it is a lot less time consuming).

FERMENTED CASHEW NUTS PASTE

YIELDS 200 G
DIFFICULTY MEDIUM
PREPARATION 2 DAYS
FERMENTATION ANAEROBIC

INGREDIENTS
» 200 g of raw cashew nuts
» ¼ lime, juice squeezed out (to keep oxidation form darkening the nuts)
» 1 coffee spoon of salt
» ½ garlic clove

PREPARATION
1. *Allow the nuts to soak for 12 hours.*
2. *Slowly, process them in a blender, adding a bit of water along with the other ingredients until you have a smooth cream.*
3. *Transfer it to a glass jar, close it, and allow it to ferment for 2 days. In that period, you will notice bubbles will form in the middle of the dough, which will rise until it is or two fingers above its original mark.*
4. *After fermentation, eat the paste raw in up to 15 days and keep the class closed inside the fridge. It pairs well with toasts, cheeses, and fishes.*

Tip: Try replacing the cashew nuts with macadamia nuts, raw peanuts, or sunflower seeds.

WATER KEFIR RICE CAKE

(see page 211)

YIELDS 400 G
DIFFICULTY MEDIUM
PREPARATION 2 DAYS
FERMENTATION AEROBIC
MATURATION 1 DAY

INGREDIENTS
» 400 g of white rice, uncooked
» 200 g of water kefir water
» 4 eggs
» 135 g of sunflower oil
» 250 g of granulated sugar
» 200 g of milk or yogurt
» 100 g of grated Parmesan cheese (optional)
» 100 g of grated dried coconut (optional)

PREPARATION
1. *Soak the white rice overnight.*
2. *Drain out the rice with a sieve and process it in a blender with the kefir water until it turns into a past. Transfer into a jar.*
3. *Let it ferment overnight, or until the dough has doubled in size.*
4. *After fermentation, in a blender, combine the eggs, oil, and sugar.*
5. *Add the fermented rice, the milk or yogurt, and the grated cheese. Blend until smooth.*
6. *Transfer the mixture to another container, add in the grated coconut and combine it with the dough.*
7. *Pour the mixture into a greased and floured baking pan and bake at low heat (180 °C to 200 °C) for 45 minutes, or until golden.*

Tip: Replace the coconut with passion fruit and ginger, adding about 50 ml of milk and 2 whole passion fruits, and small chunks of ginger, combining everything in the blender.

MUSTARD (see page 212)

YIELDS 600 G
DIFFICULTY EASY
PREPARATION 7 DAYS
FERMENTATION ANAEROBIC

INGREDIENTS
» 200 g of mustard seeds
» 450 ml of passion fruit vinegar (or any other conventional vinegar, first fermentation kombucha, water kefir, or milk kefir whey)
» 12 g of salt
» 5 g of powder turmeric or any other spices, to taste

PREPARATION
Combine the grains, the vinegar, and salt and store them in a fermentation jar for a week. After this time, process the mixture in a blender along with the turmeric until obtaining the desired texture. Store it in a jar inside the fridge.

NUKADOKO AND NUKAZUKE

(see page 215-218)

YIELDS 1,5 KG
DIFFICULTY MEDIUM
PREPARATION 1 MONTH
FERMENTATION AEROBIC

Nukazuke is a kind of a japanese magical cocoon in which any vegetable can be buried and transform into a fermented marvel bursting with life and complex flavors and aromas, besides preserving it – the very goal of any culture that wishes to extend the life of vegetables without resorting to dehydration, refrigerators or chemical preservers.

The vegetables are buried in a bed of roasted rice bran that has been specially prepared and is called *nukadoko*. *Nuka* means rice bran, and *doko* the place (the bed in this case). The technique became popular during the Edo Period (1603-1868), the time when the country entered the modern era, with the strengthening of the traders and rice becoming the basis for the economy.

Rice bran, too fibrous and unpalatable, is not used directly in human nutrition. Even so, plenty can be made from it as a way of taking advantage of its benefits (it is packed with B and E vitamins, Mg, Fe, and K elements, besides antioxidants).

This ingredient is not commonly found in supermarkets, but you can easily purchase rice bran online. We bought ours in the cereal market of São Paulo, and they also ship to anywhere in Brazil, you need to look it up online.

As it often is the case with ancient techniques and formulation, there are countless recipes for starting up a *nukadoko*. We created our own version, adding Brazilian products: Brazilian peppertree leaves, Suriname cherries, and Rangpur limes, besides the syrup from the lime preserve (recipe on page 293), which we always have up our sleeves whenever we want to do something truly amazing.

NUKADOKO INGREDIENTS
» 1 kg of rice bran
» 600 g of water
» 20 Suriname Cherry Tree leaves
» 6 Rangpur lime leaves (or any other citrus fruit)
» 1 bunch of Brazilian Peppertree leaves
» 2 tablespoons of sweet Neem leaves
» 1 tablespoon of living miso (optional, as a starter)
» Salt: 10% of the amount of rice bran

We created the following formulation:
» 85 g of fermented lime syrup, which is the original brine from the preserve
» 25 g of salt
» 3 chili peppers (deseeded, decrease the amount if you want it to be less spicy)
» Boiled eggshell (optional)
» 20 g of grated ginger
» 10 g of hydrated kombu

Tip: You can also add apple peels, dried figs, or any other dried fruit that will supply the microorganisms with sugar, so feel free to experiment.

PREPARING THE NUKADOKO
1. *Quickly roast small batches of the rice bran in a frying pan (less than a minute, just until you*

Brazilian Way Fermentation

begin to feel the aroma rising).

2. *Allow it to cool, then add water and the remaining ingredients.*

3. *Work the mixture with your hands until you have a compact dough that won't shed water upon being squeezed. At this stage, the bed is still frail, susceptible to contaminations.*

4. *The nukadoko is a preserve created through aerobic (open, with the aid of oxygen) fermentation; therefore you'll need to mix it daily – at least twice a day – until its biochemical defenses against pathogens (microorganisms that are harmful to health) are up and running. This should happen by the end of the tenth day. You will notice the emergence of a pleasant, fruity aroma coming from the dough.*

But how will I know if everything is running smoothly? Like any other ancient technique, this one won't call for pH measuring strips or a DNA sequencer. Appearance and aroma will suffice. There should be no signs of mold (hairy fungi), and the aroma should be like that of any fermentation: sour and inviting. If you smell rotting, discard and start over the process with the patience of a true Zen master.

NUKAZUKE PREPARATION

When your rice bran bed has been laid, move on to the next step: *nukazuke*, the vegetable preserves bur-

ied in the living bed.

Pick any vegetable you like, clean it thoroughly with a brush, and bury in the living dough. There is no need to peel them (always prefer organic products), and your palate will determinate the fermentation time. The Japanese usually leave it buried only for a few hours, but try to ferment it for a few days. We kept a chayote buried for 2 months (in the fridge), and the result was an extremely sour vegetable, but filled with rich and complex aromas and a flavor that could transform a simple portion of gohan, when used in small amounts.

It would be interesting to use other vegetables besides the classic daikon (turnip), like cucumber, carrots, radishes, chayote, broccoli, cauliflower, West Indian gherkins, yams, and fruits: apples, plums, cashews, among others, always unpeeled.

As you unearth your vegetables from their bed, remove most of the bran and wash them under running water (which is not necessary, but makes them more presentable). Taste the vegetables daily and find out what fermentation time pleases you the most.

Remember, the vegetables will absorb the salt from their bed, so prove them regularly and adjust the salt of the dough. Besides, part of the bran will be lost as the vegetables are unearthed, meaning that, over time, you'll also need to replace it. Take this opportunity to add the spices that were used initially upon creating the *nukadoko*.

EPILOGUE

It is fascinating to think that not only in one but in many ways, we own our humanity to microorganisms. In this work, we did our best to make peace and get closer to them, understanding their role in nature and their importance in the environment, in our bodies, and in our kitchens.

Richard Feynman, one of the greatest physicists who ever lived, and a real jokester, one day made a speech about a glass of wine: "A poet once said, "The whole universe is in a glass of wine." We will probably never know in what sense he meant it, for poets do not write to be understood. But it is true that if we look at the glass of wine closely enough, we see the entire universe. There are the things of physics: the twisting liquid which evaporates depending on the wind and weather, the reflection in the glass; and our imagination adds atoms. The glass is to the distillation of the earth's rocks, and in its composition, we see the secrets of the universe's age and the evolution of stars. What strange array of chemicals is there in wine? How did they come to be? There are the ferments, the enzymes, the substrates, and the products. In the wine the great generalization is found; all life is fermentation. Nobody can discover the chemistry of wine without realizing, as did Louis Pasteur, the cause of many diseases. How vivid is the claret, pressing its existence into the consciousness that watches it! If our small minds, for some convenience, divide this glass of wine, this universe, into parts – physics, biology, geology, astronomy, psychology, and so on – remember that nature does not know it! So, let us put it all back together, not forgetting ultimately what it is for. Let it give us one more final pleasure; drink it and forget it all!".

Working alongside our tiny colleagues, be in academic, industrial our home researches, is an exercise that makes us all the more human: to realize our ability to create and to marvel, as conscious beings, at what is most precious in the Universe: life!

GLOSSARY

ABV
(Alcohol by volume)
Alcoholic concentration per volume.

Acetaldehyde
Product of ethanol oxidation. Responsible for the green apple or grape-like aroma in fermented alcoholic drinks and the hangover brought on by low-quality beverages. Also known as ethanal.

Acidity
The concentration of a given acid in that medium.

Aerobic (process)
The metabolic process, which happens in the presence of oxygen. Also known as Aerobiosis.

Airlock
Equipment that enables anaerobic fermentation.

Amylase
The enzyme that breaks down the large starch molecules into

other sugars (glucose, maltose).

Anaerobic (process)
Metabolic processes that happen in the absence of oxygen. Also known as Aerobiosis.

Bacteria
Prokaryote beings belonging to the Monera Kingdom, which are among some of the oldest beings in our planet. Their DNA is found on the cytoplasm. They do not possess a nucleus or internal membranes.

Brewing
Act of producing the wort (liquid) that will be fermented.

Brix
Unity measuring the content of sugar solved in a solution (the wort). 1 brix = 1% = 1 g of sugar for every 100 ml of water.

Densimeter
A device that measures the solvent

concentration in a liquid medium, like sucrose.

DNA
(Deoxyribonucleic acid) Deoxyribonucleic acid, made up of nucleotides represented by the letters A, T, C, G, that make up a genome alphabet.

Enzymes
Proteins responsible for speeding up chemical reactions that happen during metabolic processes.

Esters
Organic substances resulting from a reaction between alcohols and acids. Part of them is made up of aromatic compounds, responsible for the aroma of fruits, for instance. They are also synthesized during fermentation processes.

Fermentation
A biochemical anaerobic process that produces energy in living

beings, particularly microorganisms.

Fungi
Micro or macroscopic beings of the Fungi Kingdom whose cells possess a nucleus where the DNA is stored (eukaryote). They can be single-cell (lyeasts) or multicellular beings.

Gene
A DNA sequence that holds instructions for the synthesis of specific molecules, usually proteins.

Genome
A set of genes.

Glucose
A molecule of sugar.

Heterofermentative
Microorganisms that produce several kinds of metabolites.

Homofermentative
Microorganisms that produce only one kind of metabolite during fermentation.

Kombucha
A drink made from the wild fermentation of teas and infusions with sugar.

Malolactic
A fermentative process where malic acid is transformed into lactic acid.

Metabolism
Set of transformations and chemical reactions that happen in living beings.

Metabolites
Substances generated by the metabolic process.

Metabolic residue
See Metabolite.

Microbiology
A field of knowledge devoted to studying microorganisms.

Microbiome
Group of genomes of all microorganisms in a environment.

Microbiota
Set of microorganisms found in a environment.

Microorganism
Microscopic organism (that cannot be seen by the naked eye).

Organic Acids
Mild acids regularly produced by living organisms, usually soluble in water and organic solvents.

Pasteurization
Inactivation of microorganisms through a quick temperature increase and decrease.

Pathogens
Microorganisms harmful to health.

pH
A measurement of the concentration of ions in hydrogen (H+) in a medium. $pH = - log[H+]$.

Phenols
Organic compounds characterized by one or more hydroxyls attached to an aromatic ring. Among them, we can find tannins, anthocyanins (polyphenols), and aroma and taste compounds.

Priming
Fixing the wort using sugars, aromas, and flavors before bottling.

Protocooperation
A harmonious ecological relation between two individuals from different species (interspecific) where all parts benefit.

Racking (Soutirage)
Act of removing the clean part of a fermented wort through a siphon or a tap at the base of the fermentation tank.

Refractometer
See Densimeter.

Saccharimeter
See Densimeter.

Sanitization
Act of using chemical products to clean a given environment, utensil or equipment, inactivating pathogenic microorganism.

SCOBY
Symbiotic Culture of Bacteria and Yeast.

Symbiogenesis
A field of knowledge that studies the evolutive dynamics of living beings through the fusion of genes among organisms

Tannin
Organic substances that provide an astringent flavor.

Wort
A liquid packed with sugars and nutrients that is fermented.

Yeasts
A kind of fungus.

BIBLIOGRAPHICAL REFERENCES

BAUDAR, Pascal. **The Wildcrafting Brewer: Creating Unique Drinks and Boozy Concoctions from Nature's Ingredients**. White River Junction: Chelsea Green Publishing, 2018.

BENNETT, Judith M. **Ale, Beer and Brewsters in England: Women's Work in to Changing World**, 1300-1600. New York: Oxford University Press, 1996.

CANN, Rebecca L. et al. "Mitochondrial DNA and Human Evolution". **Nature**, n. 524, pp. 31-6, 1987.

CARVALHO, Sara P. F. **Desenvolvimento de Vinagres a partir de Chás e Infusões**. Master's thesis. Lisbon: Universidade de Lisboa, 2016.

CHISTÉ, Renan Campos & COHEN, Kelly de Oliveira. "Teor de Cianeto Total e Livre nas Etapas de Processamento do Tucupi". **Revista Instituto Adolfo Lutz**, v. 70, n. 1, 2011.

DAWKINS, Richard. **O Gene Egoísta**. São Paulo: Companhia das Letras, 2007.

DE CLERCK, Jean. **A Textbook of Brewing.** V. 2. London: Chapman & Hall, 1957.

FAO. Fermented Cereals: A Global Perspective. **FAO Agricultural Services Bulletin**, n. 138, 1999.

_____. Fermented Fruits and Vegetables: A Global Perspective. **FAO Agricultural Services Bulletin**, n. 134, 1998.

GRANT, Ross. "Fermenting Sauerkraut Foments to Cancer Fighter." **Health Scout News Reporter**, 24 Oct. 2002.

HARARI, Yuval. **Sapiens: Uma Breve História da Humanidade**. São Paulo: L&PM, 2014.

KATZ, Sandor Ellix. **Wild Fermentation: The Flavor, Nutrition, and Craft of Live-Culture Foods**. White River Junction: Chelsea Green, 2012.

KEAN, Sam. **O Polegar do Violinista: e Outras Histórias da Genética sobre Amor, Guerra e Genialidade**. Rio de Janeiro: Jorge Zahar, 2013.

KOZYROVSKA, Natalia et al. "Kombucha Microbiome as to Probiotic: A View from the Perspective of Post-Genomics and Synthetic Ecology", **Biopolymers and Cell**, v. 28, pp. 103-113, 2012.

LANE, Nick. **Power, Sex, Suicide: Mitochondria and the Meaning of Life**. Oxford: Oxford University Press, 2016.

LEHNINGER, Albert; NELSON, David L. & COX, Michael M. **Lehninger Principles of Biochemistry**. Nova York: Worth Publishers, 2000.

MALDONADO, Oscar et al. "Wine and Vinegar Production from Tropical Fruits". **Journal of Food Science**, v. 40, n. 2, pp. 262-265, 1975.

MARGULIS, Lynn. **O Planeta Simbiótico: Uma Nova Perspectiva da Evolução**. São Paulo: Rocco, 2001.

MEREZHKOWSKY, Constantin. "The Theory of Two Plasms as Foundation of Symbiogenesis: A New Doctrine on the Origins of Organisms", **Proceedings Studies of the Imperial Kazan University**, n. 12, pp. 1-102, 1909.

MUKHERJEE, Siddhartha. **O Gene: Uma História Íntima**. São Paulo: Companhia das Letras, 2016.

OLIVER, Garrett. **The Brewmaster's Table**. New York: Harper Collins, 2003.

POLLAN, Michael. **Cozinhar: Uma História Natural da Transformação**. Rio de Janeiro: Intrínseca, 2013.

ROVELO, Carlo. **A Realidade não é o que Parece**. Rio de Janeiro: Objetiva, 2017.

SAGAN, Lynn. "On the Origin of Mitosing Cells". **Journal of Theoretical Biology**, vol. 14, n. 3, pp. 225-274, 1967.

SERVER-BUSSON, Claire et al. "Selection of Dairy Leuconostoc Isolates for Important Technological Properties, **Journal of Dairy Research**, v. 66, n. 2, pp. 245-256, 1999.

SCHMIDELL, Willibaldo et al. **Biotecnologia Industrial**. v. 2. São Paulo: Blücher, 2001.

WIEGEL, Juergen & CANGANELLA, Francesco. "Extreme Thermophiles". 10.1038, 2002.

WÖHLER, Friedrich. "The Demystified Secret of Alcoholic Fermentation". **Annalen der Pharmacie**, n. 29, pp. 100-104, 1839.

ULTRA-PROCESSED FOODS AND HUMAN HEALTH

BIELEMANN, Renata M. et al. "Consumo de Alimentos Ultraprocessados e Impacto na Dieta de Adultos Jovens". **Revista Saúde Pública**, v. 49, n. 28, 2015.

BRASIL. **Guia Alimentar para População Brasileira**. 2. ed. Brasília: Ministério da Saúde / Secretaria de Atenção à Saúde / Departamento de Atenção Básica, 2014. Available at: http://bvsms.saude.gov.br/bvs/publicacoes/guia_alimentar_populacao_brasileira_2ed.pdf. Accessed on: Jul. 12, 2019.

JACOBS, Andrew & RICHTEL, Matt. "How Big Business Got Brazil Hooked on Junk Food." **The New York Times**, 16 sep. 2017. Available at: www.nytimes.com/interactive/2017/09/16/ health/brazil-obesity-nestle.html. Accessed on: Oct. 30. 2017.

JUUL, Filippa & HEMMINGSSON, Erik. "Trends in Consumption of Ultra-Processed Foods and Obesity in Sweden between 1960 and 2010". **Public Health Nutrition**, vol. 18, n. 17, pp. 3096-3107, Dec. 2015.

LEITE, Fernanda Helena Marrocos et al. "Association of Neighborhood Food Availability with the Consumption of Processed and Ultra-Processed Food Products by Children in to City of Brazil: A Multilevel Analysis". **Public Health Nutrition**, vol. 21, n. 1, Jan. 2018, pp. 189-200.

_____. "Alimentos Ultraprocessados e Perfil Nutricional da Dieta no Brasil". **Revista de Saúde Pública**, v. 49, n. 1, 2015.

LOUZADA, Maria Laura da Costa et al. "The Share of Ultra-Processed Foods Determines the Overall Nutritional Quality of Diets in Brazil." **Public Health Nutrition**, vol. 21, n. 1, pp. 94-102, Jan. 2018.

MONTEIRO, Carlos Augusto et al. "Household Availability of Ultra-Processed Foods and Obesity in Nineteen European countries." **Public Health Nutrition**, v. 21, n. 1, pp. 18-26, Jan. 2018.

SCRINIS, Gyorgy & MONTEIRO, Carlos Augusto. "Ultra-Processed Foods and the Limits of Product Reformulation." **Public Health Nutrition**, v. 21, n. 1, pp. 247-252, Jan. 2017.

HUMAN MICROBIOTA

COLLEN, Alanna. **10% Humano**. Rio de Janeiro: Sextante, 2015.

ENDERS, Giulia. **O Discreto Charme do Intestino: Tudo sobre o Órgão Maravilhoso**. São Paulo: Martins Fontes, 2015.

FAINTUCH, Joel (ed.). **Microbioma, Disbiose, Probióticos e Bacterioterapia**. Barueri: Manole, 2017.

PERLMUTTER, David. **Amigos da Mente: Nutrientes e Bactérias que Vão Curar e Proteger seu Cérebro**. São Paulo: Paralela, 2015.

BEER AND ITS YEAST

BING, Jian et al. "Evidence for to Far East Asian Origin of Lager Beer Yeast." **Current Biology**, v. 24, n. 10, pp. 380-381, 2014.

GALLONE, Brigida et al. "Origins, Evolution, Domestication and Diversity of *Saccharomyces* Beer Yeasts". **Current Opinion in Biotechnology**, v. 49, pp. 148-155, Feb. 2018.

_____. "Domestication and Divergence of *Saccharomyces Cerevisiae* Beer Yeasts". **Cell**, v. 166, n. 6, pp. 1397-1410, Sep. 2016.

GONÇALVES, Margarida et al. "Distinct Domestication Trajectories in Top-Fermenting Beer Yeasts and Wine Yeasts". **Current Biology**, v. 26, n. 20, pp. 2750-2761, Oct. 2016.

HITTINGER, Chris Todd et al. "Diverse Yeasts for Diverse Fermented Beverages and Foods", **Current Opinion in Biotechnology**, v. 49, pp. 199-206, Feb. 2018.

WHITE, Chris & ZAINASHEFF, Jamil. **Yeast: The Practical Guide to Beer Fermentation**. Boulder: Brewers Publications, 2010.

BRETTA

AGNOLUCCI, Monica et al. **World Journal of Microbiology and Biotechnology**, v. 33, p. 180, 2017.

BASSO, Rafael Felipe et al. "Could Non-*Saccharomyces* Yeasts Contribute on Innovative Brewing Fermentations?", **Food Research International**, v. 86, pp. 112-120, 2016.

CRAUWELS, Sam et al. "*Brettanomyces bruxellensis*, Essential Contributor in Spontaneous Beer Fermentations Providing Novel Opportunities for the Brewing Industry", **Brewing Science**, v. 68, pp. 110-121, 2015.

BRETTA: AROMAS AND FLAVORS

GREY, W. Blake, "Darth Vader is My Lover: Revelations About *Brettanomyces* in Wine", **The Palate Press**, 20 Jan. 2013. Available at: http://palatepress.com/2013/01/wine/revelations-about-brettanomyces-in-wine. Accessed on: Jul. 2019.

HOLT, Sylvester et al. "Bioflavoring by Non-Conventional Yeasts in Sequential Beer Fermentations", **Food Microbiology**, v. 72, pp. 55-66, 2018.

ROMANO, Andrea et al. "Sensory and Analytical Re-Evaluation of 'Brett Character'", **Food Chemistry**, v. 114, n. 1, pp. 15-19, 2009.

SMITH, Brendan D. & DIVOL, Benoit. "*Brettanomyces Bruxellensis*, to Survivalist Prepared for the Wine Apocalypse and Other Beverages", **Food Microbiology**, v. 59, pp. 161-175, 2016.

STEENSELS, Jan et al. "*Brettanomyces* Yeasts: From Spoilage Organisms to Valuable Contributors to Industrial Fermentations," **International Journal of Food Microbiology**, v. 206, pp. 24-38, 2015.

TONSMEIRE, Michael. **American Sour Beers: Innovative Techniques for Mixed Fermentations**. Colorado: Brewers, 2014.

WEDRAL, Danielle et al. "The Challenge of *Brettanomyces* in Wine". **LWT: Food Science and Technology**, v. 43, n. 10, pp. 1474-1479, Dec. 2010.

MILK KEFIR

WESCHENFELDER, Simone. **Caracterização de Kefir Tradicional quanto à Composição Físico-Química, Sensorialidade e Atividade anti-*Escherichia coli***. Master's Thesis. Porto Alegre: UFRGS, 2009.

ZANIRATI, Débora Ferreira. **Caracterização de Bactérias Láticas da Microbiota de Grãos de Kefir Cultivados em Leite ou Água com Açúcar Mascavo por Metodologias Dependentes e Independentes de Cultivos**. Master's Thesis. Belo Horizonte: UFMG, 2012.

VEGETATION IN METROPOLITAN REGIONS

AMATO-LOURENÇO, Luís Fernando. **Agricultura Urbana: Guia de Boas Práticas**. São Paulo: Instituto de Estudos Avançados, 2018. Available at: www.iea.usp.br/pesquisa/grupos-de-estudo/grupo-de-estudos-de-agricultura-urbana/publicacoes/cartilhasiteiea.pdf. Accessed on em: Jul. 23, 2019.

_____. **A Influência da Poluição Atmosférica no Conteúdo Elementar e de Hidrocarbonetos Policíclicos Aromáticos no Cultivo de Vegetais Folhosos nas Hortas Urbanas de São Paulo**. Doctoral Dissertation

São Paulo: Universidade de São Paulo, 2018.

ATTANAYAKE, Chammi P. et al. "Potential Bioavailability of Lead, Arsenic, and Polycyclic Aromatic Hydrocarbons in Compost-Amended Urban Soils", **Journal of Environment Quality**, v. 44, n. 3, p. 930, 2015.

SAEUMEL, Ina et al. "How Healthy is Urban Horticulture in High Traffic Areas? Trace Metal Concentrations in Vegetable Crops from Plantings Within Inner City Neighbourhoods in Berlin, Germany", **Environmental Pollution**, v. 165, pp. 124-132, Jun. 2012.

SCHRAM-BIJKERK, Dieneke et al. "Indicators to Support Healthy Urban Gardening in Urban Management", **Science of The Total Environment**, v. 621, pp. 863-871, Apr. 2018.

WARMING, Marlies et al. "Does Intake of Trace Elements through Urban Gardening in Copenhagen Pose a Risk to Human Health?". **Environmental Pollution**, v. 202, pp. 17-23, 2015.

GUIDE TO FOOD PLANTS

KINUPP, Valdely Ferreira. **Plantas Alimentícias não Convencionais da Região Metropolitana de Porto Alegre, RS.** Doctoral Dissertation.

Porto Alegre: UFRGS, 2007. Available AT: https://lume.ufrgs.br/handle/10183/12870. Accessed on: Aug 28. 2009.

KINUPP, Valdely Ferreira & LORENZI, Harri. **Plantas Alimentícias não Convencionais (Panc) no Brasil: Guia de Identificação, Aspectos Nutricionais e Receitas Ilustradas**. São Paulo: Instituto Plantarum de Estudos da Flora, 2014.

RANIERI, Guilherme Reis. **Guia Prático de Plantas Alimentícias não Convencionais (Panc)**. São Paulo: Instituto Kairós, 2017. Available at https://institutokairos.net/wp-content/uploads/2017/08/Cartilha-Guia-Pr%C3%A1tico-de-PANC-Plantas-Alimenticias-Nao-Convencionais.pdf. Accessed on: Jul 24 2019.

INDUSTRIAL FERMENTATION

CARR, Frank J. "The Lactic Acid Bacteria: A Literature Survey", **Critical Reviews in Microbiology**, v. 28, n. 4, 2002.

ETCHELLS, J. L. et al. "Pure Culture Fermentation of Brined Cucumbers", **Applied Microbiology**, v. 12, n. 6, pp. 523-535, Nov. 1964.

HURST, A. "Microbial Antagonism in Foods",

Canadian Institute of Food Science and Technology, v. 6, pp. 80-90, 1977.

JOHANNINGSMEIER, Suzanne et al. "Effects of *Leuconostoc Mesenteroides* Starter", **Journal of Food Science**, v. 72, n. 5, 2007.

PEDERSON, C. S. "The Sauerkraut Fermentation". **N. Y. S. Agric. Exp. Sta. Bull**. v. 824, 1969.

_____. "Sauerkraut". **Advances in Food Research**, v. 10, pp. 233- 291, 1961.

_____. "Floral Changes in the Fermentation of Sauerkraut". **N. Y. S. Agric. Exp. Sta. Techn. Bull.**, v. 168, 1930.

_____. "The Effect of Pure Culture Inoculation on the Quality and Chemical Composition of Sauerkraut". **N. Y. S. Agric. Exp. Sta. Techn. Bull.**, v. 169, [nd.].

SILLIKER, J. H. et al. **Microorganisms in Foods**: Microbial Ecology of Foods. Cambridge: Academic Press, 1980.

RECIPE INDEX

Acerola and Orange Soda, 272
Achar (Traditional preserved
Peppers from Mozambique), 299
Apple Vinegar, 274
Bacupari Preserve, 297
Banana Fruit Roll, 269
Beet Soda, 271
Beet Vinegar, 275
Black-Eyed Pea Fritters - variation of Acarajé, 307
Brazilian Grape Dessert Wine, 286
Brazilian Grape (Jabuticaba) Preserve, 296
Brazilian Grape Melomel, 283
Brazilian Metheglin, 282
Brazilian Root Beer, 284
Cambuboshi, Umbuboshi,
Figboshi, Bilimboshi, 298
Camu-Camu Soda, 271
Carimã Mush with Tonka Beans
and Brazil Nuts, 305
Carrot, 265
Carrot Preserve, 292
Cashew Cider, 285
Cassava Puba, 301
Ceylon Olives Preserve, 297
Classic Mead, 282
Coffee, 266
Collard Greens Sauerkraut, 291
Cucumber and Mint, 266
Cucumber, Lemon Balm
and Lime Soda, 272
Cupuaçu Fruit Roll, 269
Dry Brazilian Grape Wine, 285

Everyday Curd (Yogurt), 254
Fermented Cashew Nuts Paste, 308
Fermented Falafel (Chickpea Fritters), 307
Fermented Hot Sauce, 298
Fermented Kefir Butter, 254
Fermented Kefir Milk (Homemade Yakult®), 255
Fermented Salad Dressing, 299
Fruit Kimchi, 295
Ginger Ale, 272
Ginger Bug, 253
Ginger Candy, 268
Ginger Soda, 273
Grated Carrot and Turnip Preserve, 292
Green Mango Preserve, 297
Green Tea Kombucha with Ginger, 261
Green Tea Vinegar, 274
Guava Fruit Roll, 268
Hard Açai Berry Kombucha (5% Vol.), 281
Hibiscus, Ginger, and Brazilian Pepper, 266
Jerked Beef and Puba Casserole, 304
Kabocha and Fennel Preserve, 293
Kombucha Based on Mild Green Tea, 264
La Jiao Jiang, 299
Malt Vinegar, 276
Mango Chutney, 295
Mate Wine, 286
Melon and Green Tea Soda, 272
Mustard, 309
Nukadoko and Nukazuke, 309
Oxtail with Tucupi, 304
Pão de Queijo (Cheese Bread), 303
Passion Fruit and Brazilian Pepper, 265

Passion Fruit Roll, 269
Pineapple and Mint Soda, 270
Pink Ipê Beer, 284
Preparing Strained Yogurt and Whey, 254
Preserved Lime Vinaigrette, 294
Preserved Rangpur Lime, 293
Puba Blinis, 302
Puba Cassava Cake, 302
Puba Cassava Dough (Carimã), 302
Rangpur Vinegar, 275
Rejuvelac, 255
Roasted Mate and Lime, 266
SCOBY Banana Jam, 267
SCOBY in Syrup, 267
Sour Cassava Starch, 302
Standard Fruit Extract, 265
Starch Biscuits with Achiote Oil
and Pumpkin Seeds, 304
Summer Kimchi, 295
Summer Navel Orange, 265
Sweet-Potato Soda, 271
Traditional Sauerkraut, 291
Tropical Kimchi, 294
Tucupi, 301
Tucupi Ice-Cream, 302
Uarini Couscous with Tucupi
and Shrimps, 303
Vegan SCOBY Jerked Beef, 268
Water Kefir Rice Cake, 308
West Indian Locust and
Quina-Quina Beer, 283
Zucchini and Pineapple Relish, 296

318

THE AUTHORS

FERNANDO GOLDENSTEIN CARVALHAES has a bachelor's in Physics and a Master's in Biophysics (both from USP); he taught physics, science epistemology and research methodology in schools, universities, and corporations before founding Companhia dos Fermentados, a food and beverages industry that rescues ancient techniques for producing food in an artisanal and natural way. He founded and teaches at Escola Fermentare, which has over 18 courses about all kinds of subjects about the topic, and gives classes all over Brazil at SESCs, SENACs, restaurant schools, industries, and gastronomy universities, besides his own venue in São Paulo.

LEONARDO ALVES DE ANDRADE has a bachelor's in graphic and digital design by the Instituto Europeu de Design (IED – SP) and photography by the Escola Panamericana de São Paulo. He has worked with web programming, photography, and digital marketing for 8 years. He founded his first panoramic photography company when he was 17 and sold it when he was 23. He has always loved kitchen experimentations and made cakes and sweets with his grandmothers as a boy – but had never saw his passion for food as a career path.

Guided by experiences and passion for food, he met Fernando and jumped headfirst into fermentation, seeing the technique as a way of transforming and preserving foods, and created Companhia dos Fermentados, an industry for fermented foods and beverages. With his professional baggage, he created a website, a visual identity, photographs, and the brand's concept.

One year after founding the industry, he created Fermentare Escola de Fermentação, whose main mission is rescuing food and beverage fermentation and advertising it to a broad audience simply and directly. Currently, he teaches at institutions such as SESC, SENAC, study groups, and private universities across Brazil.

For two years, he's been actively working alongside the Department of Agriculture, Livestock, and Supply (MAPA) to create a standard for identity and quality for kombucha in Brazil. A year ago, he founded ABKOM (Brazilian Kombucha Association), a group that brings together commercial kombucha producers with the goal of creating a united front and helping producers navigate this new market.

ACKNOWLEDGMENTS

Ailin Aleixo, for acknowledging and encouraging our work.

Ana Luiza Trajano and all the **Institute Brasil a Gosto** team, for their friendship, without which this book would not have a Brazilian approach.

Alessandra Domingues and **Marie Eve Hippenmeyer**, for their friendship, companionship, and the first bottlings in their home kitchens with enjoyable conversations.

André Mifano, the first chef to say our fermented vegetables are f****** great. Up to that point, it was an unconfirmed presumption.

Carla Saueressig, for the strength, trust, teachings, friendship and recognition. We owe the success of our kombucha to your careful choice of teas and infusions.

Celso Sim, our diva, inspiring muse, whose songs rocked our cultures and who first gave rise to the idea of transforming a hobby into a business.

Chicão and his sons, **Thiago and Felipe Castanho**, for their friendship, acknowledgment, and for inviting us to Belém do Pará. It's always a thrill to be with you.

Diego Badaró, for the "theobromic" experience of entering and walking through the cacao coast.

Dona Myung and **Paulo Shin**, for teaching us the right way of eating Korean food.

Erika Brandão, for her photogenic tibicos.

Fernanda Diamant, for her objective, generous, and affectionate outlook on our writing.

Gisele Gandolfi, for her careful and amazing ceramics from **Atelier Muriqui**, seen in this book.

Guilherme Ranieri, patient advisor of strange and delicious plants.

Helena Rizzo, for acknowledging our sauerkrauts and vinegar and proudly serving fermented foods on the tables at **Maní**.

Ivan Ralston, for daring to surprise by using our preserves on the dishes at **Tuju**.

Jefferson and **Janaína Rueda**, for rising up the challenge of creating a kombucha that would pair with the **Casa do Porco**'s tasting menu.

Lis Cereja, for her alcoholic invitations and the discovery of wild vineyards.

Marselle Andrade, for her continuous help since the beginning of our journey.

Nathalia Leter, dear, adored friend,

for her teachings and connections. **Neka Mena Barreto**, for her support and acknowledgment since the beginning of our journey.

Neide Rigo, for being the mother of the mother of all kombucha mothers.

Professor **Rosane Schwan** and to **UFLA**, who gave us the scientific backing when we were still learning to crawl.

Sandor Katz, for the nights spent in talks inebriated by our most outlandish wines and ciders.

Stela Goldenstein, for everything.

Tatiana Schor and **Zé Gomes**, who gave us peace, beer, and literature at the **Sarapó** brewery in Novo Airão, Amazonas.

Veruska Bustillos, for the scoldings, reprimands and for believing in these microorganisms.

Senac Campos do Jordão, for acknowledging the importance of our work and inviting us to approach a subject that is overlooked in gastronomy courses. Special thanks to teachers **Breno Guelssi** and **Vitor Pompeo**.